Model Graphix

マクロス アーカイヴス プラス

月刊モデルグラフィックス編

大日本絵画

Model Graphix マクロス アーカイヴス プラス

Contents;

ヴァリアブルファイターを作ろう!

本書は、月刊モデルグラフィックス誌に掲載されてきた『マクロス』シリーズの作例記事を再編集し、さらに作り起こし作例のページを大幅に付け加えたものです。モデルグラフィックスだからこその模型的趣向溢れる数々のマクロス系作例は、本誌のキャラクター系モデリングのひとつの看板ジャンルであり続けてきました。マクロスアーカイヴス』２巻目となる本書では、膨大な作例のなかからマクロスモデルの製作法にクローズアップした企画やアレンジ作例を中心にピックアップ。さらに、マクロスモデラーなら一度は作ってみたい、1/72 メサイアバルキリーの製作ハウツーを新規作例で紹介していきます。可変機ならではの、そしてマクロスの世界観ならではの模型製作をより楽しむために、ぜひ参考にしてみていただければ幸いです。

＊本書に掲載している作例、イラストなどの設定 (機体設定や部隊等) は、マクロスシリーズの劇中に登場したものをのぞき模型製作のために考えられた本誌独自のものであり、オフィシャル設定ではありません

＊本書は基本的に雑誌掲載当時の記事表記に準じています(「本誌」＝『月刊モデルグラフィックス』など)。また、記事中にあるマテリアルやキットに関する記載は雑誌掲載時のものになっているため、現在は販売が停止されていたり名称が変更になっていたり価格が改訂されていたりする場合があります。

SMS001
SMS001

Model Graphix

マクロス アーカイヴス プラス

可変メカならではの製作法のコツ詳しくお教えいたします。

ヴァリアブルファイターならではの模型製作法を題材ごとに詳しく解説していきます。

ファイター／ガウォーク／バトロイドに変形するところにアイデンティティーと魅力がある『マクロス』のヴァリアブルファイター。それを再現したプラモデルには、可変キットや形態限定のキットなどさまざまなものがあり、可変キットには可変キット魅力と難しさが形態限定のキットには形態限定キットの魅力と難しさがあります。どちらを作るか、あるいは両方を製作して並べてみるかどうかは作り手しだいですが、それぞれの特徴や製作上のポイントを知っておくことで、さらに完成品の魅力を増すことができるはずです。「わざわざ自分でプラモデルを削って塗り手間をかけて製作した完成品」だからこその、市販完成品では到達できない領域をぜひあなたも体験してみてください。

本書では、まず可変キットの代表としてバンダイ製 1/72アーマードメサイアバルキリー、そしてファイター形態キットの代表としてハセガワ製1/72スーパーメサイアバルキリーを製作し、それぞれのキットフォームに適した製作工程を詳しく解説していきます。そのうえで、「ファイター形態をより航空機テイストで仕上げる」、「ファイター形態限定キットを可変完成品に改造する」、さらにはヴァリアブルファイターから少し離れて「作品の要たる歌姫のフィギュアをよりかわいく作る」、「デストロイドをよりリアルにウェザリングする」 などなど、さまざまな角度からマクロスモデルの製作をより楽しめるようになる考え方や工作法を選り抜いてまとめさせていただきました。

Model Graphix
マクロス アーカイヴス プラス
作り起こし作例

BANDAI 1/72 VF-25S “ARMORED MESSIAH”

ARMORED MESSIAH VALKYRIE OZMA CUSTOM

“最強”のヴァリアブルファイターキットをカッコよく、ちゃんと可変するように作りたい!!

バンダイのVF-25S/F アーマードメサイアバルキリーは、ヴァリアブルファイター好きなら一度は作ってみてほしい超傑作キット。超絶な精度で再現された変形ギミックとアーマードメサイアならではのボリューム感には圧倒的なものがあります。完成してしまえばストレート組みでもめっちゃカッコいいアーマードメサイアバルキリーを堪能できるこのキットですが、そのデザインを再現するための圧倒的なパーツ数＝物量と可変モデルならではの複雑な構成は数あるヴァリアブルファイターモデルのなかでも最高峰。キットの箱を開けた段階で尻込みしてしまう方も多いと思われますので、このキットをより確実によりカッコよく工作／塗装して完成させるためのノウハウを、詳しい製作法解説記事で紹介していくことにします。

VF-25S アーマードメサイアバルキリー
オズマ機
バンダイ　1/72
インジェクションプラスチックキット
税込8640円
出典／『マクロスF』
製作・文／**森 慎二**

BANDAI 1/72 VF-25S "ARMORED MESSIAH"

可変キットを攻略するためのアーマードメサイア製作法解説

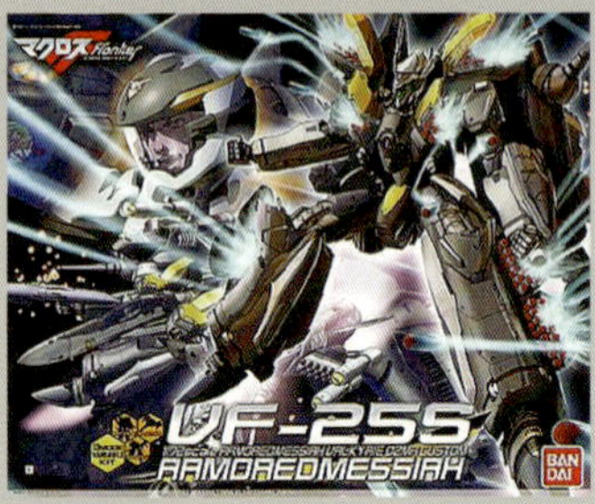

VF-25S アーマードメサイア
バルキリー オズマ機
バンダイ　1/72
インジェクション
プラスチックキット
税込8640円

箱を開けるとまずその物量に圧倒されるバンダイの1/72アーマードメサイアバルキリー。完成後のボリュームも1/72ヴァリアブルファイターモデルのなかで随一です。ポイントを押さえて製作を進めていけばストレート組みでも作例のような完成品を手にすることができますので、その阿東的な物量に気圧されることなく、ぜひ製作にチャレンジしてみよう！

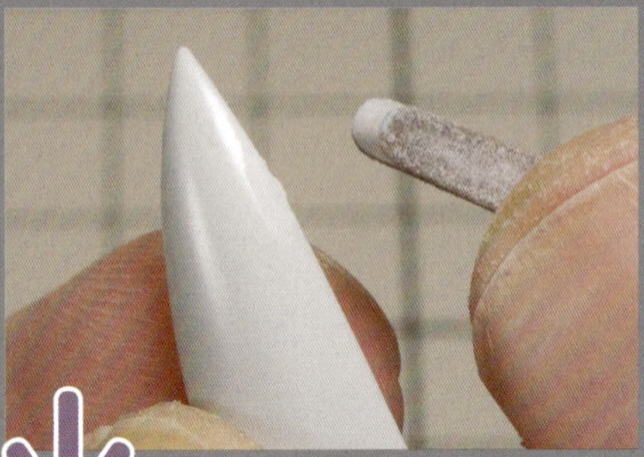

600番の紙ヤスリを使ってゲート跡の残りを削りますが、紙ヤスリをそのまま指で持ってヤスるのはおすすめしません。なにか板状のものをあて狙った部分だけにヤスリをあてます。狭い範囲をヤスりたい場合は幅が細いものを使いましょう。数回ヤスリを動かしたら削っている面をよく観察するようにし、削りすぎないようにします。曲面はヤスリをあてる角度を少しずつ変えながら削ります

とくに曲面部分は削りすぎると面形状を崩すので、ゲート跡の出っ張りがなくなったらすぐに紙ヤスリをあてるのをやめましょう。出っ張りがなくなったら、600～800番相当ので表面を軽く均します。スポンジヤスリは削ったときにできるケバ立ちを取るときにも便利です

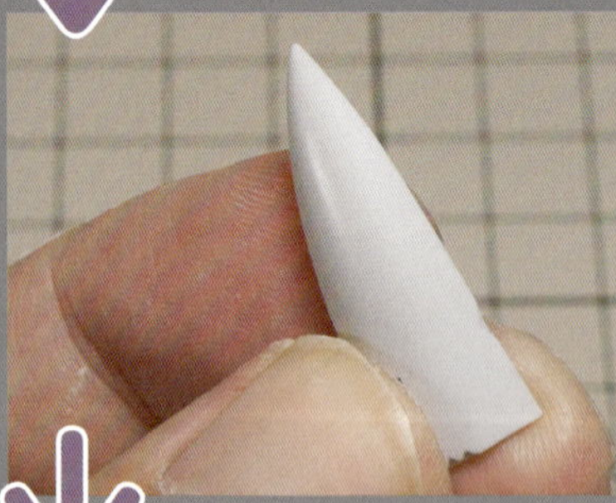

紙ヤスリもスポンジヤスリもゲートを削った周辺の整形が必要な部部のみにあてるようにします。不要に削ってしまうと形状を崩したりディテールのシャープさを損なうので注意しましょう。近年のバンダイのキットは、パーツの合いが非常に厳密でモールドも繊細です。パーツ本来の形状よりも削りすぎるとそこが段差になったりするので、極力パーツ本来の形状を保つように心がけましょう

すべてのパーツをすぐにハメない

ゲート跡の整形作業が終わったらすぐにパーツをハメていきたくなりますが、このキットではそれは厳禁。一度ハメてしまうとはずれなくなったり、外れてもゆるくなってしまったりすることがあるので、色分けを考えてどこまでハメておくかに注意しましょう。詳しくは追って部分ごとに解説していきます

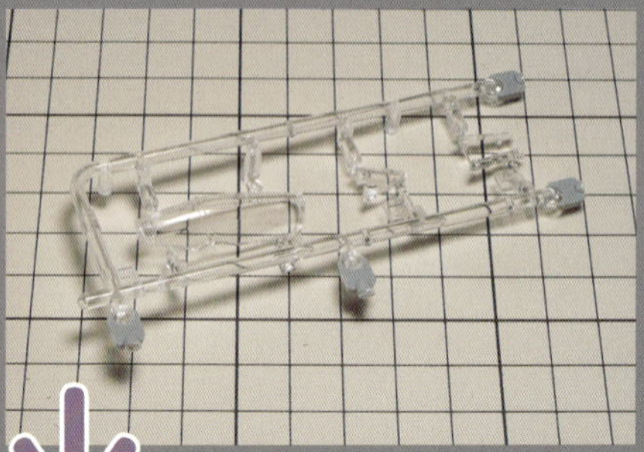

クリアーパーツは扱いに要注意

キャノピーなどのクリアーパーツは、初めに切り分け袋に入れるなどしてしまっておきましょう。クリアーパーツは、製作中にほかのパーツとこすれて傷がついてしまったり、接着剤の飛沫が飛んで表面が荒れたりすることがありますので扱いには要注意。工作をはじめる前に分けてしまっておくと安心です

ゲートの処理法をマスターしよう

工作の大半はゲート部分の処理になります。繰り返し行なう重要な作業ですので、まずはセオリーをきちんとマスターしておきましょう。ランナーからパーツを切り出すときは、薄刃のプラ用ニッパーを使い、パーツのフチから1㎜以上離れたところを切ります。めんどうだからとギリギリを切るのはダメです

いったんランナーから切り外してから、もう一度ニッパーでパーツのフチの近くで切りましょう。そのとき、あまりギリギリを切ると本来のパーツ形状より凹んでしまうことがあるので、刃を少しだけ浮かせて切るようにします。写真のように、ニッパーの刃先側をパーツにつけ、切るところを少しだけ浮かせるようにすると、刃を入れる位置の微調整がしやすくなります

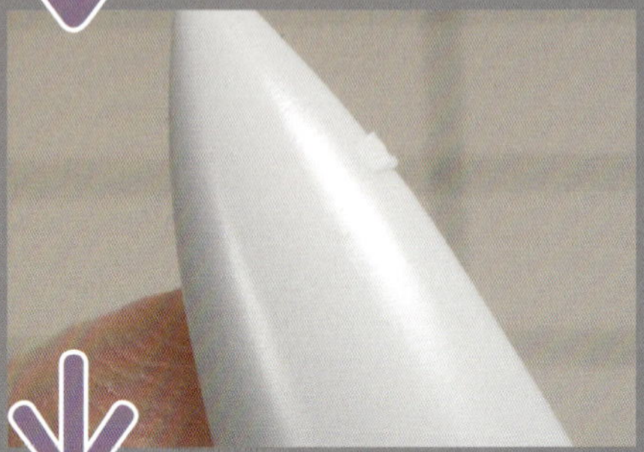

2度切り後の状態。いきなりギリギリを切らないのは、ランナーについたままギリギリのところに刃を入れると刃から伝わる力でゲートの付け根が変形して凹むことがあるからです。多少の凹みはパテで容易に修整できますが、不要な手間がかかるうえ後でヒケて目立つこともあります。2度切りは手間がかかるように思われるかもしれませんが、きれいに切り出せるので、あとあとの手間を減らせます

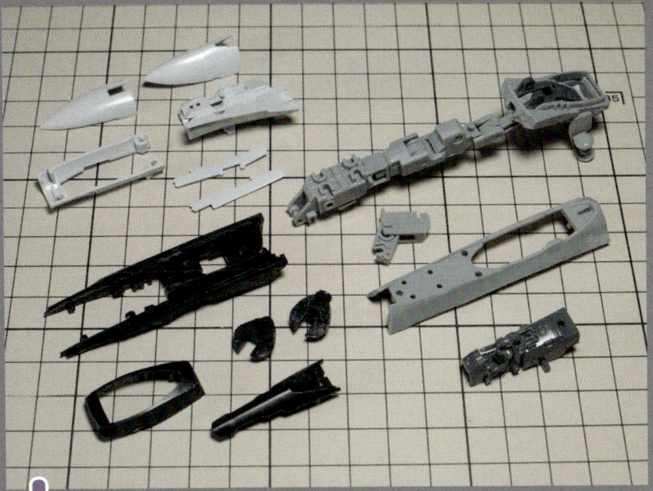

機首部分はここまで組み立てます

機首部分の整形と組み立てはここまで。外装部分は先に組み立ててしまうとマスキングして塗り分けないといけなくなるので、色が違う部分はバラバラのまま塗装します。ノーズのレドーム部など、挟み込みがあるところもまだハメ合わせません。外装ハメ合わせ部の大きめのダボは斜め切りしておきます

スナップフィットキットでも 可動フレームだけは接着して保持力アップ！

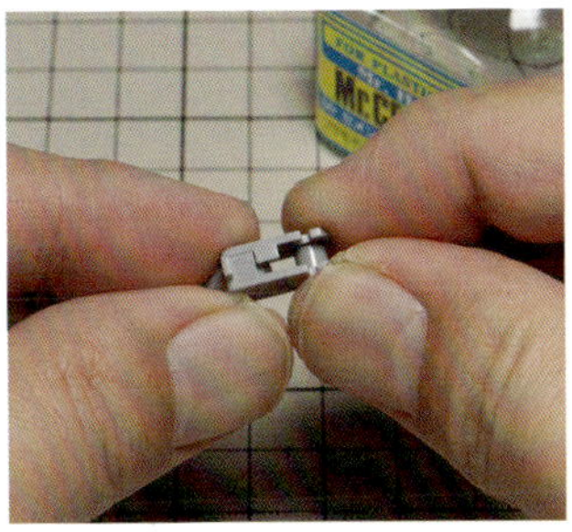

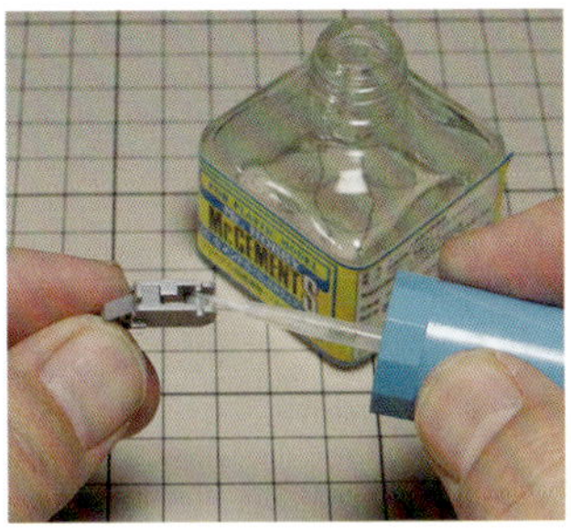

このアーマードメサイアは接着剤不要でハメ合わせできるスナップフィット仕様ですが、可動部のフレームを部分的に接着しておくと可動時の保持力が上がります。スナップフィットの可動モデルを動かしているうちに関節がヘタってくることがありますが、その大半はパーツの合わせがゆるんでくるのが原因ですので、パーツが緩まないように接着しておくとヘタりにくくなります。ただし、可動部に接着剤が流れ込まないよう厳重に注意して接着しましょう。

脚の付け根の関節パーツ（H40+41+43）は、色分けからいくとあとでハメたほうがよいのですが、関節の保持力を考えるとハメ合わせ部に塗料をのせたくないので先にハメてしまいます。ここは脚の重量すべてを支える重要な関節なので、一回パーツをパチンとハメたら外さないようにします。塗り分けはマスキングをしてもよいのですが、それほど目立たないのでメインフレームと同一色で塗ります

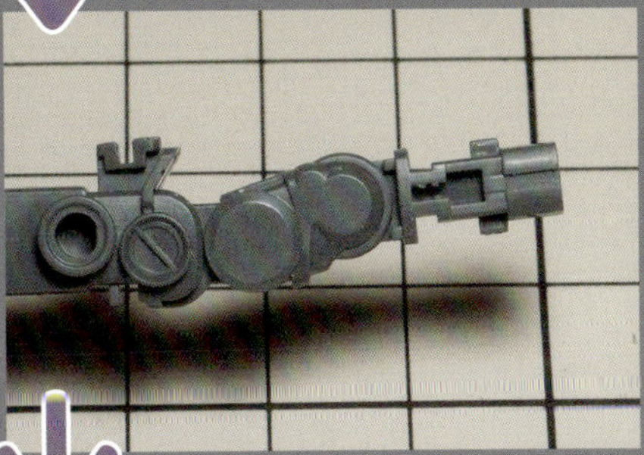

腕の工作に移ります。腕のフレームは、ヒジ関節部のパーツの向きに注意しましょう。反対向きに組んでしまった場合、バトロイド時には一見問題なさそうに見えますが、ファイター時に腕の全長が少しだけ短くなるよう折りたたむときに正位置にならなくなってしまいます

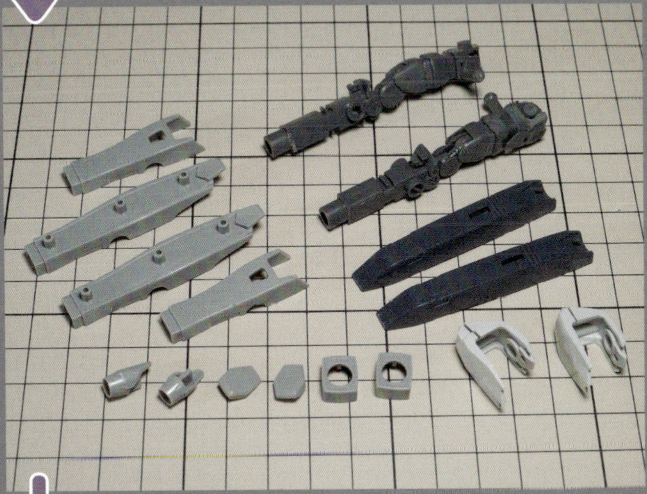

前腕の合わせ目はお好みで

前腕外装には設定にない合わせ目ができますが、パネルライン的に見えるように合わせ目ラインが処理されているので今回は合わせ目を消していません。ここの合わせ目を消したい場合は、フレームと層→外装接着／合わせ目消し→マスキングで塗り分け、という少々めんどうな手順になります

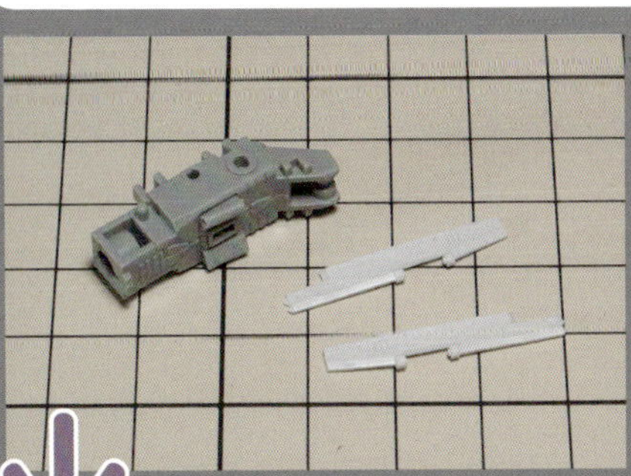

フレームパーツI14、16とI20、21はしっかりと接着しておくようにしますが、可動部分に接着味が流れ込まないように要注意。前脚格納庫ハッチのパーツD22、23はハメたり外したりを繰り返すとゆるくなったり外れやすくなったりしますので、一度ハメたら外さないようにしたいところ。ここは色分けがあるので、塗装後にハメるようにするのがおすすめです

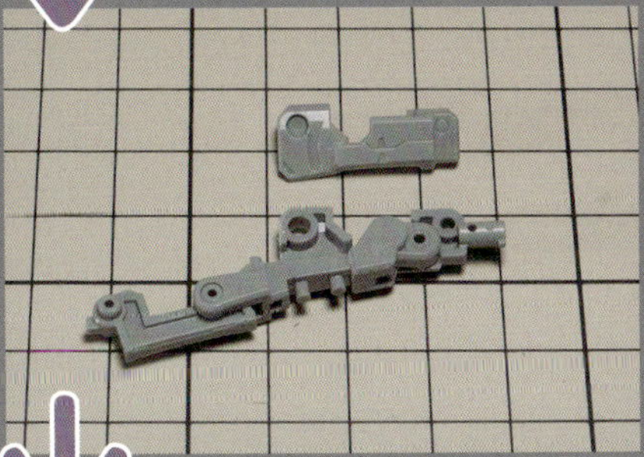

機首のメインフレームを組み進めていきます。ここは挟み込むパーツの向きに注意しよく確認てからハメるようにしましょう。ここも保持力を保つためにI6、7は接着しておきます

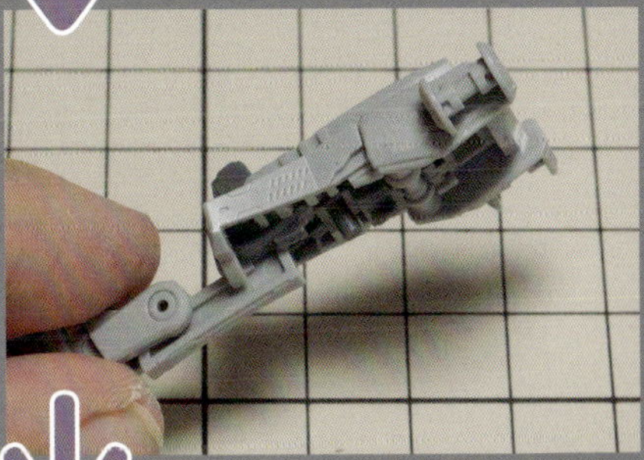

機首の付け根側、バトロイド時に股間部になるフレームを組んでいきます。股関節になるパーツI3は向きに注意しましょう

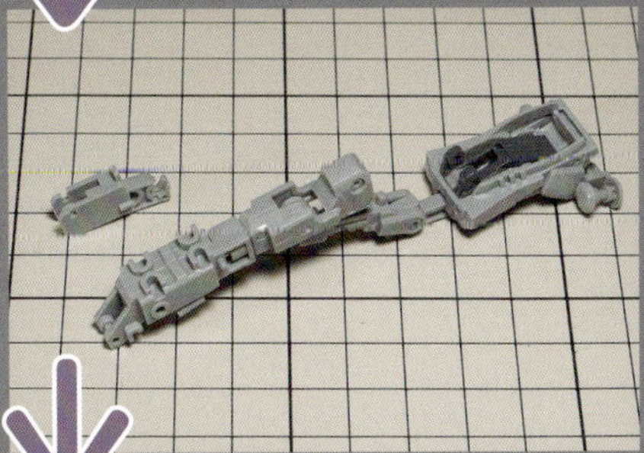

機首のメインフレームが組み上がりました。先端レドーム部のフレームは先にハメておくと不要に動いてゆるくなってきそうなので、塗装が終わって最後に組み立てるときまではハメないことにします。このメインフレームはバトロイド時の胴体のメインフレームになりますので、ゲート跡の削り漏らしがないようによく気をつけて、可動部以外は接着し強度と可動部の保持力を上げておくようにします

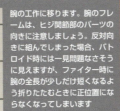

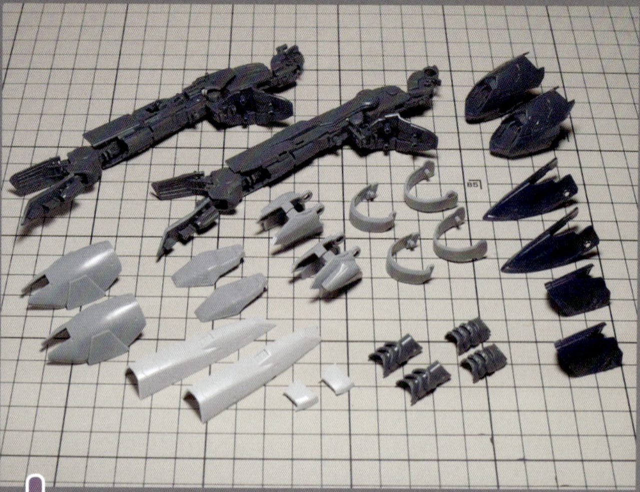

脚の工作はここまでです

脚はここまで組み立てておきます。外装パーツはフレームに組み付けず別で塗装しますが、すべてバラバラだと持ち手をつけるのがめんどうなのである程度ハメておきます。その際、パーツのまま奥までハメてしまうと外しにくいので、ダボ棒を斜め切りし、半分くらいまでゆるめにハメ合わせます

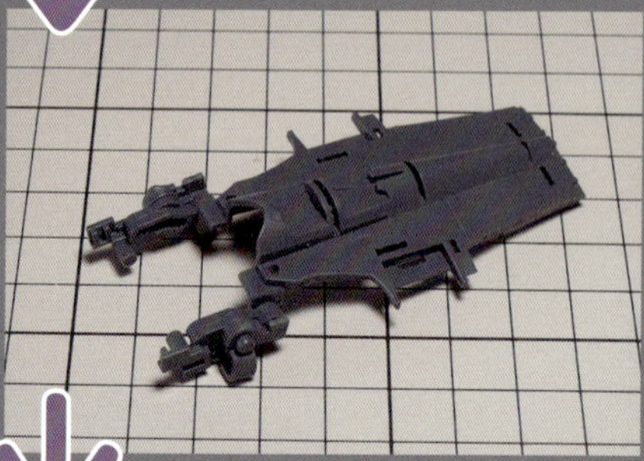

胴体（機体本体）の工作に移ります。機体上面をバトロイド時の前面と背面になるよう折り曲げるヒンジ部も重量がかかる重要な関節です。ヒンジ部のパーツJ18と21、J19と22は 向きに注意して、一回ハメたら外さないようにします

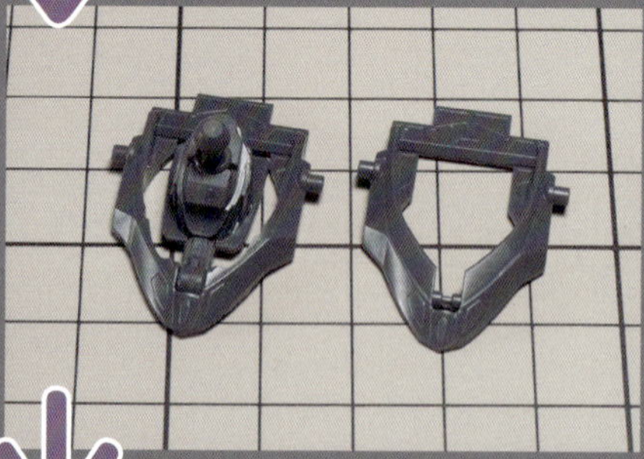

首の基部はアーマードメサイアでは新規パーツを使用します。使用するのはパーツＥ36（写真左側）で、Ｅ32（右側）は不要パーツとなります。間違えてＥ32に首のジョイントパーツJ23を無理矢理ハメて動かそうとするとパーツを破損しやすいので注意してください

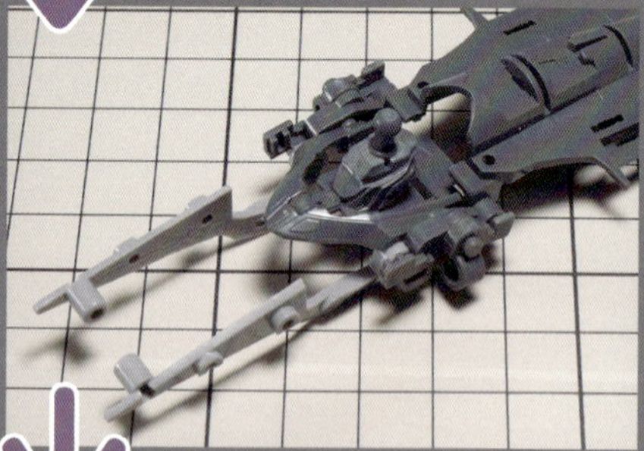

塗装のために仮にハメます

機首と機体本体上面のユニットを繋ぐＩ18、19のパーツは、塗装のために仮にハメておきます。機首と機体本体上面をすべてつないでしまうと塗装時にグネグネして塗りにくいですし、ハメないで塗ると接触面に塗料がのってあまり好ましくありません。そこでＩ18、19のみ仮でハメておくようにします

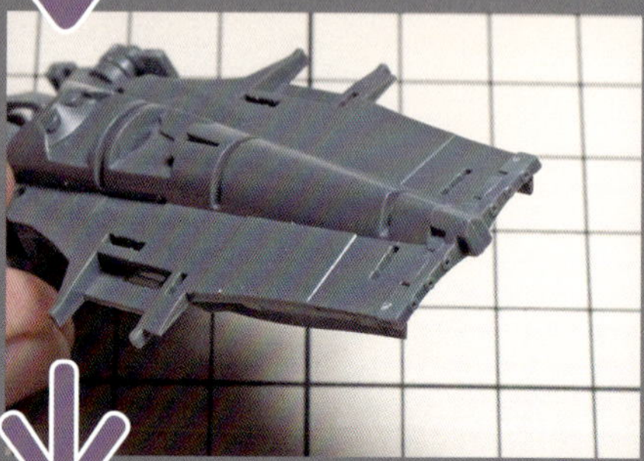

機体上面後端部の断面を再現するパーツE24、25は先にJ5側に接着しました。外装をハメ合わせてからであれば接着剤不要で固定できますが、先に接着しておくと分けて塗らずにすんで効率的です。このように組んでしまって問題ないところは組んでおかないと、パーツ数が多いため塗装時に持ち手をつけたり塗ったりしていくのが大変になってしまいます

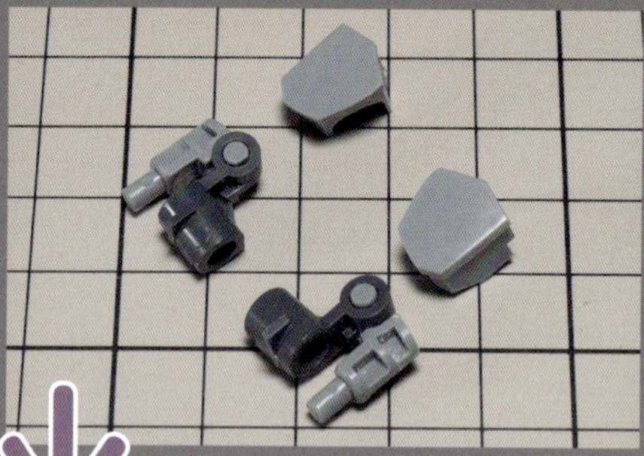

肩のフレームと外装パーツ。ここも保持力を落とさないために一回ハメたら外したり不要に動かさないようにしますが、ハメるときのパーツの向きにはよく注意しましょう。外装パーツB1、28は塗装後にハメます

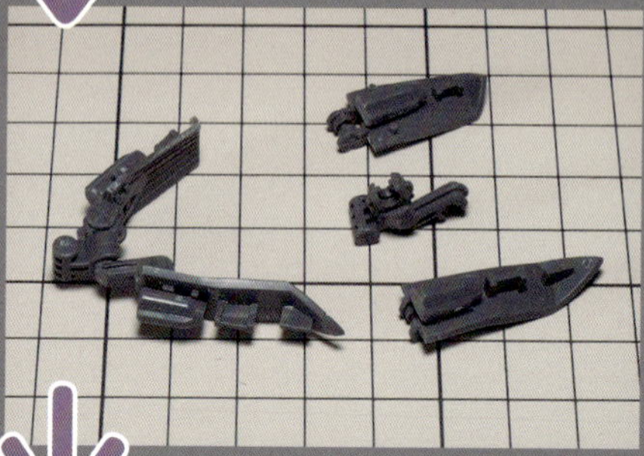

脚の組み立て。つま先側パーツH10とかかと側カートＨ9はハメる位置を入れ違えないように注意します。外装パーツと足首のカバーパーツE3、5は金属色に塗るので、ここではまだ取り付けないでおきます。ここも一回ハメたら外さないように

足首関節は保持力をUPさせる

足首関節は、ロボットを自立させた際にすべての重量がかかる部分です。とくにアーマードメサイアは背部に大重量のユニットが搭載されていますので、足首関節の保持力は非常に重要。関節フレームを挟み込むパーツH17, 18とH19、20はしっかり接着しておくようにします

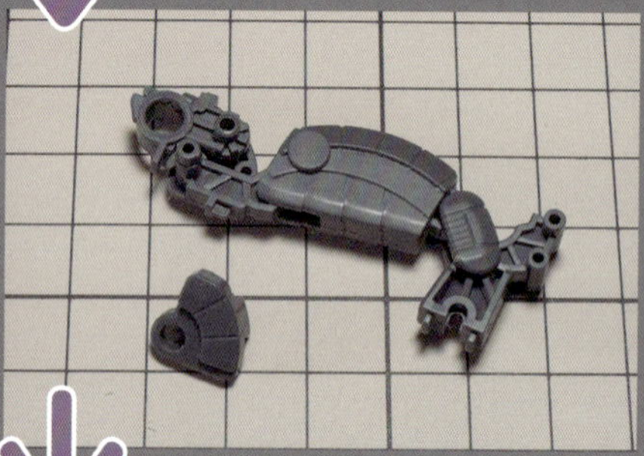

ヒザから上の脚のメインフレームを組み立てていきます。ここは左右の脚でパーツが違う部分があるので、左右を取り違えないよう、組み立て説明書のパーツ番号をよく確認しながら組み立てを進めましょう。とくにパーツＨ38、39は入れ違えやすく、入れ違えると組み立てができなくなります。説明書で記載されているピンが長いほうの向きをよく確認してから挟み込んでハメるようにします

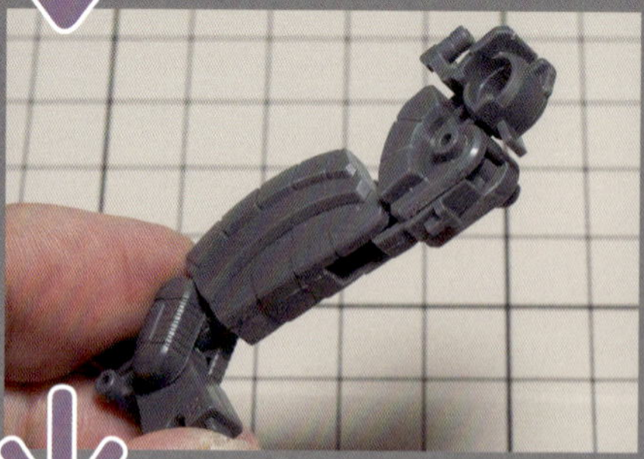

右脚のヒザ上のメインフレームを組み上げるとパーツはこのような位置関係になります

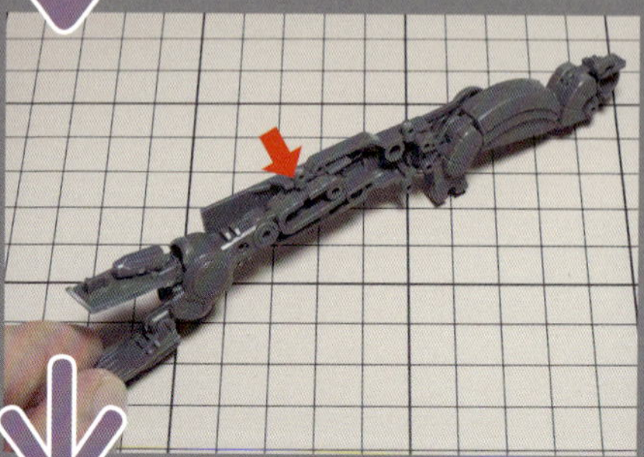

ヒザ下のフレームを組んでいきます。変形に応じて足を伸縮できるような機構になっていますが、挟み込む前に赤矢印で指した箇所の切り欠きの向きに注意しましょう。この切り欠きは、足を伸縮させたときに位置を決めるためのストッパーを受けるためのもの。入れ違えても組めますが、ストッパーになっているミサイルコンテナユニットが正しい位置に納まらなくなりなりますので要注意です

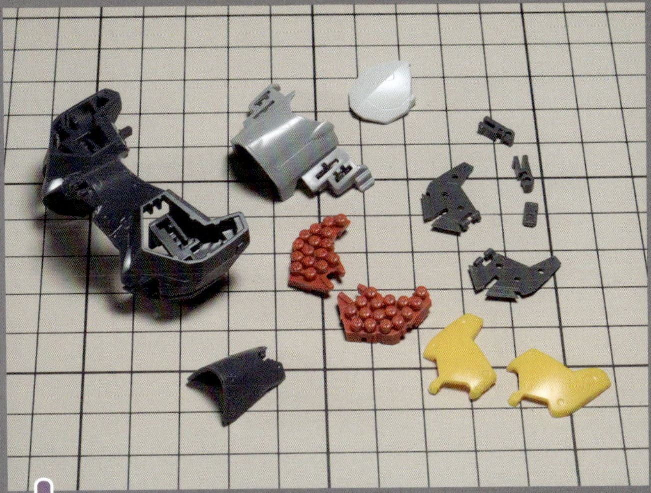

胸部のアーマードパーツの工作

胸部のアーマードパックのパーツの整形を終えたところ。ミサイルコンテナ内の弾頭パーツやハッチはバラバラの状態で塗ったほうが塗り分けが楽です。ちなみに、コンテナのハッチや中央のアーマー基部のヒンジはパーツが小さいので塗装がしにくいですが、無塗装でもツヤを消せば問題なし

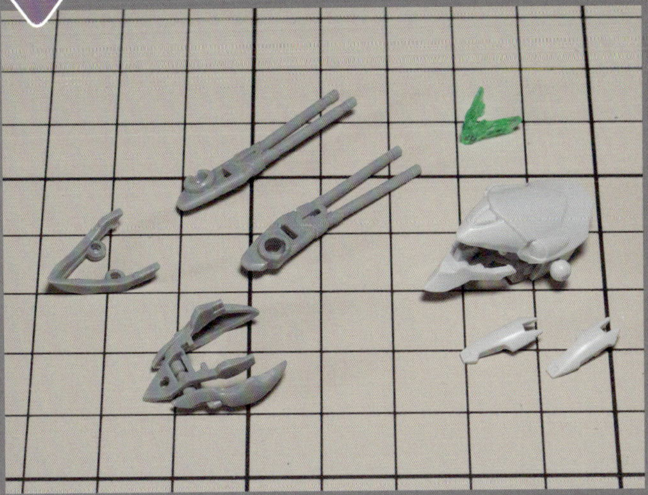

頭部もバラバラのまま進行します

頭部の整形を終えたところ。オズマ機の頭部は複雑な形状＆塗り分けになっていますが、バンダイのキットではこまかくパーツ分割がされていて、最小限の塗り分けだけでカッコよく設定どりに再現することができます。特に側頭部機銃基部の明るいグレー部分を分割してくれているのはすばらしいです

完全にハメ込まない「甘ハメ」をしておくとパーツ数が減って塗装がしやすいのだ

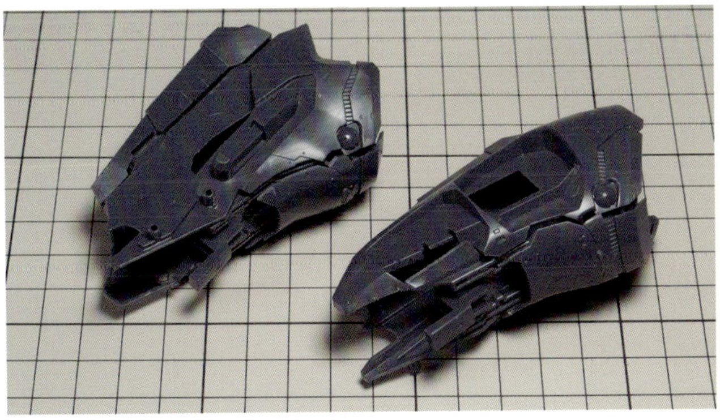

挟み込みの都合などで先に組んでしまいたくないところをそのまますべてバラバラで塗ると、手間がかかったり色味が不揃いになりやすかったりします。そういうところは外せるように半分くらいのところまで甘くハメて一体化しておきましょう。その際、大きいダボは斜め切りしておくと外しやすくなり、塗装時の割れも予防できます。

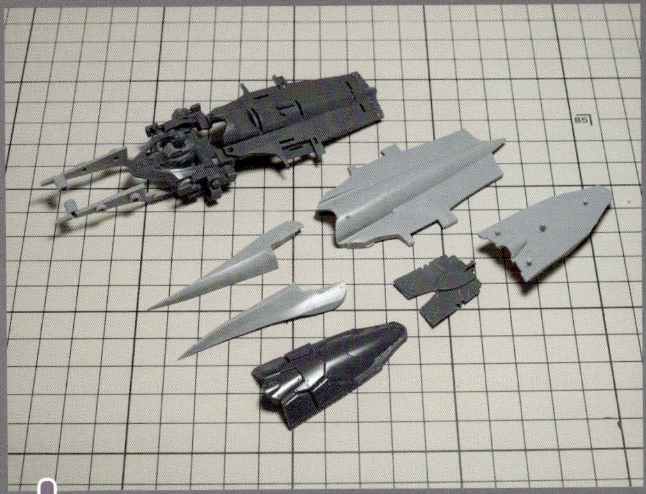

機体上面はここまで

機体本体のフレームはここまで組んでから塗装します。主翼と主翼の基部となるユニット（グローブ部）は先に組みつけてしまうと塗装時に邪魔になりそうだったので分けておいています。機体本体の後端部になるシールドのパーツも整形をすませておきました

主翼基部のヒンジ部の組み立てです。バンダイのVF-25系のキットは、この翼基部と機首ユニットの取付けヒンジの軸に金属パーツが採用されています。組み立てに接着剤は不要で押し込むだけでしっかりと固定できますが、一回さし込むと抜けない（というより抜くとゆるくなってしまうので抜かないほうがよい）ので、パーツの向きに注意して挿し込みましょう。写真のように押しつけると簡単です

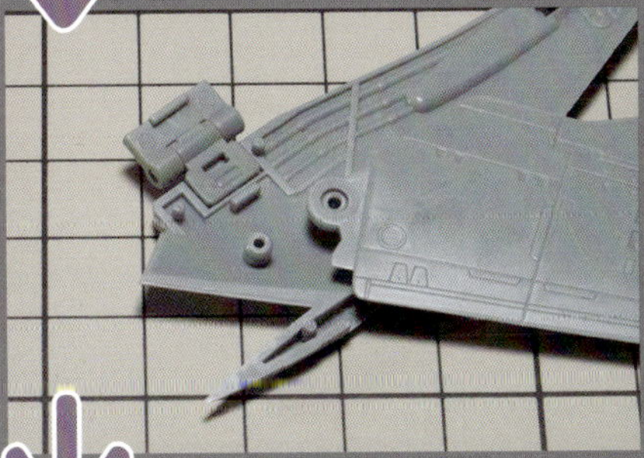

主翼パーツはグローブ部のパーツに挟み込む構造。主翼パーツは下側のD11、12側の軸にさし込むのが正しいのですが、この段階では塗装の便を考えて同じ色のパーツC6、7のダボに仮にさしておきました。このダボは本来主翼パーツを取り付けるためのものではないので、塗装を終えたら外して正しい軸のところにさしかえるようにします

主翼／尾翼の工作はここまで

主翼基部のグローブ部は上下面で色が異なるので分けたまま塗装して合わせ目も消さないことにしました。尾翼の軸の端のカバーパーツC3は先にグローブ部のパーツに取りつけておき、塗装後に尾翼を組みつけるときに使うC5はなくさないように注意します

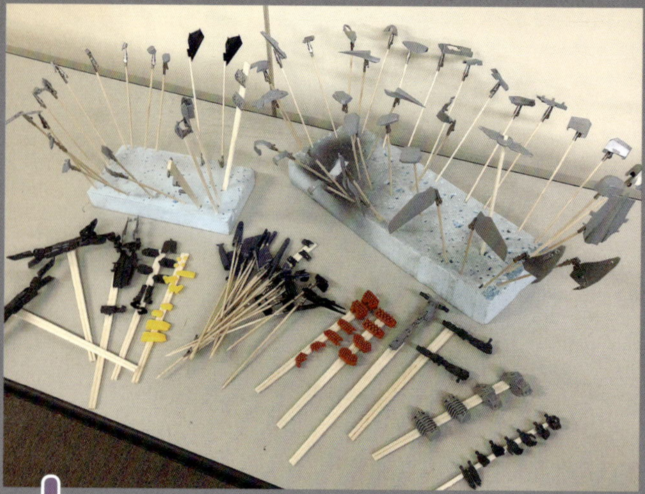

持ち手をつけて塗装の準備をしましょう

全パーツの整形作業を終え、組んでもよいところまで組んだら、エアブラシで塗装するために持ち手をつけます。詳しくは左で解説しますが、パーツ形状により持ち手のつけ方を変えましょう。かなりパーツ数が多いので、色ごとにスタイロフォームなどにさしてローテーションで塗っていきます

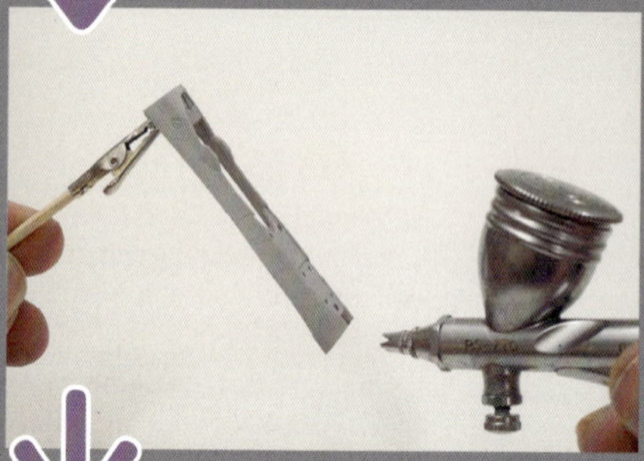

基本塗装はエアブラシで

基本塗装はエアブラシとラッカー系塗料で行ないます。かなり繊細なモールドなのでサーフェイサーを吹くと埋まりそうですが、変形させることや塗り分け時のマスキングを考えると、サーフェイサーは吹いておいたほうが安心。そこでビン入りサーフェイサーをエアブラシで薄めに吹いておくようにします

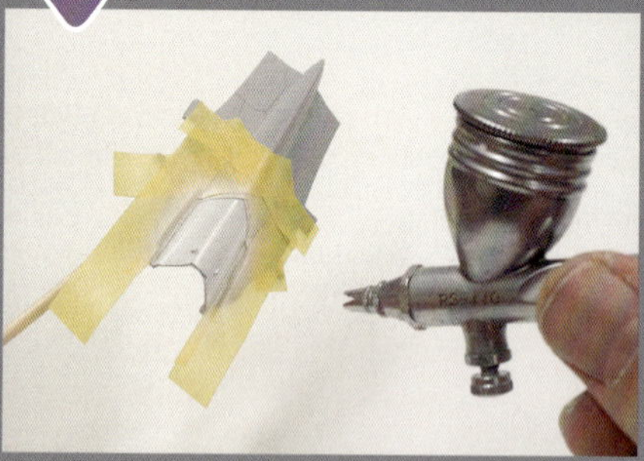

オズマ機は機体上面などの基本色がニュートラルグレーなので、今回はキメのこまかい仕上げ用サーフェイサー、Mr.フィニッシングサーフェイサー 1500グレーで基本色も兼ねてしまうことにしました。塗り重ねの回数が減れば、よりモールドをシャープに残せ、塗膜の厚さによるクリアランスの問題もおきにくくなります。より明るいほうのグレーにはMr.カラー 316番を使っています

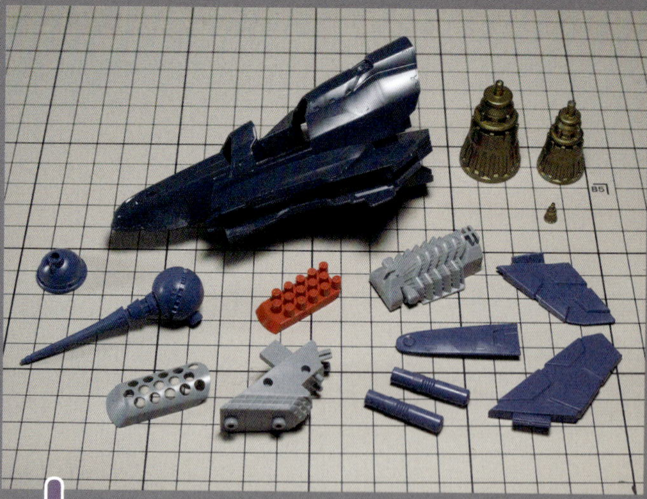

ブースターユニットはここまで

ブースターユニットはビーム砲と翼に合わせ目が出ます。作例では軽く処理していますが、ほとんど段差はできずほとんど気にならないのでそのままにしてもよいと思います。金属色にするところは、ツヤ消しクリアーコーティングをして最終的に組み立てるまでは組み込まないようにします

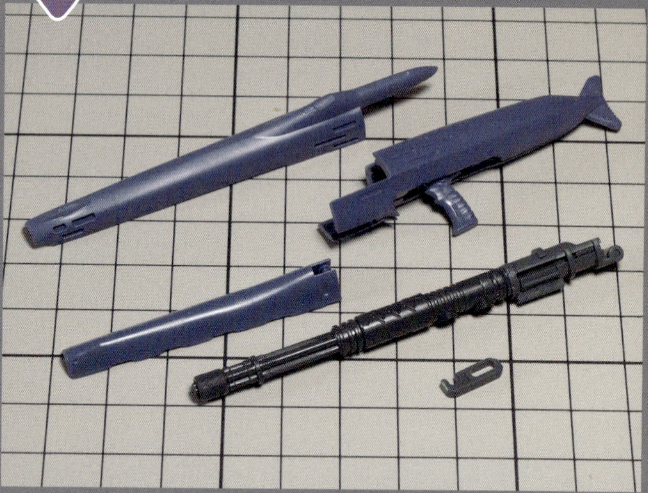

ガンポッドの工作

ガンポッドはここまで組み立てておきますが、外装うしろ側はあとで銃身／機関部パーツを挟み込むのでしっかりハメないでおきます。砲身／機関部パーツは少ないパーツ数ながら５本の銃身と砲口部を巧みに再現しています。きちんと整形して金属色をきれいに塗装すればかなり精密に仕上がります

編掲示の塗装のハゲを抑止するワンポイント加工をしておこう

非常に複雑な可変機構のVF-25。変形時に塗装面が擦れると塗膜がハゲることがありますが、当たりそうな箇所に対策を施しておくことでこすれにくくし、塗膜のこすれやハゲをある程度抑止することができます。

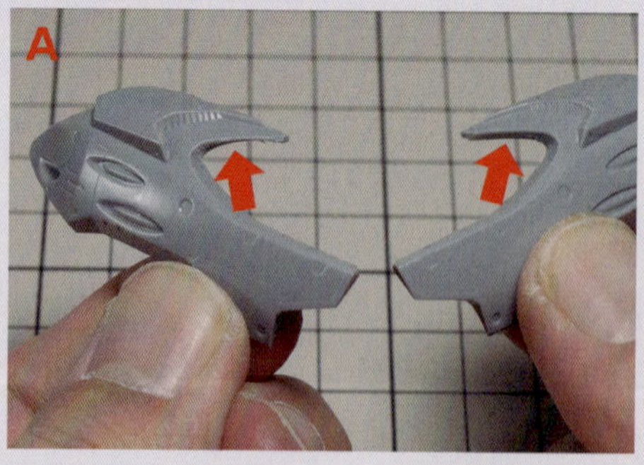

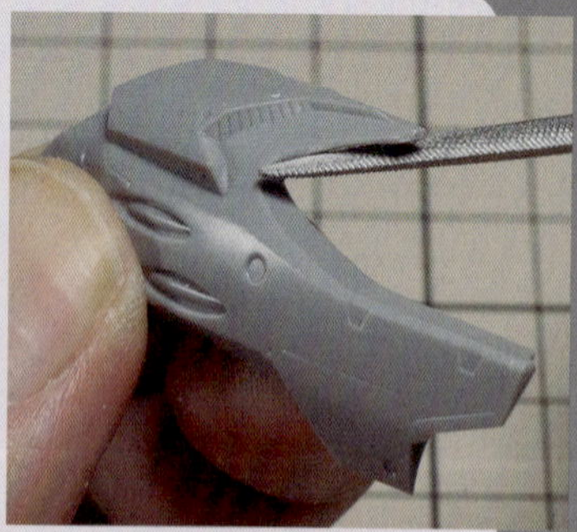

🅰 バトロイド時に腰アーマーになるパーツAC19、20は切り欠きのところにグローブ部の前縁が収まります。裏側のエッジがグローブ側にあたりやすいのでエッジを落とすようにしておくとこすれにくくなります
🅱 ミサイルコンテナの基部パーツAC15、16の切り欠きは幅高さともに1.5㎜程度くらいずつ大きくしました。ここがこすれて機体側の黒／黄のラインがハゲてしまうと目立ちます。切り欠きを大きくしておくぶんには目立たないので削っておきましょう

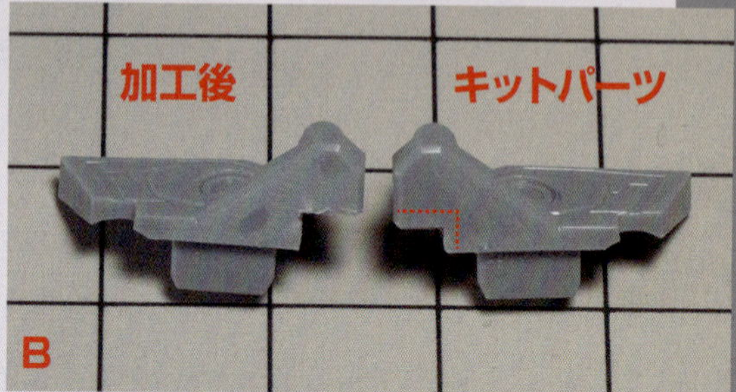

持ち手のつけ方をパターン別に分類して解説

パーツに持ち手をつけるときは大きさや形状によってつけ方を変えます。パターンは、大きく分けると、「クリップなどではさむ」「棒をさす」「両面テープで貼り付ける」の３種類。パーツを取りつけた棒や割り箸はスタイロフォームなどにさして立てると作業がしやすいです。

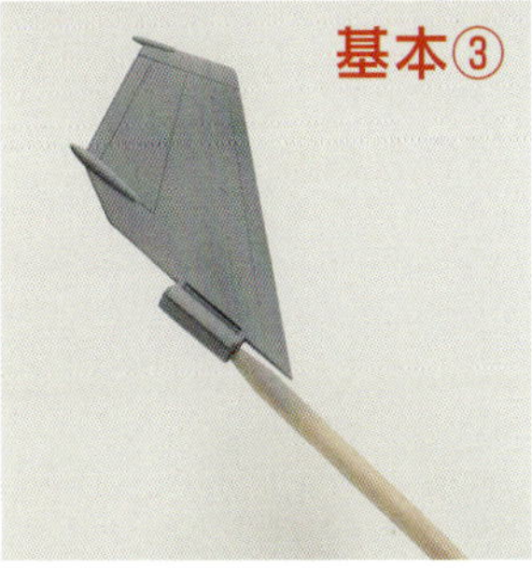

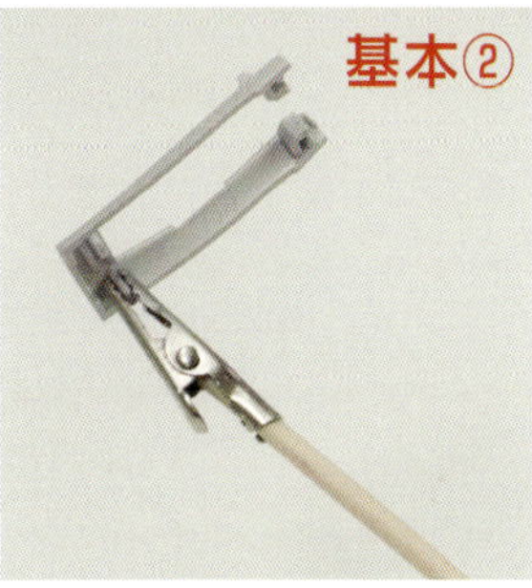

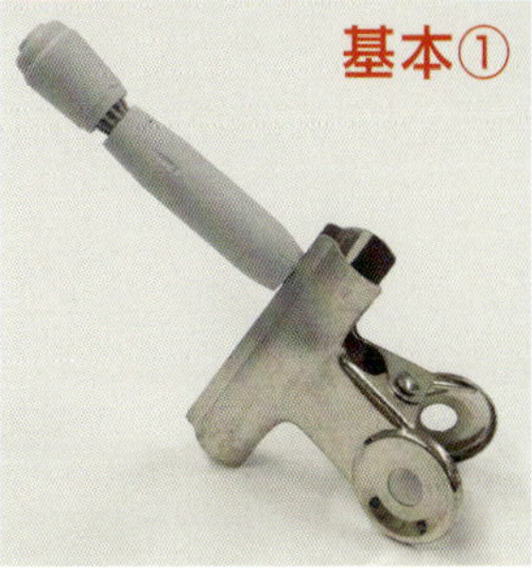

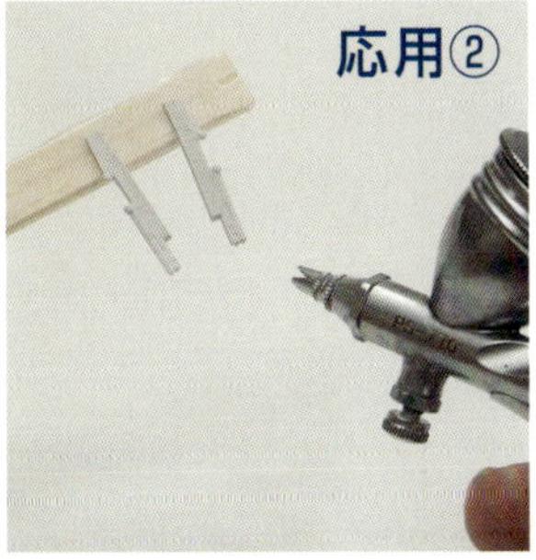

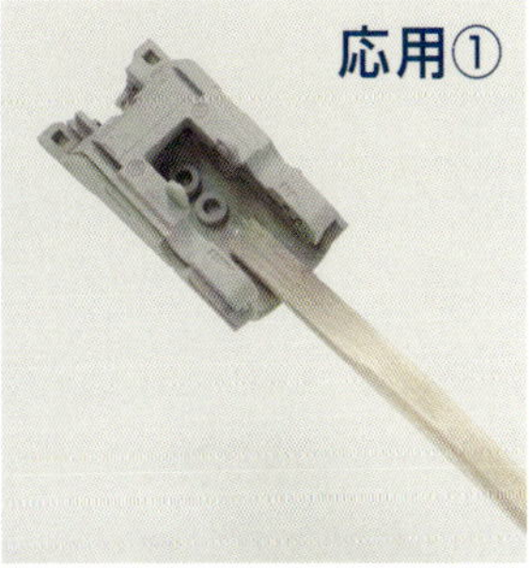

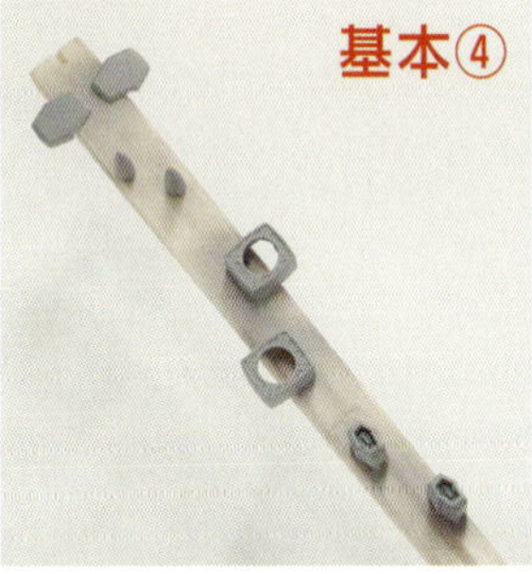

●基本①は目玉クリップで挟むパターン。大小の目玉クリップを揃えておくと便利です。基本②は、「ネコの手持ち手棒」などを使うパターンで、小パーツを簡単に保持できます。GSIクレオスのネコの手持ち手棒は36本で1080円（税込)。200本くらい持っておくと、アーマードメサイアクラスのパーツが多めなキットでも困りません。基本③はつまようじなどに指すパターン。挟めるダボ棒などがなく貼るところもない場合に使います。基本④は割り箸に帳面テープで貼るパターン。粘着力が弱めのものにし、適度にパーツ同士を離して貼り付けます。このパターンは外側に持ち手がつけにくい応用①のようなパーツのときに便利で、貼り変えながら小パーツの両面を塗るようなこともできます（応用②）

可変モデルにサーフェイサーを吹くならビン入りのものをエアブラシ塗装がおすすめ

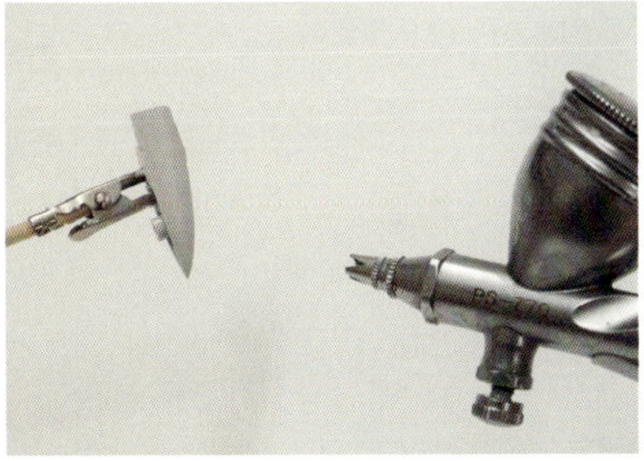

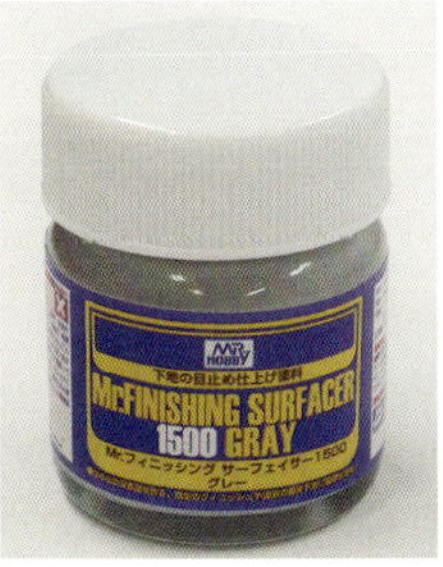

サーフェイサーを吹くと塗膜の食いつきがよくなり塗膜のハゲ予防になります。しかし缶サーフェイサーだとザラついたり塗膜厚くなってモールドがダルくなりやすいので、このアーマードメサイアのような繊細なキットではビン入りサーフェイサーをエアブラシ塗装するのがおすすめ。ビン入りサーフェイサーをエアブラシ塗装なら薄くなめらかに塗れるので、繊細なモールドを殺してしまったり塗膜の厚さで変形に支障をきたすようなことも起きにくいです。

尾翼は塗り分けがおすすめです

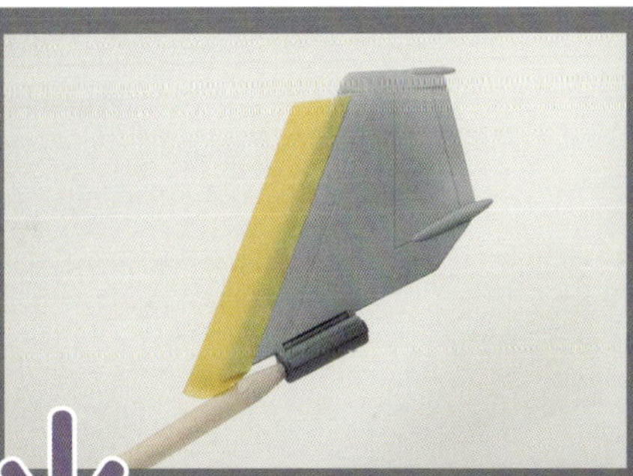

尾翼は色分け用のデカール／シールが付属していますが、翼端のバルジ（出っ張り）部にきれいに貼るのはなかなか難しく、塗装で塗り分けたほうが簡単にきれいに仕上がります。まずは、前縁の薄いグレー部を塗り分けるために、Mr.カラーの316番でフチ周辺を塗り、テープでマスキングします

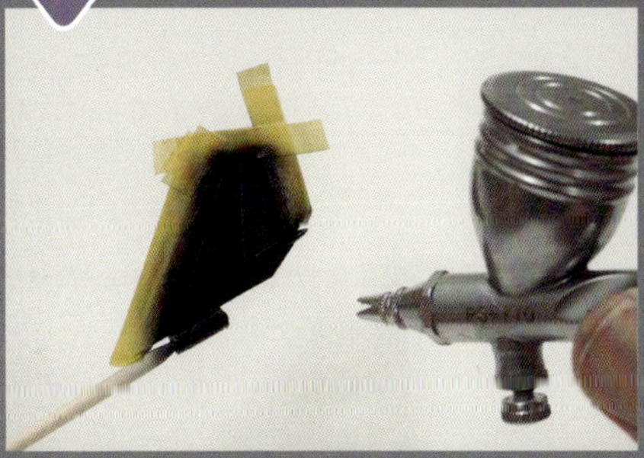

次に上側のフチと後縁を黄色く塗り、そこも前縁と同じようにテープでマスキングし、最後に全体を黒で塗ります。黒は今回はGXカラーのウイノーブラックを使いました。スケールモデル的なリアリティーを出す場合、黒は真っ黒にしないというのが鉄則ですが、ハイビジ機的カラーリングの黒い尾翼に関しては真っ黒にしておかないとカラーリングに締まりがなくなりますのでビンのまま吹いています

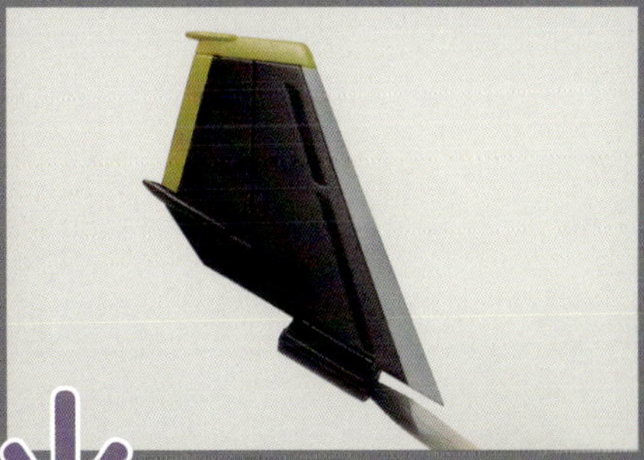

マスキングテープを剥がして塗り分け終了。前縁側にあるスリット状の部分は薄いグレーになりますが、ここはシールを使うのがおすすめ。マスキングで塗り分けてもよいのですが、シールのほうが簡単かつきれいに仕上がります。なお、マスキングで塗り分けるときは、塗装後なるべく早くテープを剥がすようにします。おいておくと、塗膜が硬化して境目の塗膜が汚く剥がれることがあります

脚のアーマーの赤いライン部もマスキングで塗り分けます。わりと直線的な塗り分けなのでテープでマスキングしましたが、仕上がりにあまりこだわらないなら、凹んだライン部をエナメル系塗料で筆塗りし、はみ出したところをエナメル系うすめ液で拭き取るようにすればより簡単に塗り分けることもできます。球状の部分はマスキングしにくい形なので、あとで筆塗りで塗り分けることにしました

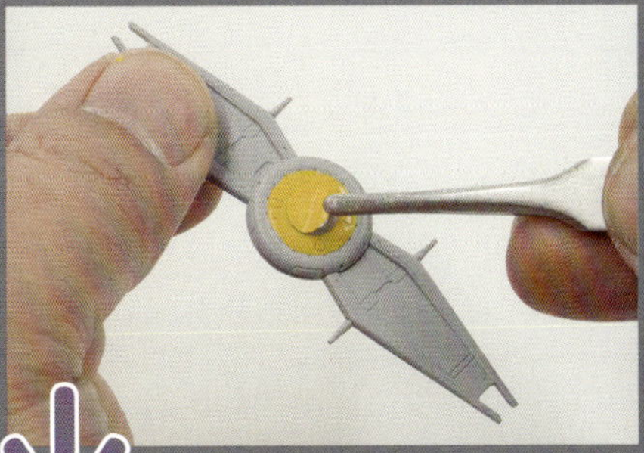

複合センサーアンテナも色分け用のデカール／シールが付属しますが、曲面構成でパーツが小さめなので塗り分けで仕上げます。ここのマスキングは少々手間がかかりますが、塗り分けのほうが確実に仕上がりがよくなるはずです。丸いところのマスキングには、サークルカッターを使ってテープを丸く切り出したものを使います。現物合わせで何回か切り出し、ピッタリの寸法のものを切り出しています

手順としては、①全体をグレー（サーフェイサー色）に塗る→①マスキングして黄色い環を塗る→③マスキングして濃いグレーを塗る、というふうにしています。どの色から塗ってもあまり問題はないのですが、この手順がいちばんマスキングするのが楽だと思われます。全体からすると小さいパーツですが、こういうところをきちんと塗り分けておくと完成後に全体が引き締まって見えてきます

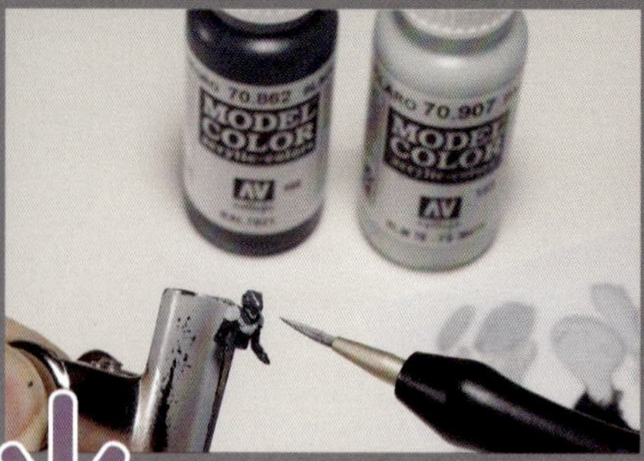

フィギュアもビシッと塗ろう

飛行機モデルではパイロットフィギュアをきちんと塗り分けて乗せるとスケール感や精密感が上がって見えます。このキットにもフィギュアのパーツがありますのできちんと塗り分けてみましょう。今回は水性アクリル塗料のファレホを使い面相筆で塗り分けました。筆ムラが出にくい塗料なのでおすすめです

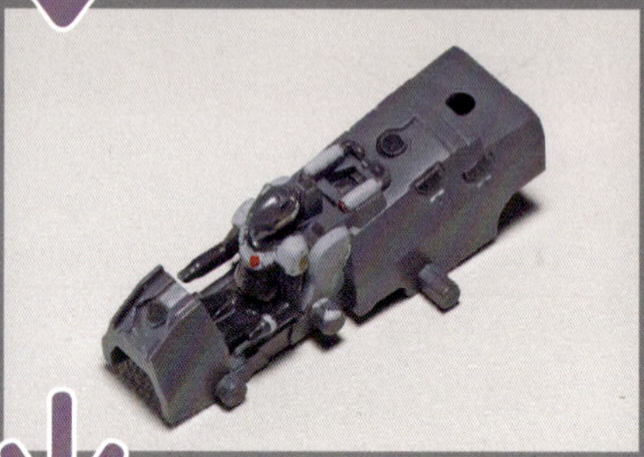

フィギュアだけでなく、コクピット側のパーツも設定を元に筆塗りで塗り分けました。こまかいところですがファイターやガウォーク形態では目立つところですので頑張って損はないです

スミ入れ／デカール貼りをする前に、作業がしやすいところまである程度組み立てていきます。はじめにどの形態で組み上げるかを決めておくとよいでしょう。塗膜でダボがきつくなっているところもあるので、無理にハメないようにし、きついところはダボを斜め切りしたり塗膜を部分的に剥がすなどの調整をしておくと、スミ入れ時のパーツ割れが起きにくくなります

主翼パーツを取り付けてしまうとデカールを貼るときに邪魔そうなので機体本体の組み立てはこれくらいまでにしておきます

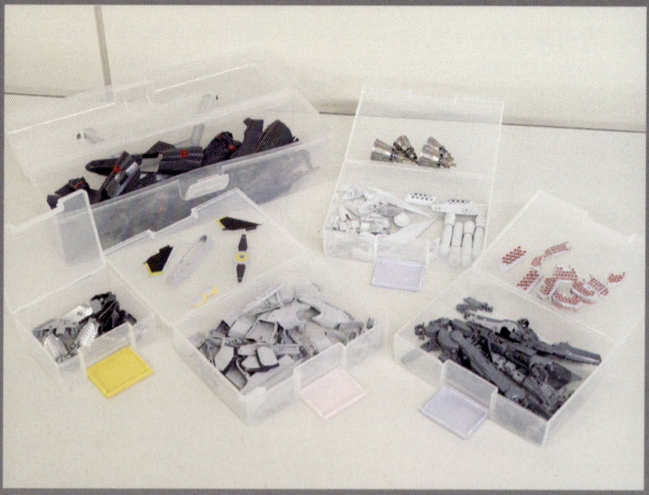

基本塗装終了です

ラッカー系塗料での基本塗装が終了。このキットはパーツ分割でかなり色分けがなされているので、マスキングが必要なところはかなり少ないです。パーツ数こそ多いですが、あわてずていねいに色ごとに分けたパーツ群を順次ベタ塗りしていけばきれいに仕上がりますので初心者でも大丈夫です

組んでしまったフレーム隠れるところはどうやって塗装する?

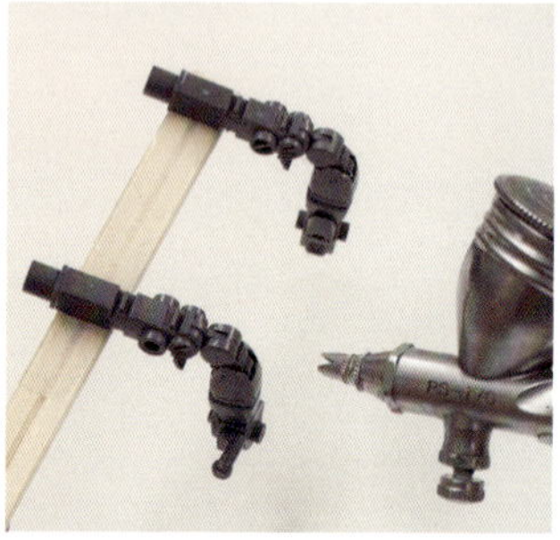

可動するフレーム部分は、普通に塗っただけだと動かしたときに塗料がのっていないところが見えてしまいます。「挟み込むパーツを先に塗ってから挟み込んで……」というふうにすれば塗れていないところが出てきたりしませんが、これだと塗装に手間がかかります。そこで、先に組んでしまったパーツを動かしながら塗装してしまいましょう。エアブラシで薄く吹き重ねるようにしていれば塗料はすぐ乾きますので、ほとんど待ち時間もなく塗っていけます。

見せ場であると同時に難所のミサイルポッド弾頭はどうやって塗り分ける……?

アーマードパックの最大の見せ場はなんと言ってもミサイル一斉発射シーン。バンダイのアーマードメサイアではミサイルポッド内まできちんと再現されていますが弾頭部パーツは一体成型……悩ましいのが赤い弾頭部の塗り分けです。キットにはここのシールやデカールは付属しないので基本的に塗り分けとなりますが、エアブラシで塗るとどうマスキングするか、筆塗りだときれいに塗れるかが心配になります。そこで比較的簡単できれいに仕上がるマスク法を解説します。

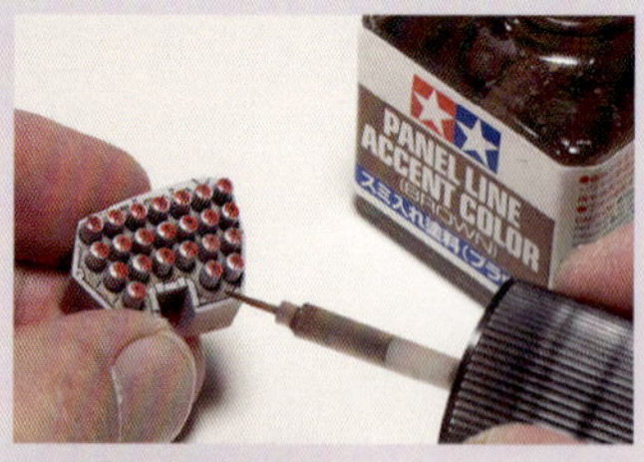

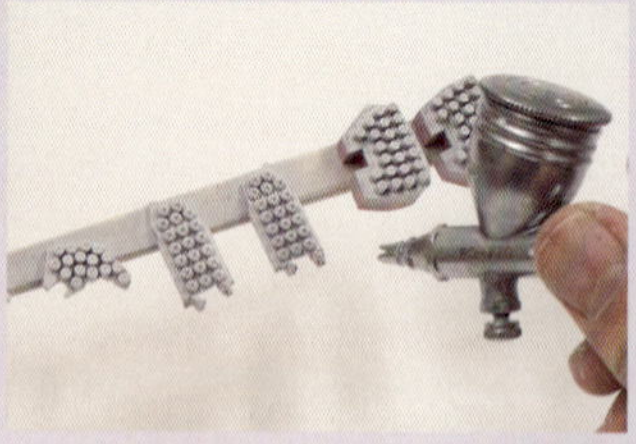

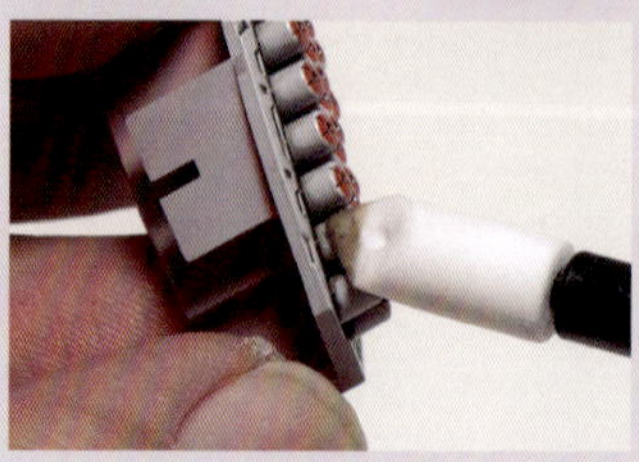

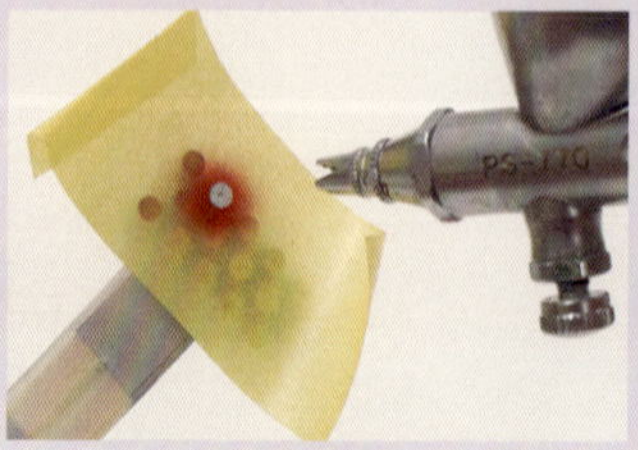

●手順は単純。白く塗った弾頭パーツの弾頭部に丸い穴を開けたマスキングテープを貼って塗り分けていきます。穴はサークルカッターで切り、１箇所塗ったらテープの位置を貼り換えて……というのを繰り返すだけ。コンテナ側の板部分はエナメル系塗料の焦げ茶色で塗り分け、はみ出しを拭き取れば、このとおり！

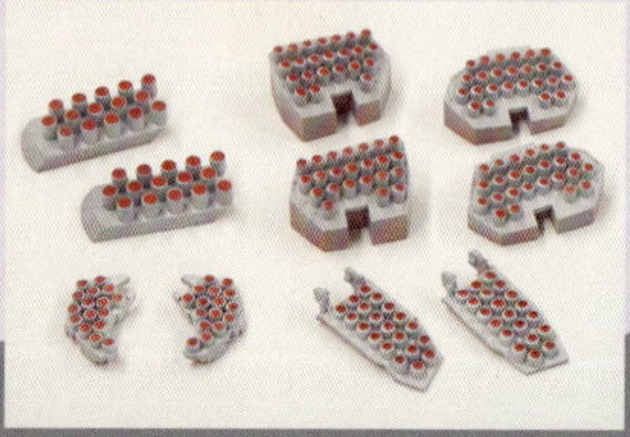

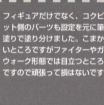

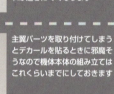

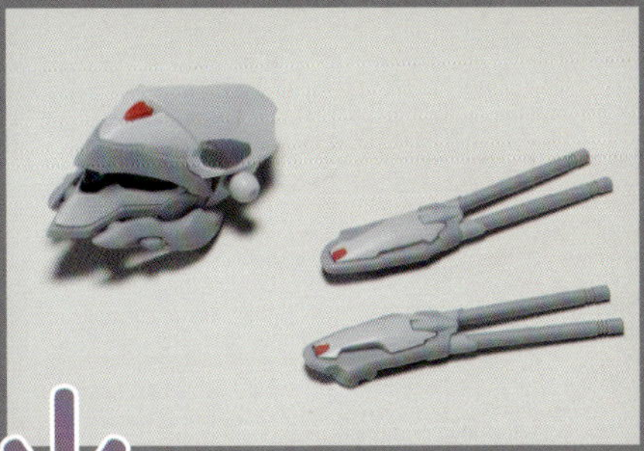

頭部の赤いところ、おでこの濃いグレーのところ、4本ある側頭部の機銃銃身基部の明るいグレーのところは筆塗りで塗り分けました。銃身は金属質感にしたいので、全体にツヤ消しクリアーでコーティングしてからあとで塗り分けるようにします

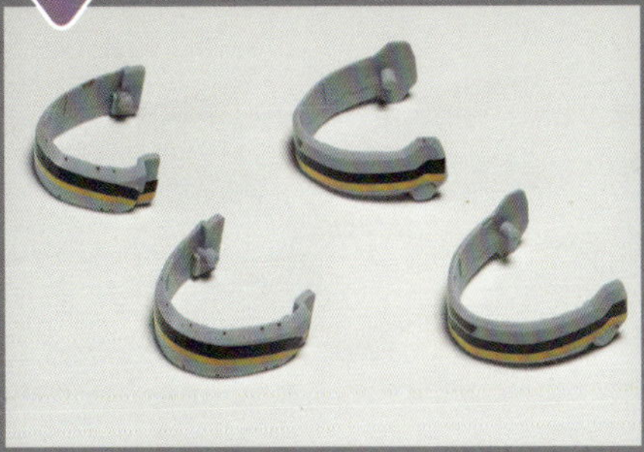

ある程度組んだ状態でデカールを貼っていきます。足首ガードのパーツの黄／黒のラインはデカールを使いましたが位置がやや判然としませんでした。パーツの曲面に沿ってそのまま貼るとずれた感じになります。左の写真くらいの位置が組んだときにだいたいちょうどよいので慎重に位置を合わせながら貼っていくようにしてください。黄／黒の向きとパーツの向きを間違えないように注意が必要です

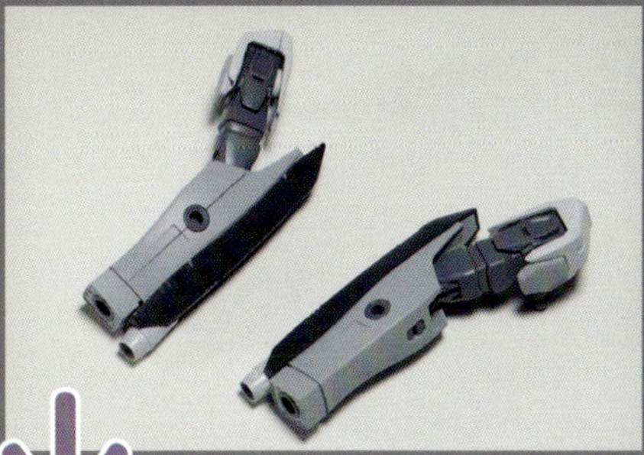

腕や脚はすべて組み立ててしまいますが、このあとの作業がしやすいように胴体には取りつけないでおきます。腕や脚、頭部ユニットを本体に取りつけるのは最後の最後になります

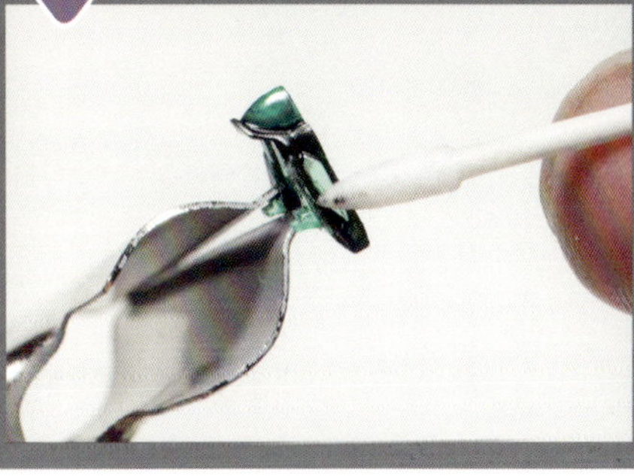

目の塗り分けは拭き取り法が簡単

目の周辺はクリアーパーツになっていますので、黒を塗り分けましょう。まずは凹んだ黒くしたい部分に筆塗りで黒を塗り、目と中央部にはみ出した塗料をうすめ液で拭き取れば塗り分けができます。目は凸モールドになっていますので、綿棒のあて方を調整することで簡単に境目がきれいに仕上がります

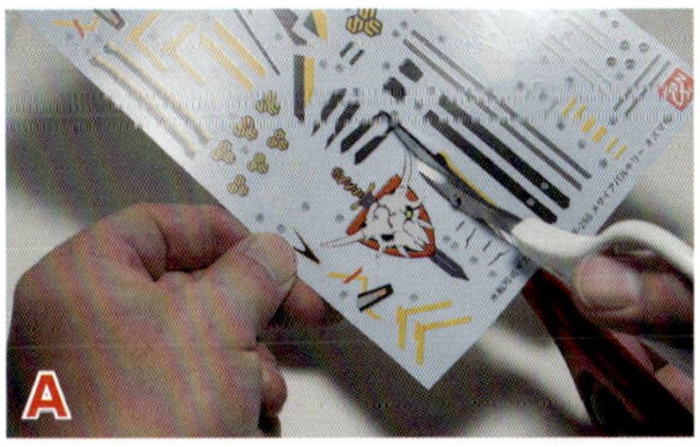

A

B

C

D

E

F

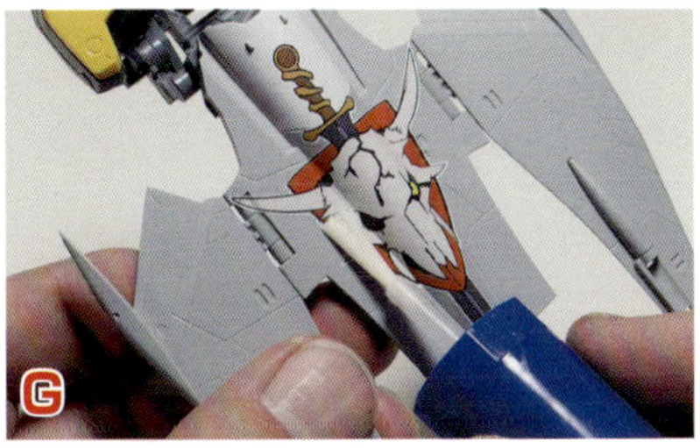

G

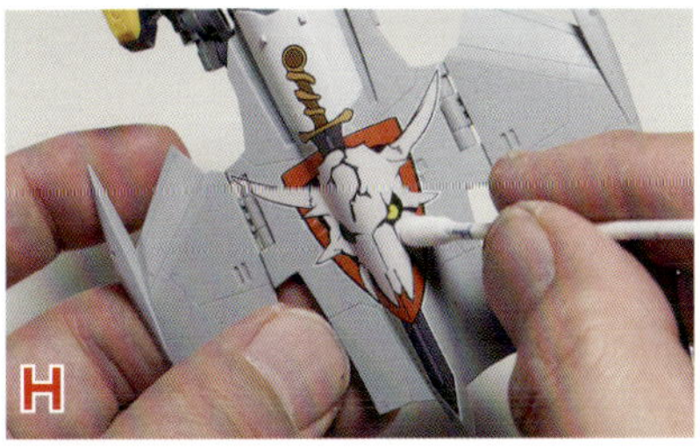

H

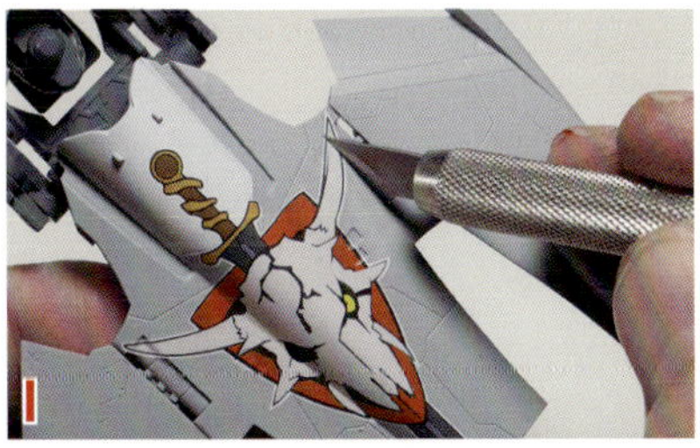

I

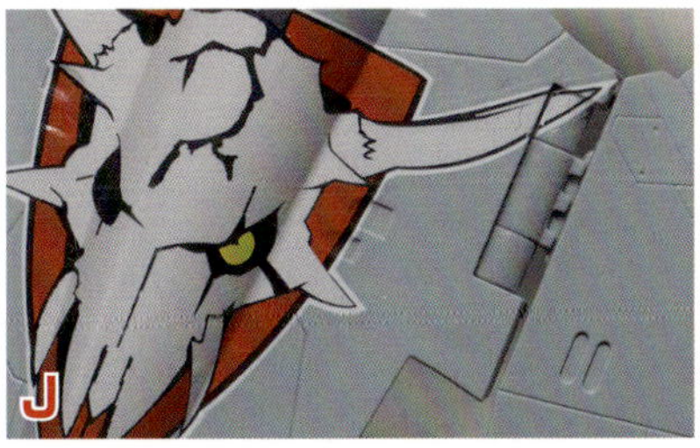

J

臆することなく水転写デカールを貼ろう！

水転写デカールのよいところは、細密で鮮明なマーキングで薄く仕上がるところ。塗装して仕上げるならばぜひ水転写デカールを使ってみましょう。デカールを使用するときのポイントは、パーツにしっかり密着させること。まずは、なるべくのりを水にながしてしまわないようにして、Mr.マークセッターのようなデカールのりを併用することで密着しやすくなります。また、大判のデカールは一気に全体を密着させようとしてもうまくいきませんので、順を追って密着させるようにしていきます。きちんと密着すればデカールの下にくる繊細なスジ彫りも活かせますので、すべてシールで仕上げるのと比べてより見映えがよくなるはずです。

A デカールを貼るときは必ず貼る部分ごとに切り出して水に浸けます。まとめて水に浸けてしまうと水がついたまま放置する時間が長くなることでのりが流れ、デカールが密着しにくくなります

B サッと水にくぐらせたらティッシュペーパーなどの上に置いてデカールが動くまで待ちます。水に浸したまま放置してデカールが浮いてくるのを待つのはやめましょう

C デカールが動くようになる30秒～数分の間に、デカールのりかのり成分が入った軟化剤 Mr.マークセッターをパーツのデカールを貼る部分に塗っておきます。ほとんどの場合はMr.マークセッターを使っていますが、ニスが弱めのデカールやピンストライプなど細かったり小さかったりするデカールでは、軟化剤成分で一気にデカールが溶けてシワシワになり修復不能になってしまうことがあります。危険そうなところは軟化剤成分が入っていないデカールのりを使うか、Mr.マークセッターを水で薄めて使うようにしましょう

D デカールが動くようになったら、ピンセットでつまむなどしてパーツ上に移し、指やピンセットで位置を慎重に合わせます

E 位置を合わせたらまず中央部を一文字に密着させます。まずどこか基準になるところを密着させないと、デカールの下の水分があちこちに移動するだけでなかなか密着せず位置がずれてきたりします

F 中央の基準となるところを密着させたら、そこを起点にして周囲に水分を押し出して全体を密着させていきます

G 凹凸のあるところやスジ彫り部をはじめから一気に密着させようとするとうまくいきません。まずは平面的に全体を密着させて30分程度乾かしてから凹凸のところを密着させていきましょう。軽く乾かしたらMr.マークセッターを上から塗ります

H Mr.マークセッターを塗って30秒～1分程度待つとデカールが軟化してきますので、綿棒を立ててやさしく押しつけるようにして少しずつデカールを延ばして密着させます。塗ったあと長く待ちすぎたり乱暴に押しつけると破れやすいので注意しましょう

I スジ彫り部はよく切れる刃のナイフで軽くなぞって切り離し、Mr.マークセッターを塗って密着させると凹みに馴染みます

J グローブ部のヒンジとマーキングがかかるところもいったん貼ってから切って密着させればこのとおり

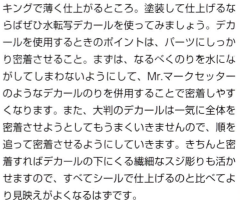

すべての凹みにスミ入れをするのは厳禁！とくに可動フレーム部は注意しよう

プラスチックのパーツは、ハメ合わせのダボに力がかかっているところにエナメル系うすめ液が染みこむと割れやすいので要注意。とくにABS製パーツには配慮が必要です。対処法は簡単で、可動部周辺にはスミ入れをしないようにします。また、可動部周辺以外でも、パーツが大きめでダボが大きかったり太いところは要注意。極力スミ入れ塗料は少量を塗るようにし、うすめ液も少量で拭き取ります。

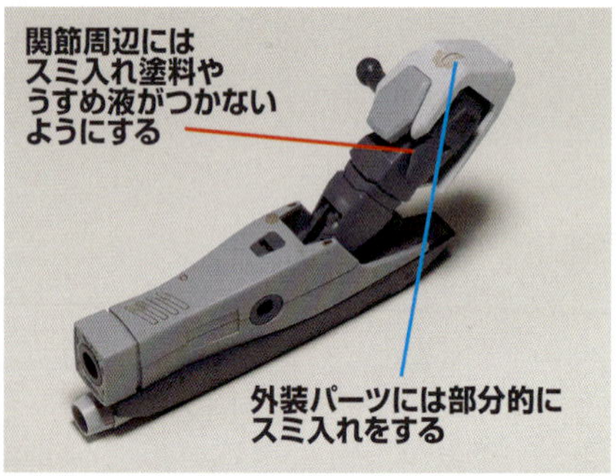
関節周辺にはスミ入れ塗料やうすめ液がつかないようにする
外装パーツには部分的にスミ入れをする

●ブースターユニットのような大型パーツは要注意。大型パーツはダボを斜め切りしておき、パーツにかかるテンションを緩和しておくとエナメル系塗料／うすめ液での割れ予防になります。フレームパーツの関節部はダボの斜め切りができないので、基本的にスミ入れをしないほうが無難です。スミ入れをする箇所はよく選んでから塗料を少量塗っていくようにします

金属色で塗って金属質感を活かしたいところは、ツヤ消しクリアーを重ねないようにします。ツヤ消しクリアーを重ねてしまうと金属質感が殺されてただのグレーのようになったり、顔料粒子が沸いて汚い模様になったりするからです。つま先／かかとやスラスターのように金属質感にしたいところのパーツは、ツヤ消しクリアーでコーティングをする前には組みつけないでおくようにしましょう

こんなところは軽くハメておこう

ブースターは金属色のパーツを挟み込むようなパーツ分割になっています。ただ、バラバラのままだと塗りにくいので、金属色のパーツは組み込まずに外装だけ軽く「甘ハメ」しておくようにするとよいです。ここは持ち手がつけにくいので、パーツ内側に割り箸を両面テープで貼りつけて塗っています

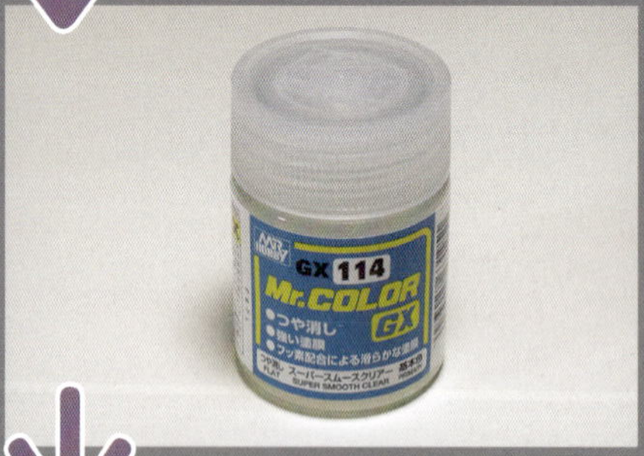
GX 114
Mr.COLOR GX

ツヤ消しクリアーはいろいろな種類がありますが、今回はMr.カラーの新色、GX114番のスーパースムースクリアーを使ってみました。フッ素を配合することにより従来のツヤ消し塗料よりなめらかな塗膜を得られるというもので、塗膜同士の摩擦抵抗を軽減することができるというので、今回のような可変モデルにはうってつけです。塗った感じは非常にキメがこまかくきれいなツヤ消しになります

本体はここまで組んでしまうと非常に持ち手をつけにくくなりますので、ツヤ消しクリアーは手持ちで塗ってしまいます。薄めに乾かしながら塗れば指紋がついたりすることはありませんが、指に塗料が付着していたりしないよう、塗装前には一度手を洗ってよく拭いておきます。塗り残しがないように、可動するフレームを塗るときと同じように可動部を動かしながら塗っていきましょう

PANEL LINE
ACCENT COLOR

スミ入れは明るめの茶色で

スミ入れを真っ黒ですると線を描いたようになりオモチャっぽく見えます。パネルラインなどスミ入れをするところは影が落ちているというふうに考え茶色やグレーでスミ入れをしましょう。今回はタミヤのスミ入れ塗料のブラウンを使用しましたが、あらかじめ薄めてありハケもついているのでとても便利です

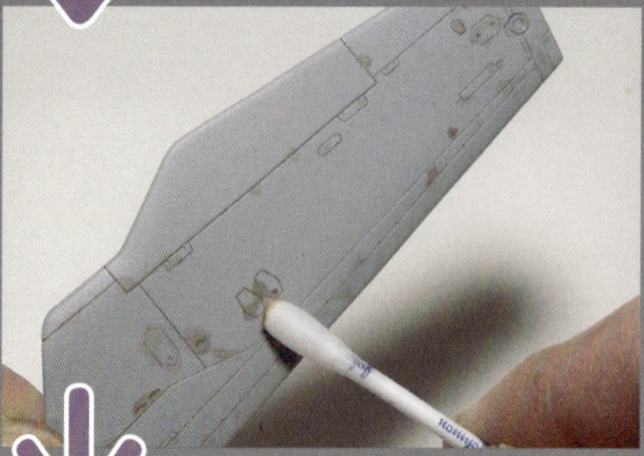

スミ入れ塗料は全体に塗らず、スジ彫り部などにハケの先を置くようにして毛細管現象で流し込んでいきます。このスミ入れ塗料はエナメル系うすめ液で拭き取れますので、はみ出したところは綿棒にうすめ液を少量染みこませて拭き取りましょう。きれいに拭き取ってもよいのですが、拭き残しのスジが機体の進行方向に伸びるようにしておくと雰囲気よく仕上がります

スジ彫りにスミ入れをきれいに残すためのいちばんの秘訣は、スミ入れのやり方にではなく基本塗装の段階にあります。スジ彫りが深くきれいになっていれば自然にスミ入れのラインもきれいに出ますが、凹部が塗料で埋まりぎみだとラインがきれいに残らなくなってしまいます。サーフェイサー拭きから基本塗装までを極力薄くてきれいな塗膜で行なっておくことこそがきれいにスミ入れするコツです

部分的にシールを活用する

このキットには水転写デカールが付属し、デカールのほうが薄くきれいに仕上げやすいのですが、反面デカールはこすれたときに比較的ハゲやすいのが弱点。そこで、可動で擦れそうなところにはあえてシールを使うのも手です。可変翼なのでグローブと主翼の黄／黒のラインはあえてシールにしました

シールを使う部分は段差にスミ色が流れないようにスミ入れ後にシールを貼っています。デカール／シール貼りとスミ入れが終わったら主翼／尾翼を本体に取り付けます。尾翼は金属製の軸を挿し込んで取り付けますが結構硬めなので、初めはユニでさし込んで、最後は綿棒の先などでぎゅっと押しつけるようにし奥まできっちりさし込みます

クリアーコート前の組み立て

デカール／シール貼りとスミ入れが終わったら最後にツヤ消しクリアーでコートすれば完成なのですが、このアーマードメサイアの場合すべて組み立ててしまうと塗料が届きにくいところができたり持ちにくくなってクリアー吹きのエアブラシ作業がしにくくなります。そこで組み立ては途中までにします

キャノピーの枠をきれいに塗り分けよう

クリアー成型のキャノピーパーツの塗り分けは航空機モデルの製作では必須の工程。もちろんヴァリアブル・ファイターでも重要です。塗り分ける方法はいくつかありますが、マスキングして塗装するのがオーソドックスです。マスキングだと塗り分けラインがよれたりしてきれいに仕上がりにくいと思われるかもしれませんが、意外と簡単に修整できますのでその方法も併せて紹介しましょう。

●マスキングは、まず細切りのテープを塗り分けの境目に貼っていくようにします。幅1㎜以下くらいの細いものを使えば、緩やかな曲線部ならテープを曲げながら合わせて貼っていくことができます。曲率が大きい曲線部は、目見当で切り出した細切れのテープを貼り合わせます
●マスキングをしたら塗装します。エアブラシで塗装するほうが簡単ですがムラに気をつければ筆塗りでもできます。塗装後はなるべく速やかにテープを剥がします
●はみ出たところはつまようじで削れば簡単に修整できます。先端を少し斜めに切っておくと削りやすいです

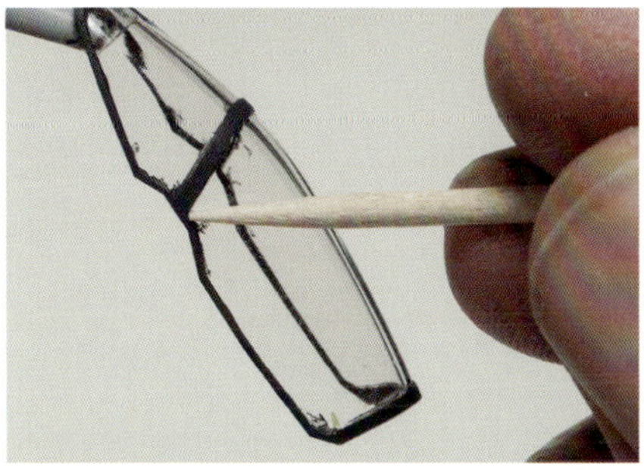

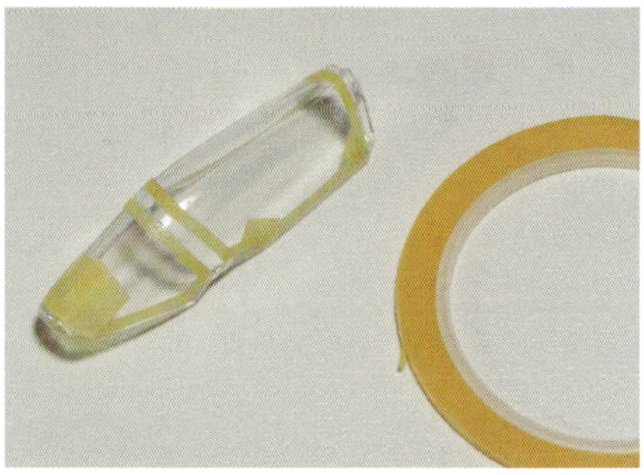

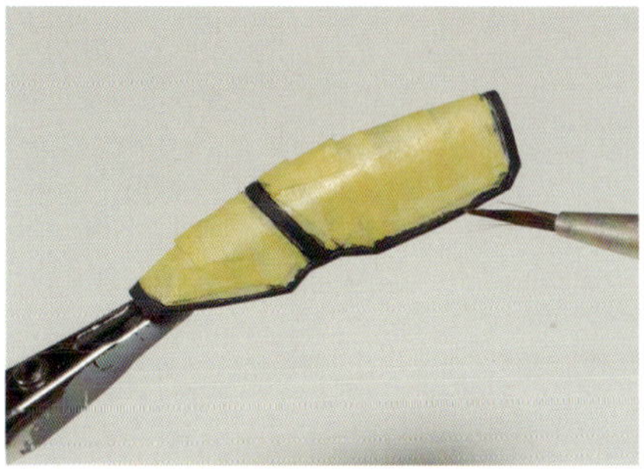

このキットのすごいところは、断面部のようなところのディテールまで非常にリアルに作り込まれているところです。完成後にほとんど見えなくなる場所もありますが、こまかく塗り分けておくとリアリティーがグッと増します。とくに秀逸だったのは左写真のノーズ断面部。パーツの断面形状まで巧みにコントロールされたパーツ設計により、ストレートに組んでこのようなディテール表現を楽しめます

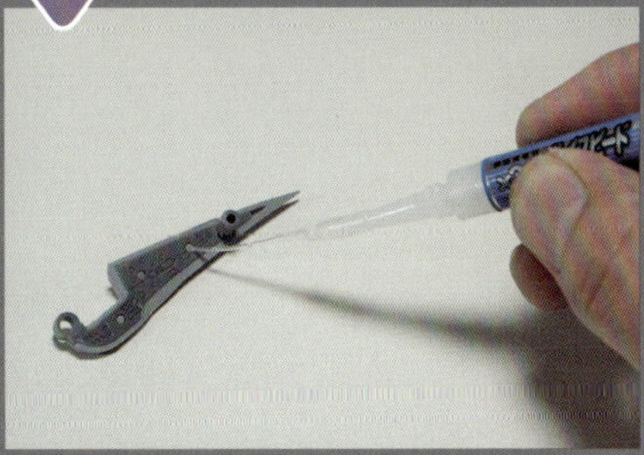

ここは要注意 接着がおすすめです

機首ユニットと本体をつなぐパーツA12+Ｉ18／A13+Ｉ19は、バトロイド時の上半身と下半身を繋ぐところで、全体の要となる非常に重要なユニットです。変形させていくとここが外れやすくなってくるので、塗装後にしっかりと接着しておくのがおすすめです

最後に全身を組み立てて完成！

最後に全身を組み立てて完成です。キャノピーは傷や汚れが付きやすいのでなるべく最後に組みつけましょう。バトロイド時の胴体部はユニットの位置関係が非常に複雑ですが上の写真の状態のようになります。ぜひ実際に組み立ててみて、ハッチを開けた前脚収納庫にノーズが収まることで成立している超絶ななクリアランスとバランスに驚いてください

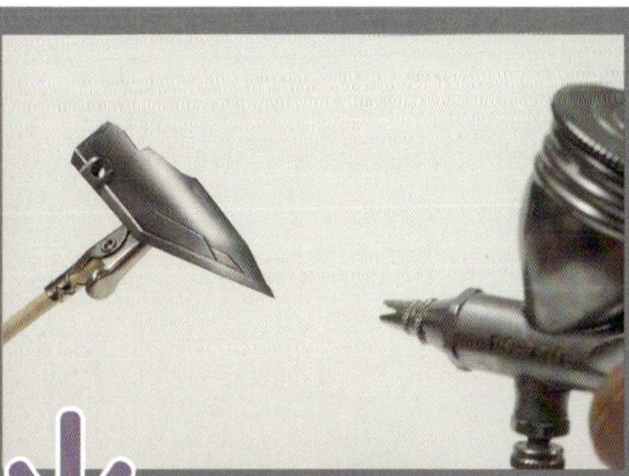

金属色をリアルに仕上げる

金属色塗料もいろいろな種類がありますが、塗膜の強さと金属質感、応用範囲の広さを考え合わせると、じつは、いちばんオーソドックスなMr.カラー 8番のシルバーがおすすめです。以前顔料が変わってからの8番シルバーは非常にキメがこまかく、スミ入れをしても表面が荒れたりしないのでよいです

チタンっぽい色味や焼けたカンジを出したい場合は、上からクリアーオレンジを重ねたり、8番のシルバーにクリアー塗料を混ぜて塗ったりします。重ねるのと混ぜてから塗るのでは質感が変わりますので、狙う雰囲気や場所に応じて使い分けます。また、ガンメタリックみたいな色にしたい場合も、ガンメタリックを使うのではなく8番のシルバーに黒を混ぜるとキメがこまかい金属質感にできます

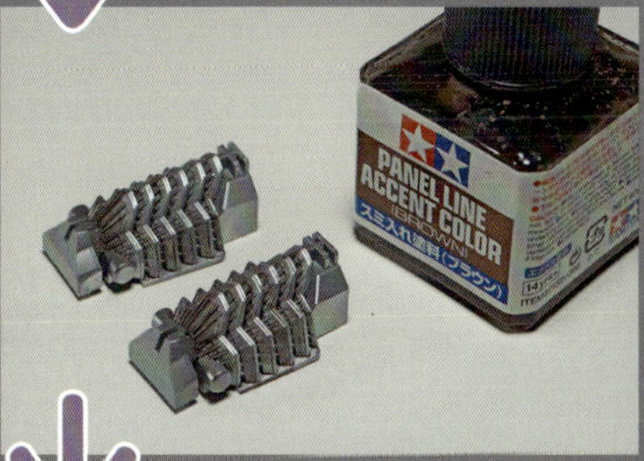

8番のシルバーに色を重ねる場合はエナメル系塗料も使えます。スミ入れ塗料を重ねると色味が変わるだけでなく光沢が鈍くなるので、使い込まれた感じや汚れた感じにすることができます。エナメル系塗料を重ねると、部分的に拭き取ることもできますので、金属色部分に色味の差をつけたいがマスキングが難しいところなどにも便利です

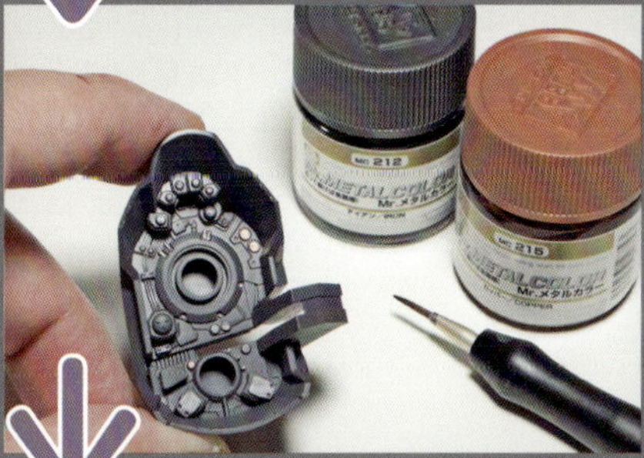

部分塗り分けでディテールを引き立てる

Mr.メタルカラーは塗ってから磨くことで金属光沢を出せる塗料で、筆ムラがでにくいので細部塗り分けに重宝します。ただしツヤ消しクリアーを上に重ねるとただのグレーになってしまうので、使う際はツヤ消し濃くリアーの上に塗ります。部分的に筆塗りで塗り分けをすると、メカ部分の密度感が上がります

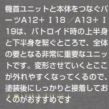

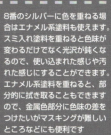

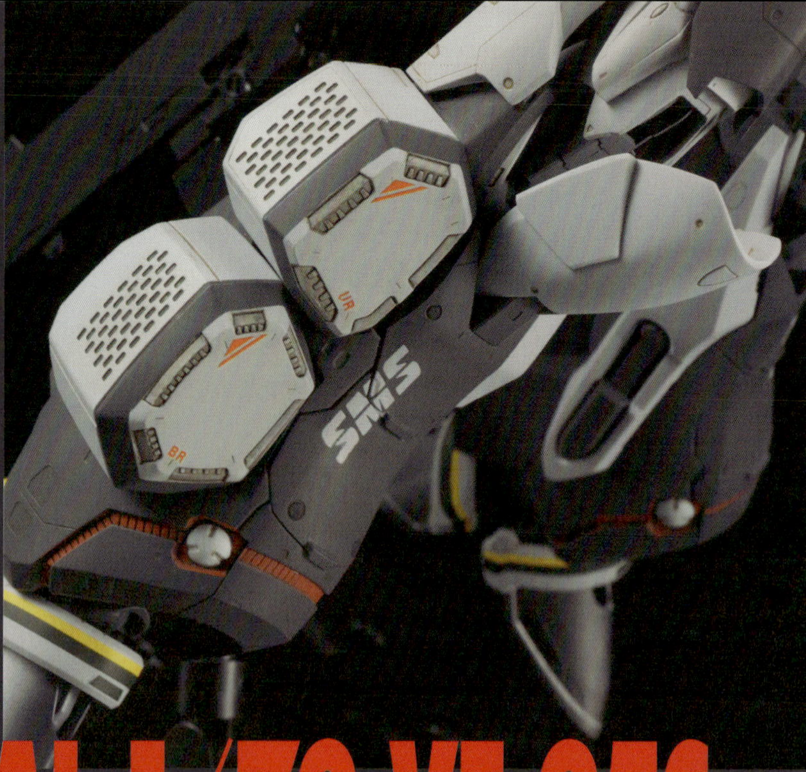

BANDAI 1/72 VF-25S “ARMORED MESSIAH”

ARMORED MESSIAH VALKYRIE OZMA CUSTOM

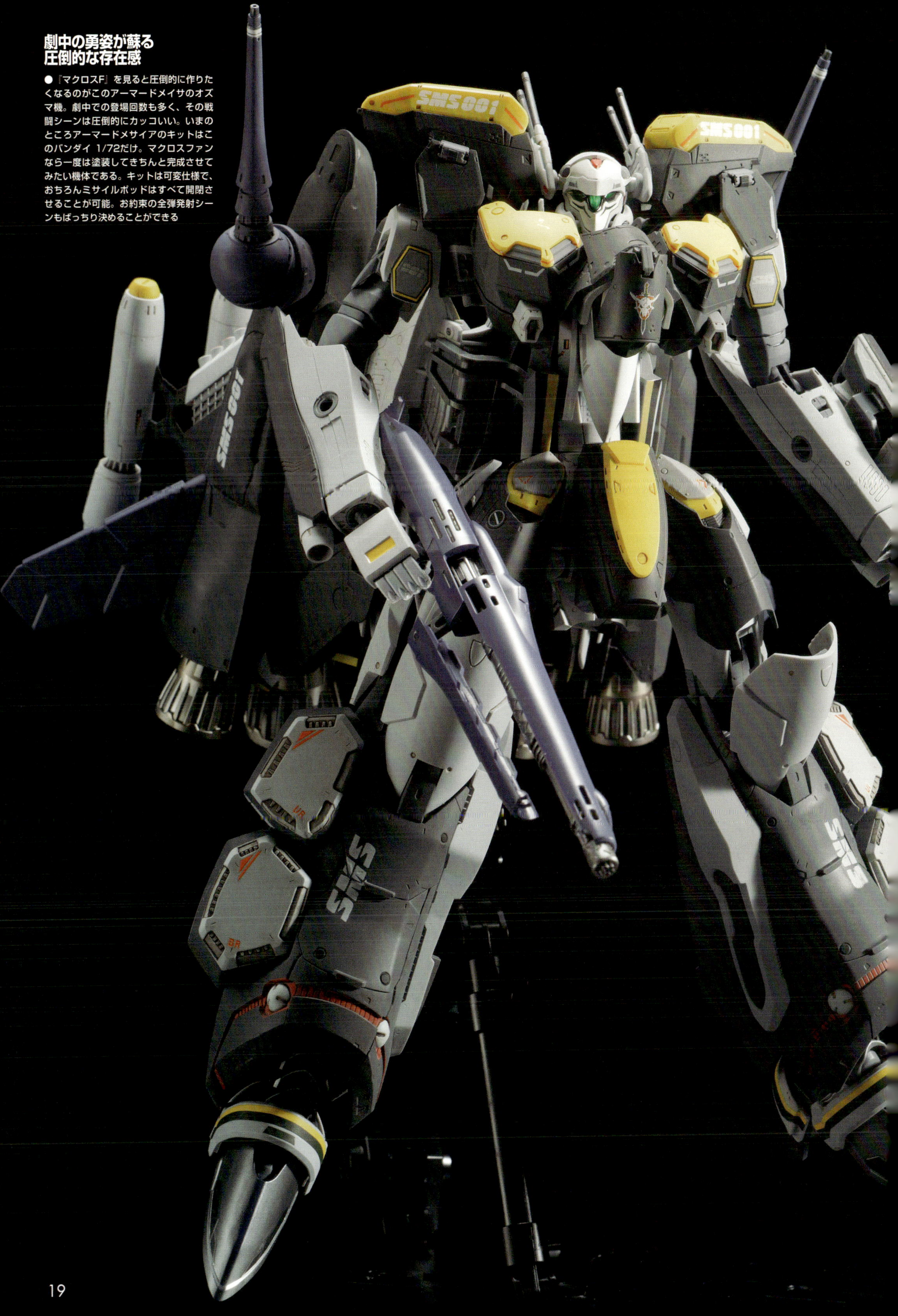

劇中の勇姿が蘇る 圧倒的な存在感

●『マクロスF』を見ると圧倒的に作りたくなるのがこのアーマードメイサのオズマ機。劇中での登場回数も多く、その戦闘シーンは圧倒的にカッコいい。いまのところアーマードメサイアのキットはこのバンダイ 1/72だけ。マクロスファンなら一度は塗装してきちんと完成させてみたい機体である。キットは可変仕様で、おちろんミサイルポッドはすべて開閉させることが可能。お約束の全弾発射シーンもばっちり決めることができる

●背面から眺めたときのボリュームと情報量は圧巻！　バトロイド時は胴が左右にスイングし、脚も大きく拡げることができるようになっているので、立ち姿も派手なポーズもビシッと決まる。キットには、各形態に応じた形状のスタンドジョイントが豊富に付属しているので、同梱のベースを使えばさまざまな体勢で無理なく飾ることができる
●ガンポッドももちろん可変し、砲身／機関部に到るまで繊細なモールドで再現。外装のスリットもきちんと開口されている

●アーマードの見どころと言えばやはり満載のミサイルポッド。各ハッチは開閉可能で、ハッチ内側のディテールも凝った造りになっている。キットのパーツでは弾頭部が一体成型になっているので設定どおりに再現するには塗り分けが必要だが、ここを塗り分けると完成後の見映えがとても上がるので、ぜひチャレンジしてみてほしい

BANDAI 1/72 VF-25S “ARMORED MESSIAH”

ARMORED MESSIAH VALKYRIE OZMA CUSTOM

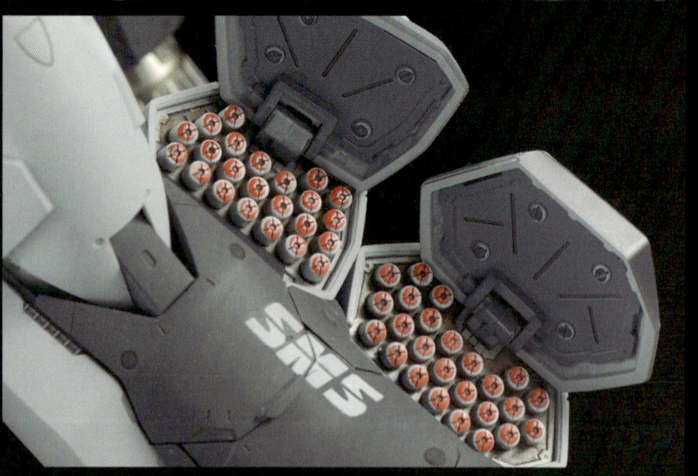

BATROID MOD

GERWALK MODE

可変モデルならではのガウォーク形態再現

●アーマードメサイアの圧倒的なボリューム感がもっとも顕著に現れるのがこのガウォーク形態。バトロイド／ファイター両形態を非常に高い次元で両立している本キットだけに、当然ガウォーク形態の完成度も極めて高いものとなっており、ヴァリアブルファイターの醍醐味を満喫することができる。各ユニットの位置関係やクリアランスなど、立体を組み立ててはじめてわかって感心するところも多く、VF-25という機体への理解をより深めてくれるはずだ

BANDAI 1/72 VF-25S
“ARMORED MESSIAH”

ARMORED MESSIAH VALKYRIE OZMA

●デザイン上、模型としてはかなり不安定な状態になるガウォーク形態だが、ガウォーク形態専用のベースジョイントパーツが付属しがっちりとホールドできるようになっているので安心して飾ることができる。ボディー本体内側のディテールに到るまでとても細かく再現されているので、ガウォーク形態を後ろ側から見てもなんら問題ないどころかむしろ見どころ満載。リアリティー溢れるメカ表現を堪能することができる

IGHTER MODE

フル装備の宇宙機らしいゴテゴテ感を楽しむ

●ヴァリアブルファイターの魅力のひとつは航空機的なフォルムにあるが、スーパーパックやアーマードパックを搭載すると様相が一変し、宇宙機っぽい無骨なフォルムに惹きつけられる。VF-25のアーマードパック搭載形態は航空機的な優美さと宇宙機っぽい無骨さが見事に融合されたデザインで、マクロスメカの魅力を一身に詰め込んだものと言えよう

●作例はキットをストレートに製作しているがきちんと色分けすればこのような密度感溢れる完成品となる。合わせ目消しをする必要がある箇所はほとんどなく、腕やミサイルなど設定にラインがないところに合わせ目がある場合も合わせ目ラインがパネルライン的に処理されているので、そのまま製作しても気にならないように配慮されている

BANDAI 1/72 VF-25S
“ARMORED MESSIAH”
ARMORED MESSIAH VALKYRIE OZMA CUSTOM

繊細な完全変形ギミックと圧倒的物量
これぞヴァリアブルファイターモデルの"頂"

バンダイの1／72 VF-25の登場は衝撃的でした。'00年以降確固たる地位を築いたハセガワの形態固定モデルシリーズに対してバンダイが出した答えはもちろん完全変形再現の可変モデル。もちろんバンダイがMGやPGなどで培った技術を活かしてマクロスモデルを作れば可変モデルになるであろうことは容易に想像されましたが、実際に目の前に現れた1／72 VF-25はモデラーの想像を遥かに超えたものでした。

劇中のCGを忠実に再現しどの形態でも破綻なくカッコいいフォルム、「ここまでやるか!?」と驚かされた複雑かつ繊細な変形ギミック再現。この1／72 VF-25は発売から10年近く経ったいま現在でも、可変メカプラモデルにおけるひとつの頂点として在り続けています。私はパチ組みも含めてこのバンダイ製1／72 VF-25シリーズを10個近く組み立てていますが、組むたびに新たな発見や驚きがあります。組んでおもしろく飾ってカッコよく、そのうえ変形もさせられる。マクロスモデルならではの魅力に満ちあふれた傑作キットと言えるでしょう。

とはいうものの、「塗装をして完成させる」モデラーとしては、この1／72 VF-25はなかなか敷居が高いキットでもあります。変形を再現するために全身がバラバラになっているので大きさのわりにパーツ数が多いのはよいとして、各形態で外側に見える部分が変わってくるのが悩ましいところです。変形しないガンプラであれば、見えるところと見えないところがわりとはっきりしていますし、外装とフレームがはっきり分かれていることがほとんどなので、よく見える外装や露出するフレーム部分とそれ以外に分けて考えることができ、あまり見えないところはそれなりに流して製作することができます。しかしこの1／72 VF-25では、ファイター時には内側に隠れる部分がバトロイド時には丸見えになったりしますし、ひとつのユニットのなかに外板的な部分とフレーム的な部分が混在していたりします。キットは極力成型色で色分けがなされていますが完全ではないので、設定どおりに塗り分けるにはあらかじめ各ユニットの形状と、各形態で露出する箇所をきちんと把握しておく必要があります。そこでおすすめしたいのが、塗装して製作する前に一回はパチ組みをしておくことです。一回組んでみれば構成を把握できますし、塗装して製作していく最中もそのパチ組みを目の前に置いておくといろいろ確認できます。

そして、バンダイの1／72 VF-25シリーズのなかの頂点と言えるのがこのアーマードメサイアでしょう。本体を凌ぐほどのボリュームのアーマードパックが追加されたこのキット、箱を開けたときの物量は相当なもので、完成したときのカッコよさと迫力、満足感は非常にすばらしいです。私も発売当初からキットは手元にあったのですが、正直なところ、なかなか踏ん切りがつかずそのまま積んでいました。今回の企画を良い機会として製作に踏み切ったのですが、実際に製作をはじめてみると追加されたアーマードパック部分も非常に練られたパーツ構成になっていて思いのほかサクサクと組み上げていくことができました。唯一悩んだのがミサイルポッド内の弾頭の塗り分け。筆塗りなども考えたのですが、今回はテープでマスクを作ってひとつずつ塗って行く方法を採りました。根気よく作業しさえすれば意外と簡単です。■

BANDAI 1/72 VF-25S “ARMORED MESSIAH”

ARMORED MESSIAH VALKYRIE OZMA CUSTOM

ファイター形態時のクリアランスに脱帽する

●アーマード形態では内側に隠れてしまうが、VF-25本体をファイターにしたときの脚部と内側に収まる腕部、ヒンジ類などのデザイン／クリアランスには本当に驚かされる。バトロイド時には何気なく見えた凹みがファイター形態になったときに他のユニットを避けるためのものだったり、斜めに落とされたエッジが他のユニットとのクリアランスを確保するためのデザインだったりする様はさながら立体パズル。きちんと収まって変形したときの驚きと喜びはこのキットでないと味わえない醍醐味である

SMS
SMS
SMS

●バトロイド時には何重にも折れ曲がる機首部分だが、ファイター形態では見事に航空機的な優美なラインを見せてくれる。機首下面のパーツの合いも極めて秀逸で、ファイター形態時には可変するとは思えないほどぴたりと収まって面がつながる

●キットには水転写式デカールとシールが両方付属する。作例ではより薄くきれいに仕上がるデカールを基本的に使用し、可動する主翼の黄／黒のラインなどこすれやすそうなところだけ部分的にシールを使用している。シールは余白がなく寸法もピッタリにカットされており、こすれてもハゲにくいのでうまく活用しよう

BANDAI 1/72 VF-25S
"ARMORED MESSIAH"

ARMORED MESSIAH VALKYRIE OZMA CUSTOM

ファイター形態モデルをカッコよく作ろう!

飛行機モデル初心者でもこれで大丈夫!
ハセガワ製ファイターモデル製作工程順講座

featuring;

製作・解説／森 慎二

1/72 VF-25S スーパーメサイア

飛行機のプラモデルは工作の手順がちょっと複雑。すべて工作してから塗装しようとすると塗りにくいところや塗れないところが出てきてしまいます。そこで、ハセガワのファイター形態キットを効率的によりうまく作れるようになる工作手順をまとめて解説。これで初心者でも手順はバッチリです。

工作と塗装の手順を整理してマスターしよう

飛行機のプラモデルはマスキングをしてエアブラシで塗り分けるのが基本ですが、組み立ててから塗ろうとすると奥まったところは塗装や塗り分けが難しくなってしまいます。そこでコクピットやインテークなどは先に塗っておいてから機体本体の工作をするようにします。とくにパーツを挟み込むような構造になっているところは要注意。組み立ててからだと塗りにくかったり、中に入れることができない箇所を重点的に洗い出しておくようにしましょう。

ゲートの切り方とダボの処理に注意しましょう

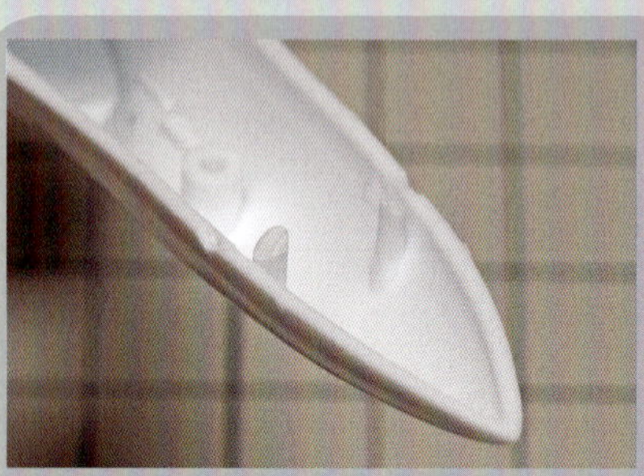

▲ハセガワの1/72 VF-25シリーズはボディーパーツがスナップフィットになっています。組み立てやすい配慮はよいのですが、スミ入れ時の割れを予防するために、ダボは斜め切りしておくようにするのがおすすめです

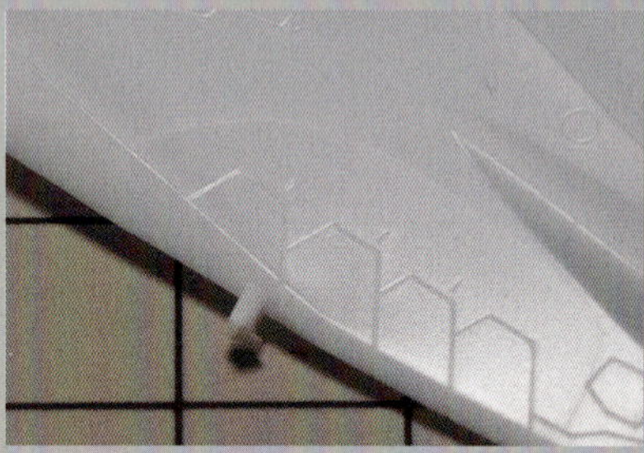

▲バンダイ製1/72アーマードメサイアバルキリーの製作解説（8ページ）でも詳しく触れていますが、ゲートをいきなりギリギリで切るのはNG。なるべくパテを使わないようにするために、余裕を持って切り出しましょう

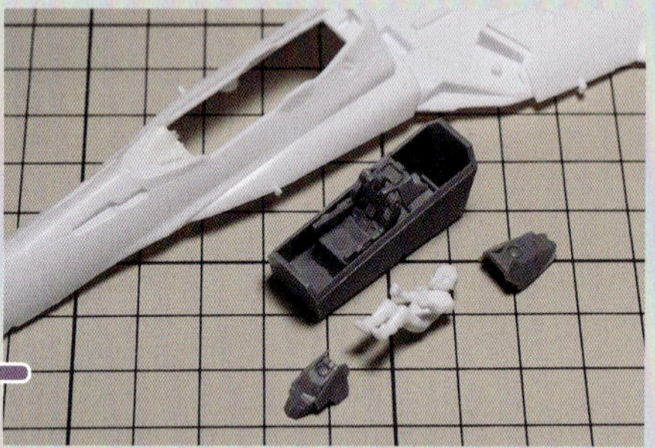

▲ハセガワの1/72 VF-25は、一般的なジェット機モデル同様にコクピットを胴体パーツ内にはさみ込む構成になっています。パイロットフィギュアも付属しディテールもこまかいです

▲コクピットは組み込んでからでも塗れなくはありませんが先に塗たほうが塗り分けがしやすいです。まずはMr.カラーの307番 グレーFS36320で基本塗装をします

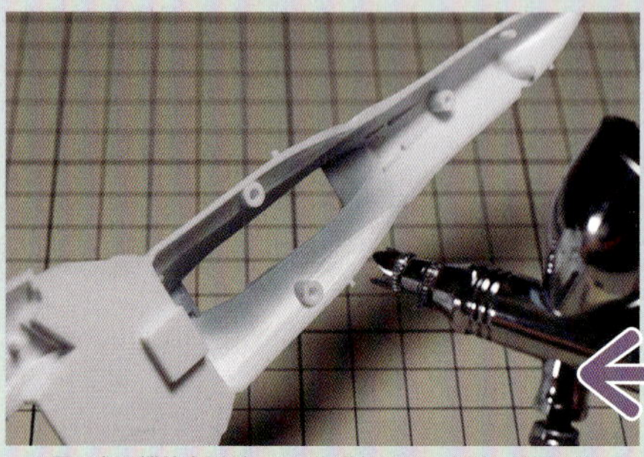

▲同じ色で機体上面パーツの海溝部周辺の内側と外側も塗っておくようにします。内側は塗らなくてもよさそうに思えますが、真っ白のままだと完成後に意外と目立つことがあります

▲アンチグレア周辺をツヤ消しの黒で塗っておきます。境目のところだけマスキングテープで簡単にマスキングし、外側にはみ出すのは気にせずそのまま塗りましょう

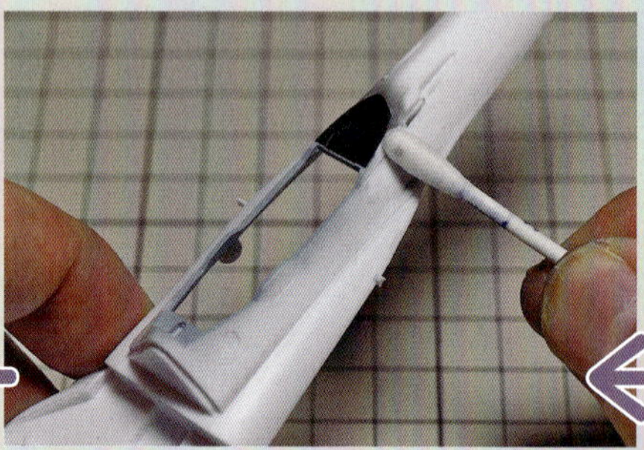

▲外側にはみ出したところは、綿棒にラッカー系うすめ液をつけて拭き取ります。そのまま塗り重ねても大きな問題はありませんが、塗膜を少しでも薄くするために拭き取っています

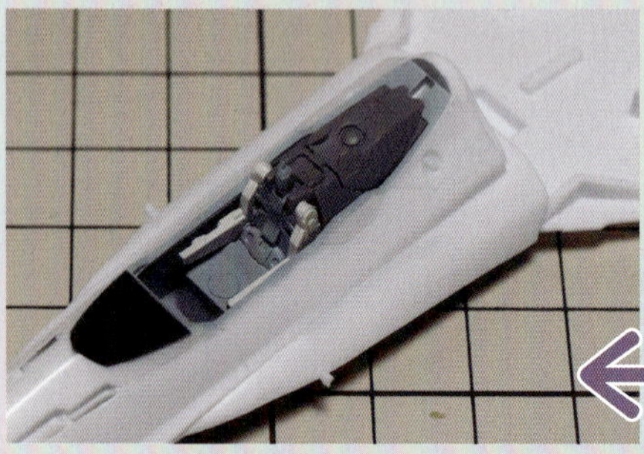

▲アームレスト部などは色分けしておくと設定に近くなって模型としての密度感も上がります。コクピットは複座にもできますが、今回は単座仕様として製作することにしました

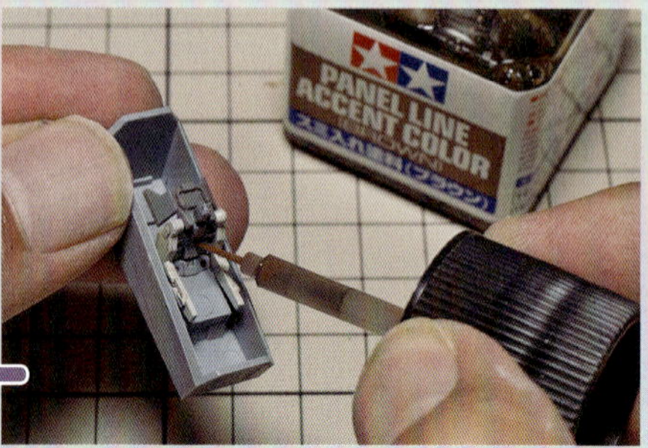

▲エナメル系塗料でスミ入れをします。パーツがこまかく奥まったところもあって拭き取りがしにくいので、薄めの塗料を凹み部中心に流し込み、ほぼ塗りっ放しにしています

▲フィギュアを塗ります。パーツのパーティングラインをナイフのカンナがけで処理し頭部を接着してから、まず全体にMr.カラー 331番 ダークシーグレーを塗ります

▲細部は水性アクリル塗料ファレホの筆塗りで塗り分けていきました。このキットのデカールにはフィギュアのマーキングもセットされているので、かなり精密な仕上がりにできます

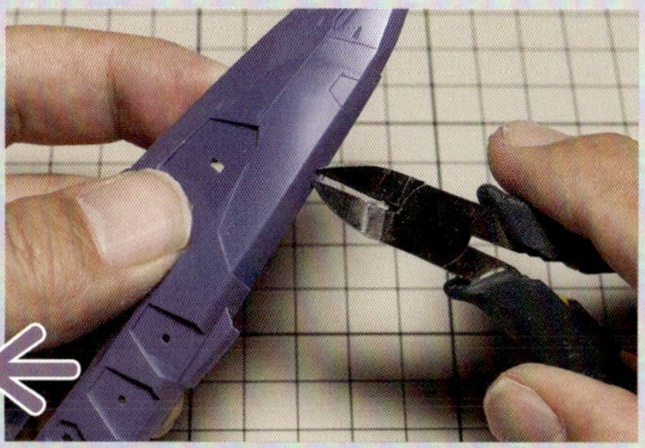

▲ゲートのところは、余裕を持ってランナーから切り出してから改めてニッパーで2度切りします。こうすることで切断時に凹みができたりゲート部がもげたりしにくくなります

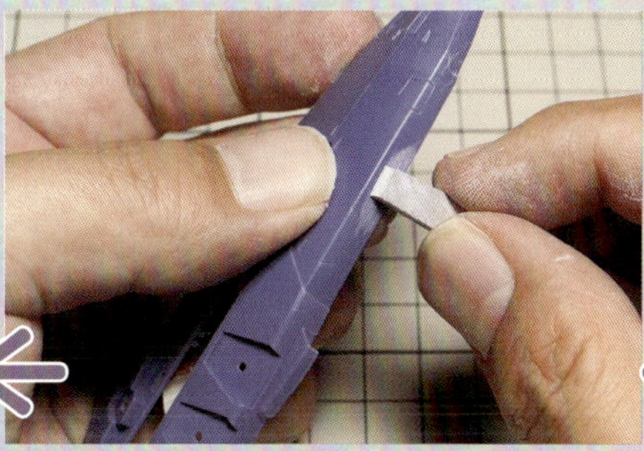

▲600番の紙ヤスリに板をあてたものでゲートを削っていきます。周辺のディテールやスジ彫りを削ってしまうと修復するのに手間がかかりますので、極力ゲート周辺だけ削ります

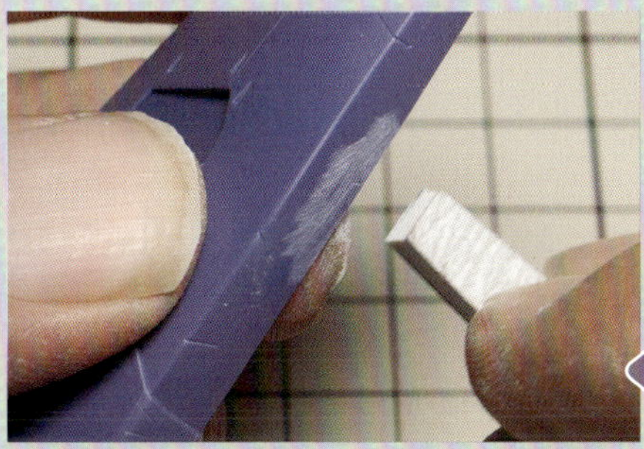

▲数回ヤスリを動かしたらヤスリを外して削っているところをよく見るようにしましょう。よく見ずにどんどん削っていくと、削りすぎたりパーツ形状を損なったりしやすくなります

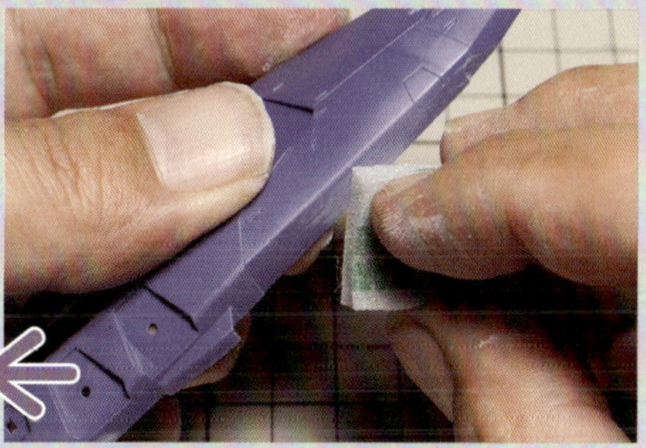

▲ゲート跡の出っ張りがなくなったらすぐに紙ヤスリで削るのを止めます。紙ヤスリのヤスり目は、600～800番相当のスポンジヤスリで表面を軽く均して整えておきます

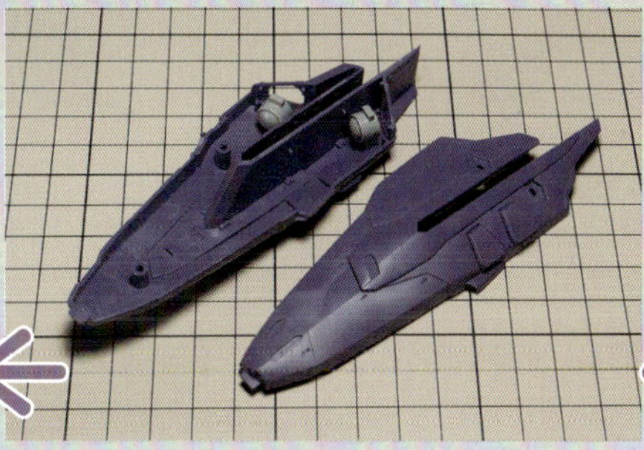

▲ブースターユニットは左右分割ですが、中にはさみこむパーツがありますので忘れずに先に組み込みます。主翼を受ける板上パーツとスラスターのジョイント部がこのように収まります

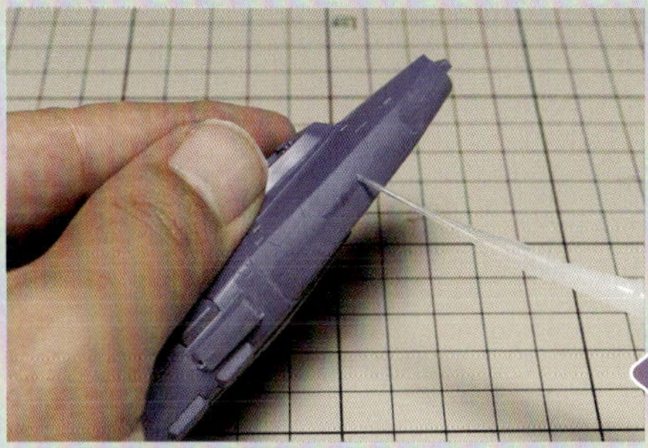

▲ブースターユニットの合わせ目を処理していきます。接着には極速乾のMr.セメントSを使い、合わせ目部にできるわずかな段差や凹みは瞬間接着剤をパテ代わりにして消します

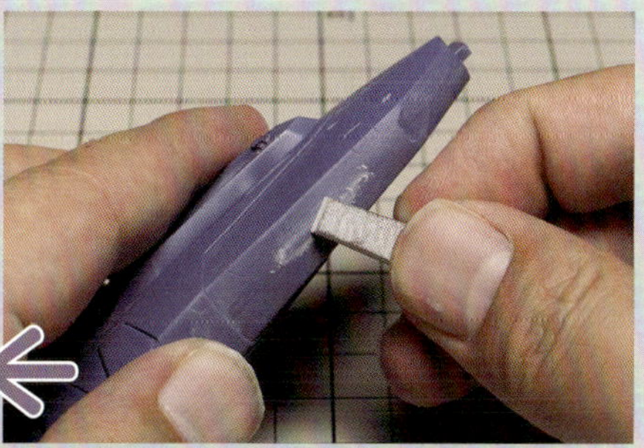

▲流し込み用接着剤を合わせ目の段差や凹みがある部分だけに少量盛り、硬化後に400～600番の紙ヤスリで削って整形します。あまり目がこまかいヤスリだと周辺だけ削れるので注意

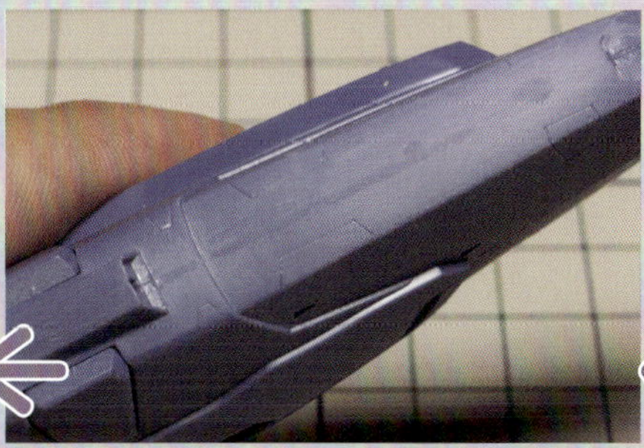

▲合わせ目部分の凹みが消えました。接着剤が残った部分の色が変わって見えていますが表面の段差はなくなっています。ゲート跡の整形と同様、スポンジヤスリで表面を整えておきます

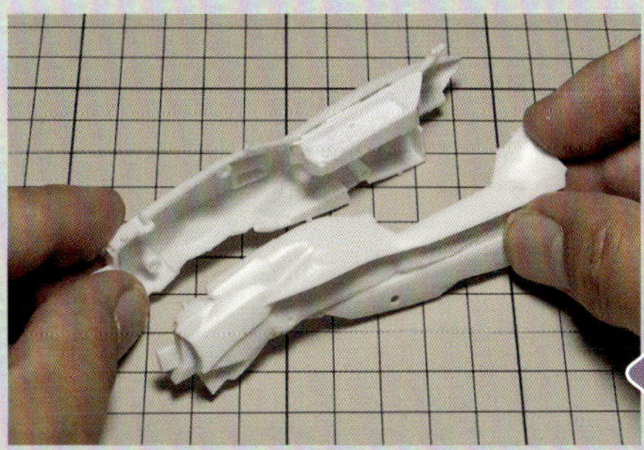

▲脚ユニットは主脚収納庫のパーツをはさみ込むようになっていますので入れ忘れないように注意します。主脚収納庫内は組み立て後でも塗り分けできますので先に組み込んでOKです

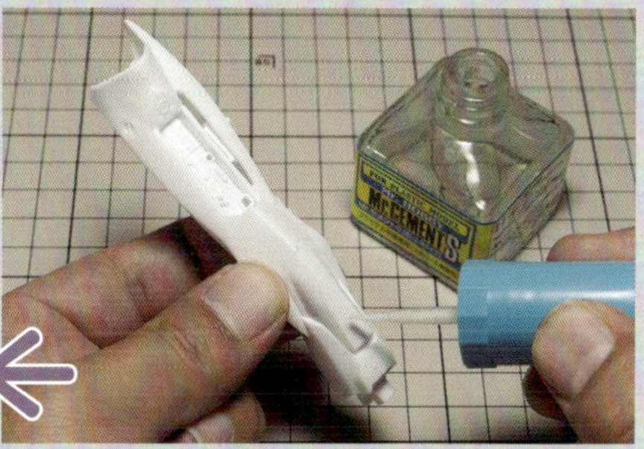

▲脚ユニットも左右分割で中央に合わせ目ができますので、ブースターユニット同様Mr.セメントSで接着後に瞬間接着剤を使って合わせ目を消しておくようにします

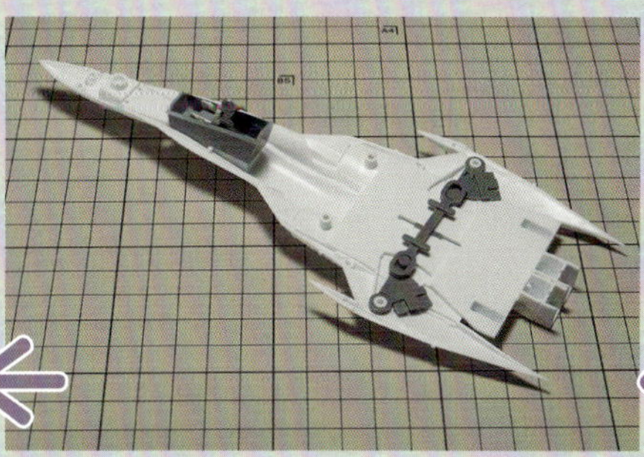

▲機体パーツを接着するときは、コクピットや主翼可動ギミックなど挟み込むものを入れ忘れないよう要注意。主翼は左右が連動して可動するような仕組みになっています

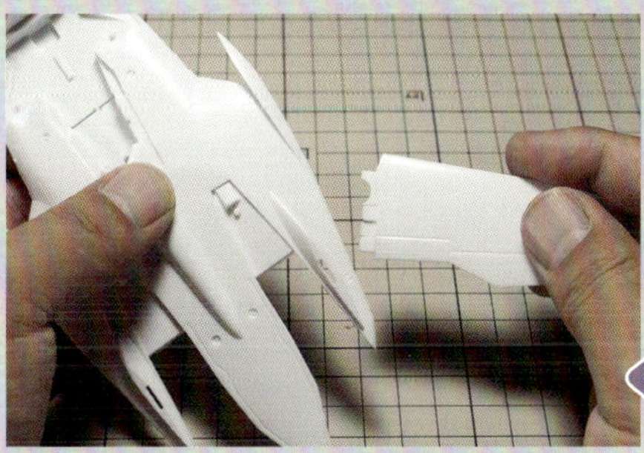

▲このキットの主翼パーツは、可動するだけでなく胴体側を組んだ後からでも差し込める構造なので塗装がしやすいです。こういうところはジェット機モデルに慣れたハセガワならでは

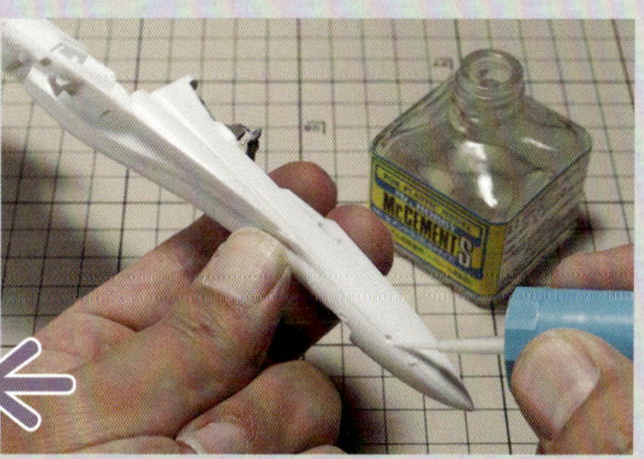

▲本体の上下パーツを接着していきます。本体は雑に接着して段差ができてしまうとめんどうなので慎重に合わせて接着しますが、このキットは合いが良いのでさほど心配要りません

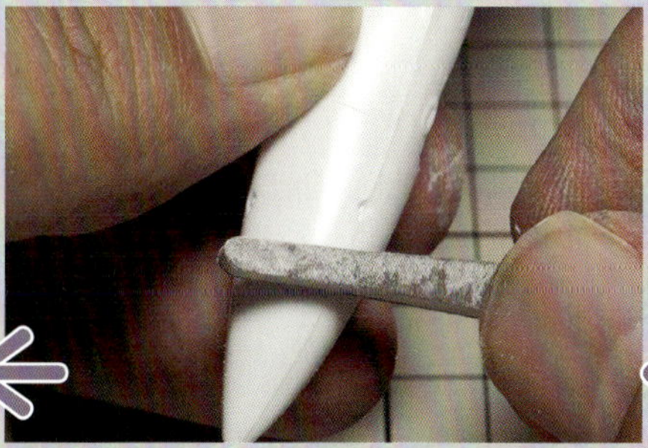

▲接着剤はMr.セメントSを使い、表面から少量ずつ塗ります。接着剤が硬化したら、600番の紙ヤスリでゲート跡と合わせ目を同時に整形していきます。まずは目立つノーズから

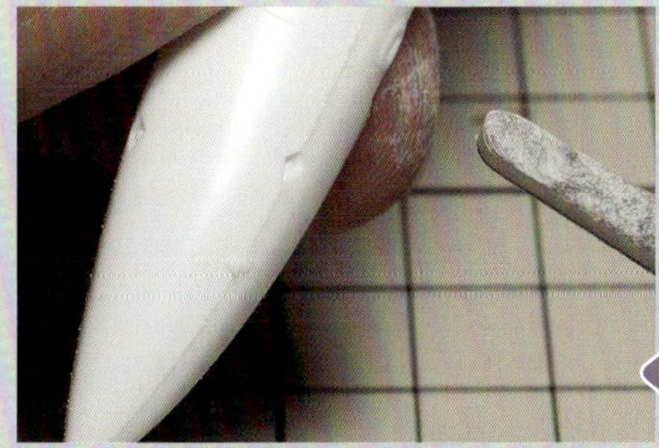

▲ノーズの曲面部分は削りすぎるとせっかくの美しいラインが崩れてしまいます。ヤスリをあてる角度をずらしながら慎重に少しずつ削り、部分的に平面になってしまわないようにします

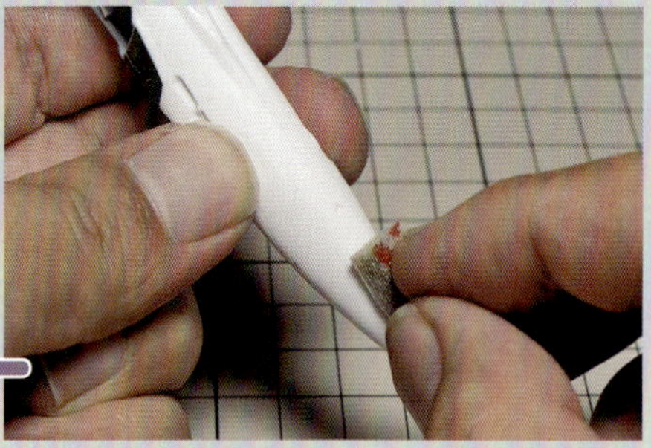

▲ゲート跡を処理したらスポンジヤスリで表面を整えます。凹みが残ったら瞬間接着剤で埋めますが、このキットは合いがよくヤスリがけだけできれいに面がつながってくれました

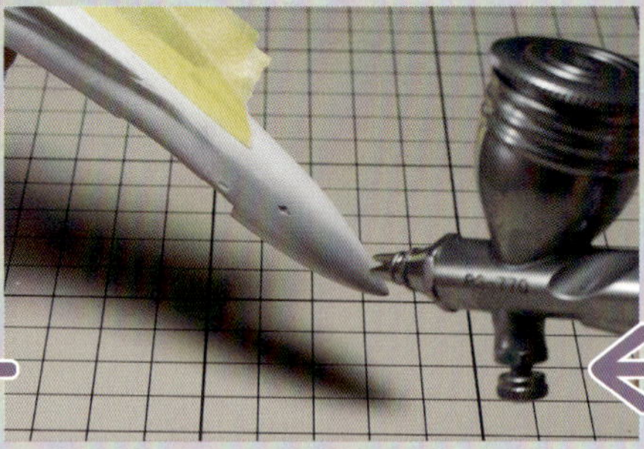

▲全体に缶サーフェイサーを吹くとスジ彫りが埋まったりザラついたりしやすいので、合わせ目消しの結果が不安なところだけエアブラシで軽くサーフェイサーを吹いて確認します

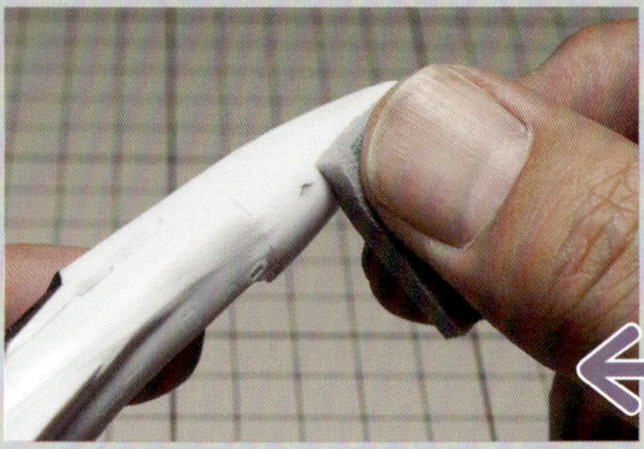

▲1000番相当のスポンジヤスリで軽くヤスると、凸凹のところにサーフェイサーが残ります。凸凹が残っているところは、600番〜1000番相当のスポンジヤスリで整えます

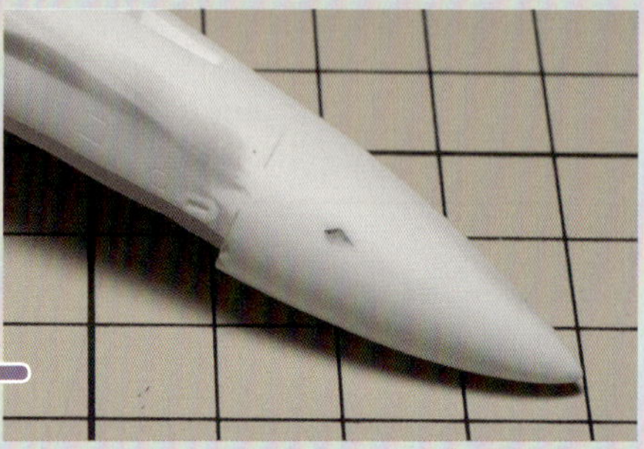

▲ノーズは目立つので念のためサーフェイサーを吹いて表面の状態を確認しましたが、とくに凹みはできておらず、瞬間接着剤で埋めなくてもきれいに面がつながっているようです

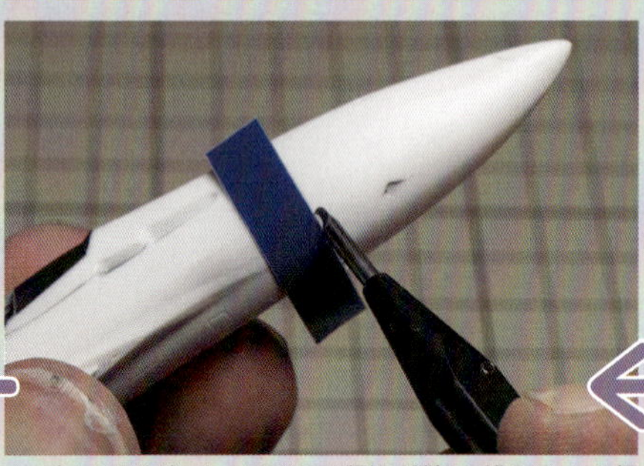

▲合わせ目を消したところはスジ彫りが削れて浅くなったり埋まったりするのでスジ彫りを彫り直します。ガイドテープを使ってMr.ラインチゼルで彫ると簡単にきれいに彫れます

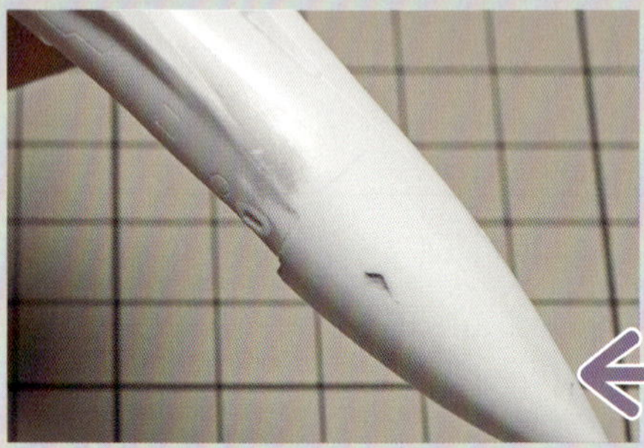

▲もとからあるスジ彫りを刃の幅を合わせることで、このようにきれいに彫れます。彫りすぎるとパーツに穴が開いたり切り離されてしまったりするので彫り直しはほどほどにしましょう

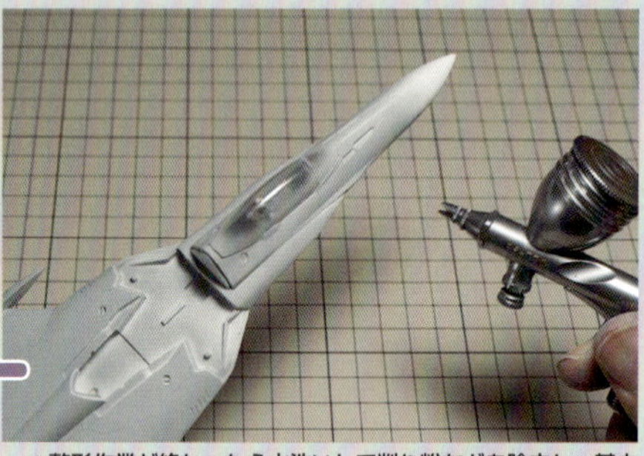

▲整形作業が終わったら水洗いして削り粉などを除去し、基本塗装へ移ります。コクピット部分は、使用しないキャノピーパーツを両面テープで貼り付けてマスキングしています

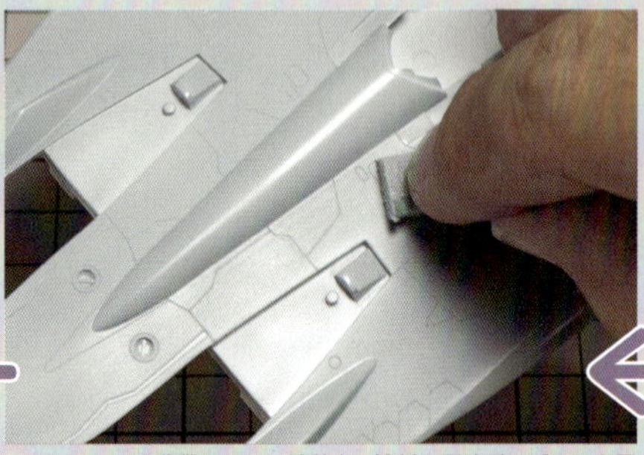

▲ていねいに作業しても、塗装中に塗料の飛沫がノズルから飛んだりホコリが付着することがあります。すぐに塗装を止めて軽く乾かし、スポンジヤスリなどで表面を均しましょう

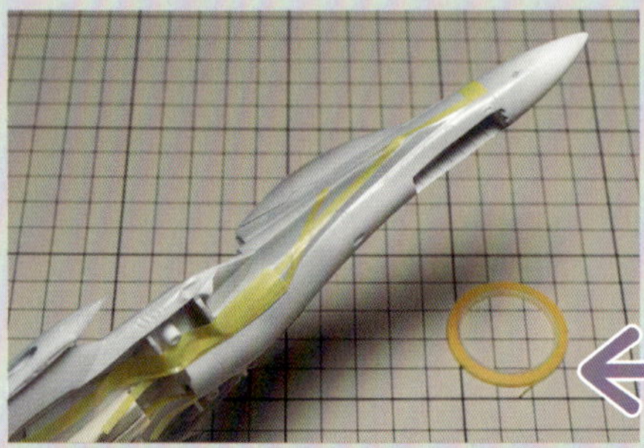

▲基本色の塗り分けはマスキングで行ないます。機体上面を先に塗ってからマスキングをしてレドームと下面などを塗り分けていきましょう。まずは境目に細切りテープを貼ります

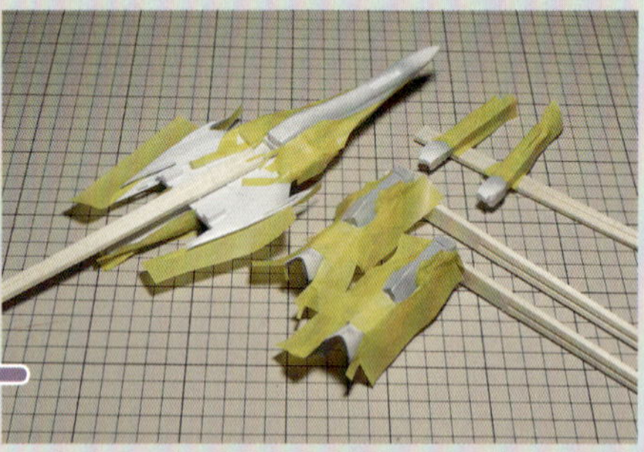

▲境目にテープを細切りのテープを貼ったら、残った部分を幅広のテープで覆います。挟むところがないので割っていない割り箸に両面テープを貼ってパーツをつけ持ち手にします

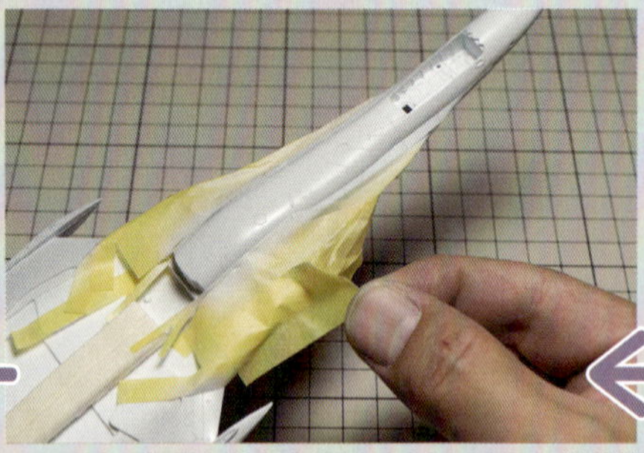

▲マスキングで塗り分けたあとはなるべくすぐにテープを剥がしましょう。そうしないと塗膜が硬化して境目のところががめくれやすくなり塗り分けラインが荒れてしまいます

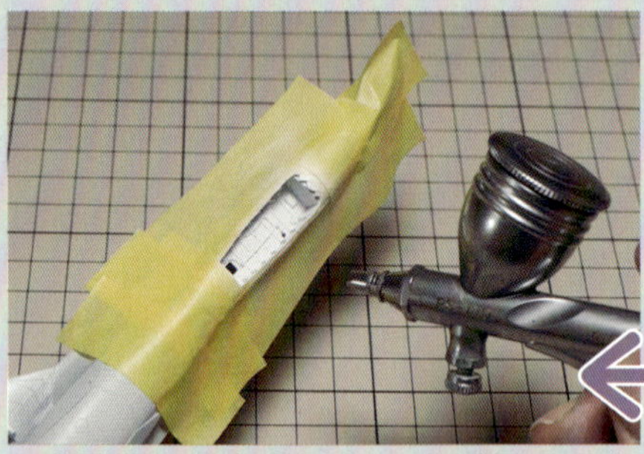

▲脚収納庫内は真っ白で塗ります。マスキングをしてエアブラシ塗装しますが、奥まったところはザラつきやすので、薄めの塗料でエアー圧を絞り気味にし細吹きで塗っていきます

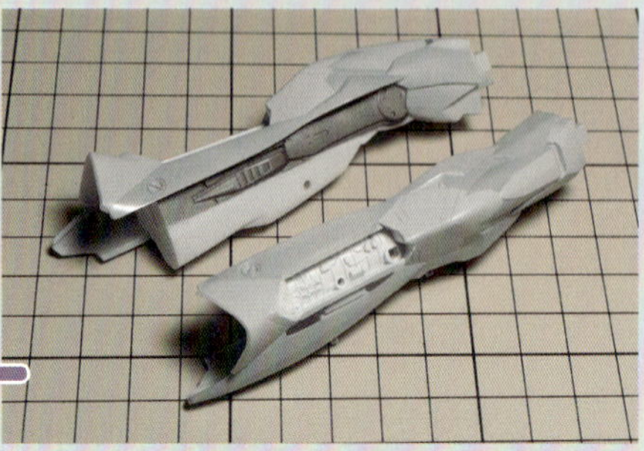

▲脚ユニットは外装部を２トーンで、フレームは濃いグレー、脚収納庫内を真っ白に塗り分けます。すべてマスキング塗り分けですが、ここがジミにいちばん手間がかかるかも……

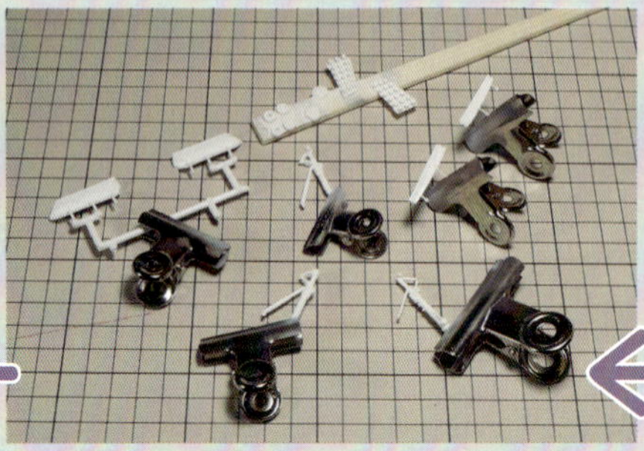

▲脚収納庫のハッチや脚柱のような小パーツは本体に組みつけずにそれぞれエアブラシで基本塗装をします。パーツによってはランナーから切り離さないほうが塗りやすい場合があります

▲基本色はほぼ指定色をビンから出したまま塗っていますが、スーパーパックの青紫っぽいグレーは3色を混ぜる必要があります。ブルー FS15050を基本にすると調色しやすいでしょう

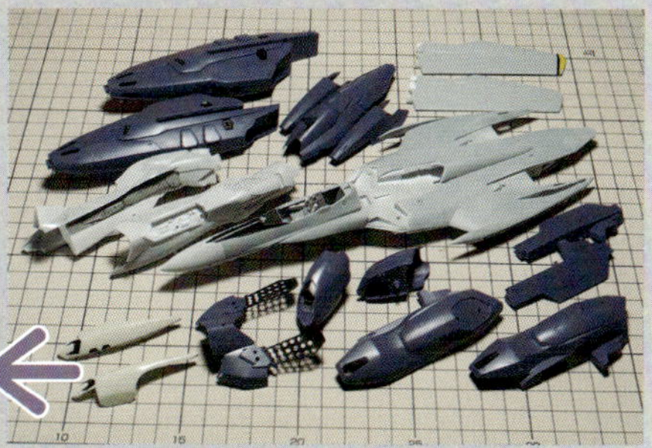

▲基本塗装の塗り分け終了。ファイター形態固定モデルはパーツ数が少なくて組み立てやすい反面塗り分けには手間がかかります。じっくりていねいにマスキングして塗り分けましょう

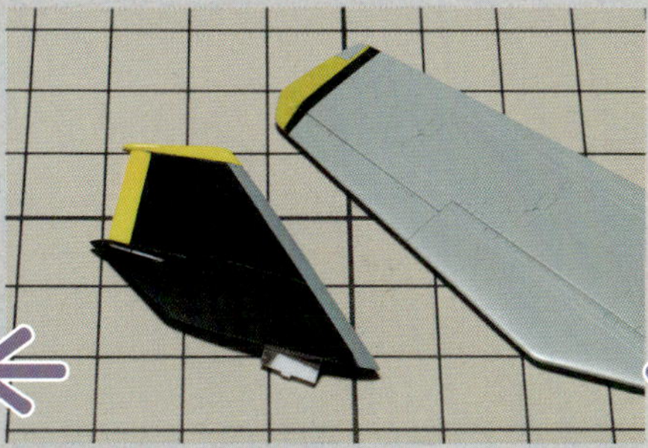

▲尾翼と主翼下面の黄／黒の色分けはデカールでもできるようになっていますが、塗り分けたほうが簡単かつきれいに仕上げやすいです。尾翼は、前縁のグレー→黄色→黒の順で塗ります

▲基本塗装が終わったらデカールを貼りスミ入れをしますが、先に組み立ててしまうとデカール貼りの作業のときにパーツを持ちにくくなったり拭きにくくなるので組み立てずに進みます

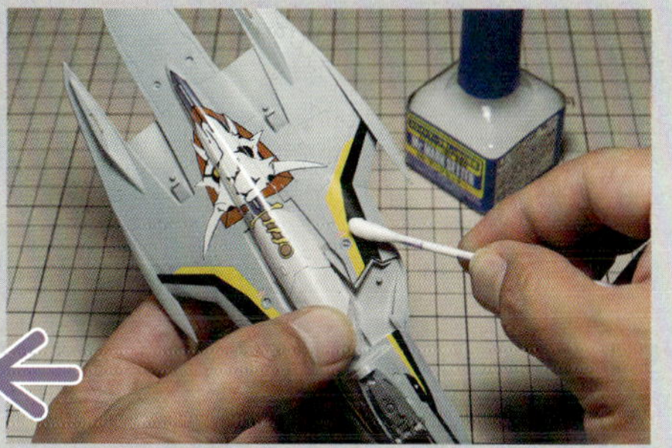

▲デカールを貼ります。塗装面をツヤあり～半ツヤにしておくとデカールが密着しやすくなります。貼るときは1枚ずつマークセッターなどののり／軟化剤を使っていねいに作業します

▲先に大きめのマーキングやライン状のデカールを貼るようにすると位置関係がずれにくく、バランスよく貼れます。主翼は黒いラインが本体側とずれないように注意しましょう

▲大きめのデカールを貼り終えたら、コーションマークなどの小さいデカールを貼っていきます。小さいデカールは透明ニスのシルバリングが目立ちやすいのでしっかり密着させましょう

▲スジ彫りなどの凹んだところは、まず全体を密着させていったん乾かしてから部分的に軟化剤を塗ってなじませていきます。ていねいに作業すればこのようにスジ彫りになじみます

▲エナメル系塗料のブラウンでスミ入れ。黒でスミ入れするのはやめましょう。全体に塗らずスジ彫り部だけに流し込むようにすると拭き取りが楽できれいに仕上がります

▲5～10分程度おいてスミ入れの塗料が半乾きになったところで、綿棒にエナメル系うすめ液をつけて拭き取っていきます。多少スジや色味が残るようにするとスケール感が出せます

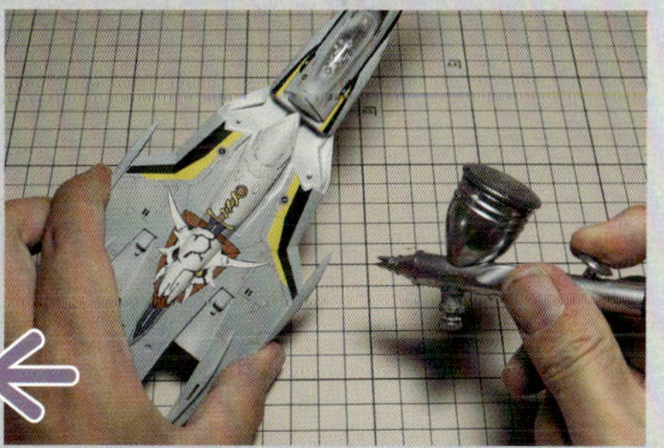

▲ラッカー系塗料でクリアーコーティング。ツヤをどれくらいにするかは好みですが、粒子がこまかめのツヤ消し剤を混ぜて半ツヤ状にするとスケール感を出しつつアラを隠せます

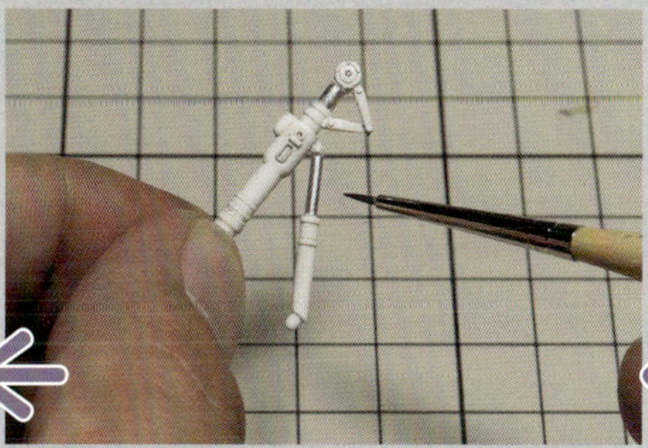

▲脚のダンパー部などは金属質感になるように筆塗りで塗り分けます。タミヤペイントマーカーのクロームシルバーの塗料を出して筆塗りすると簡単にピカピカに塗ることができます

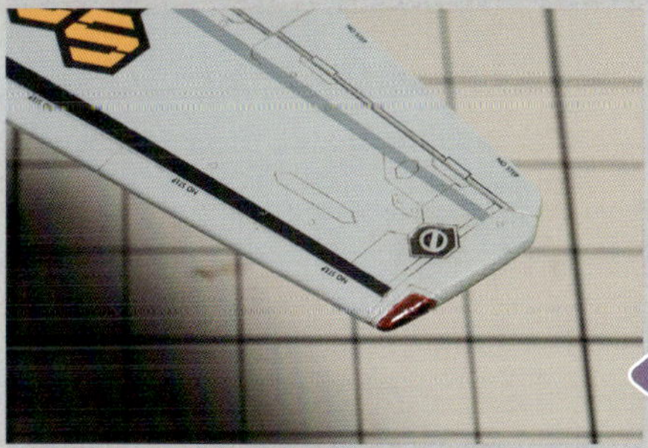

▲翼端灯は下地にラッカー系塗料のシルバーを筆塗りした上にエナメル系塗料のクリアーレッド／ブルーを塗るとそれらしくなります。なお左翼が赤、右翼が青なので間違えないように

▲本体を組み立てていきます。完成後は見えなくなるフェイス部まで再現されているのはハセガワ1/72ファイターキットの伝統。見えなくなってもちょっとうれしいですね

▲枠をマスキングで枠を塗り分けたキャノピーは、傷がついたり接着剤の飛沫が飛んだりしないよう最後に取りつけましょう。完成後も外せるよう接着しないで両面テープで固定しています

▲これで完成！　ハセガワのスーパーメサイアは、ジェット機系のキットとしては、インテークが塞がっていることもあってかなり組みやすかったです。完成後の満足度も高いですね

ストレート組みでここまでできる!

●本作例は、非常に完成度が高いキットをわかりやすく紹介するために完全にストレート組みで製作している。キットはアルト機とオズマ機のコンバーチブル仕様で、本体の大きめのパーツはスナップフィットになっており、非常に繊細なディテーリングの機体ながら、組みやすいように配慮されている

HASEGAWA 1/72 VF-25S
“SUPER MESSIAH”

SUPER MESSIAH VALKYRIE OZMA CUSTOM

Model Graphix
マクロス アーカイヴス プラス
作り起こし作例

F-25F/S スーパー メサイア
（オズマ機）
ハセガワ　1/72
インジェクションプラスチックキット
税込4104円
出典／『マクロスF』
製作・文／**森 慎二**

ハセガワ製ファイターモデルの粋を集めた傑作キット
1/72 スーパーメサイア、ぜひ一度は作ってみよう!!

ハセガワのマクロスシリーズの特徴となっているのが、アニメでは可変するメカをあえて形態固定でキット化しているところ。可変モデルはプレイバリューが高いが、「作って飾っておく模型」として考えると、製作のしやすさや完成後のフォルム保持、ディテールのリアリティーなどの面でいろいろな制約やデメリットもある。スケールモデル的視点に基づいてあえて非可変モデルにすることで、これらのデメリットを見事に払拭したのがこのハセガワ製VF-25である。

●機首と胴体の接合部がない設計でジェット機モデルの難所であるインテークもカバーされており、極力色分けに配慮したパーツ分割になっているので見た目以上に組みやすい。ほぼデカールだけでも色分けできるようになっているが、尾翼なや脚などは塗り分けたほうがきれいに仕上げやすいだろう

HASEGAWA 1/72 VF-25S “SUPER MESSIAH”

SUPER MESSIAH VALKYRIE OZMA CUSTOM

バンダイが同スケールで完全可動モデルをリリースしたのに対して、あえて形態固定というハセガワマクロスモデルのスタイルを守った1／72 VF-25。非常に複雑な変形機構となったVF-25において、形態固定スタイルのモデルは、ファイター形態でのスタイル、工作／塗装の容易さなど数々のメリットがあって、可動モデルとは別の魅力を持っています。文句なしに航空機的でカッコいいフォルム、組みやすさに配慮されたパーツ分割、いかにもハセガワらしいシャープなスジ彫りや航空機テイストのディテールなど、それまでのファイター形態キットの集大成とも言える高いクオリティーの傑作キットと言えるでしょう。

詳しい製作ポイントは製作法解説記事を読んでいただくとして、本キットを見映え良く製作するうえで重要なのが、「キット本来のシャープなモールド／ディテールをどうやって活かすか」です。ハセガワの航空機モデルらしいシャープなモールドと繊細なスジ彫りは、大ざっぱなヤスリがけや厚塗りの塗装をしてしまうと台なしになります。そこでおすすめしたいのは、「必要最小限の箇所にしかヤスリをあてない」「厚塗りになりやすい缶サーフェイサーは使用しない」「エアブラシ塗装で極力薄く平滑な塗膜で塗っていく」の3点。非常にパーツの合いが良いですので、きちんと位置合わせをすれば合わせ目にはほとんど段差はできません。ゲート部など最小限の箇所にしかヤスリをあてないようにすれば不要にパテを使わずにすみますし、キットが持つ繊細なモールドをムダに削ってしまうことも起きにくくなります。サーフェイサーを使わない効果は劇的で、塗膜を一気に薄くできてスジ彫りなどのモールドをシャープに見せられます。整形後の表面の確認がしたい箇所などは、部分的にビン入りサーフェイサーをエアブラシで塗るとよいでしょう。

以上のようにキットを活かすことに気をつけストレートに組むだけで、このような高いクオリティーのファイターモデル完成品を手にすることができるハセガワのVF-25シリーズ、作ってみないと損ですぞ。■

●機体本体のパーツは同社製ノーマルのVF-25のキットとほぼ共通で、スーパーパックと少しだけ折り曲げられている脚部パーツなどが新規設計で追加された。ミサイルポッドは開閉可動式で、弾頭部がポッドと別パーツ化されているので塗り分けもしやすい。脚収納庫は開閉の選択式。キャノピーも開閉両状態のパーツが付属している

飛行機モデルとして作るヴァリアブルファイター

バンダイ1/72 VF-25F 製作講座

Model Graphix
2009年1月号
掲載

ファイターをよりファイターらしくカッコよく作りたいなら、スケールモデルのテクニックを取り入れてみてはいかがですか？　というわけで、ジェット機製作のポイントを項目ごとに解説していきましょう。

製作・解説／岡 正信（プロ） photo/ U.S. navy

ポイント1 キャノピー

ファイター形態特有のパーツのひとつがこのキャノピー。クリアーパーツの窓枠の塗り分け方や、スモーク吹きでキャノピーをリアルに仕上げるテクニックを紹介しましょう。

レーダーが発展した現在のジェット戦闘機でもパイロットの視界がよいことはとても大切なようで、実機のキャノピーではバブルキャノピー（断面がΩ型になっていて下方視界がよい）やコーティングなどさまざまな工夫がこらされています。

もっとも手っ取り早く雰囲気を出すには、スモーク吹きをしてみましょう。プラモデルのキャノピーパーツはほとんどの場合透明に成型されていますが、実機はパイロットが外を見やすいようにコーティングが施されています。最近のコーティングは、見る角度や光線の具合によって色がさまざまに変わりますが、飛行機模型では茶色っぽいスモークにするのが一般的です。

▲F/A-18のキャノピーはこんな感じ。F-22ラプターのように金色に光って見えるものもあります。単なる黒系のスモークではなくちょっと茶色味を入れるのが実機の雰囲気を出すコツ。あまり濃くしすぎないほうがよいでしょう

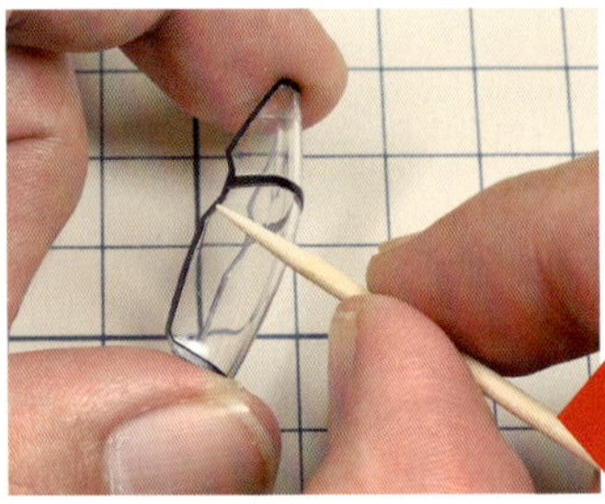

▲ていねいにマスキング作業をしても、エアブラシで窓枠部分を塗装してテープをはがすと、微妙に塗料がはみ出してしまうことがあります。そういうときはつまようじで削って修整

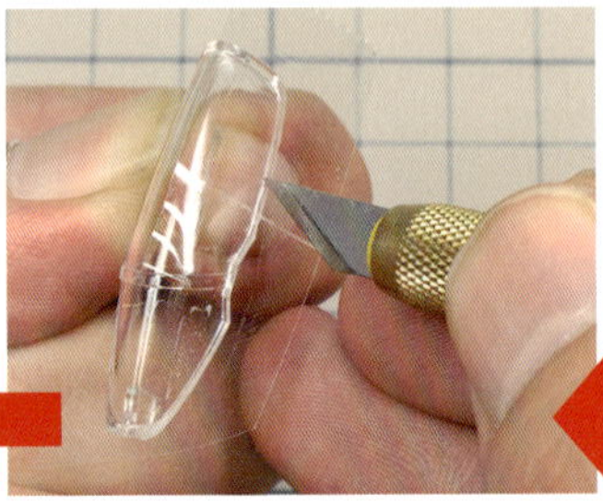

▲基本は、境目のところをまず貼ってから、その内側をテープで埋めるようにします。このようにセロテープを使って境目のところをナイフで切るという方法もあります（透明で境目が見やすい）

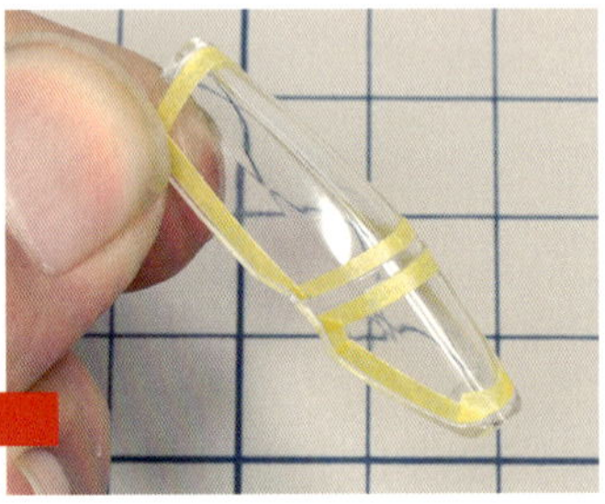

▲窓枠塗装の方法はいくつかありますが、きれいに仕上げやすいのはマスキングをする方法。VF-25のように窓枠形状が単純なら、このように細切りマスキングテープを使います

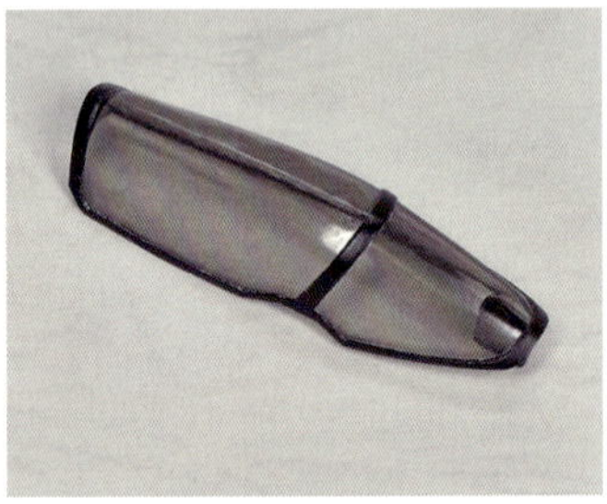

▲VF-25のキャノピーは窓枠の形も比較的単純なので塗り分けはそれほど難しくないでｓｙ。キャノピーをきれいに素上げておくと全体の精密感が上がって見え雰囲気がよくなります

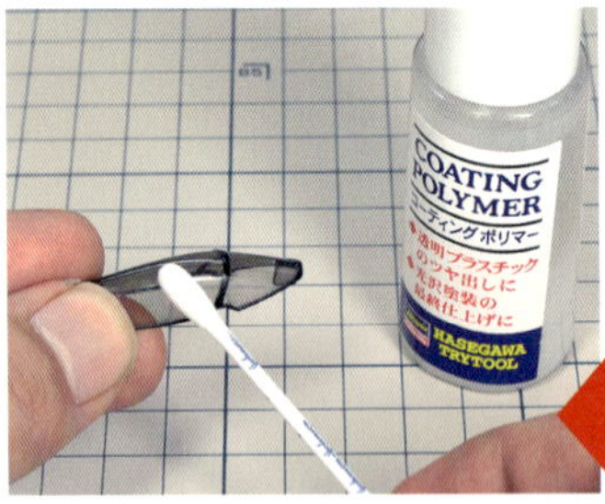

▲最後にハセガワのコーティングポリマーを綿棒で塗るとさらにピカピカになります。実機でも、機体は汚れていてもキャノピーは視界が悪くならないようきれいに掃除されています

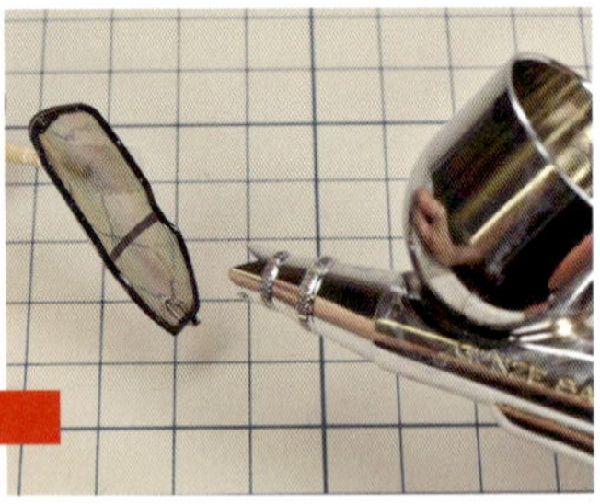

▲スモーク塗装は裏側からラッカー塗料で行ないます。裏から塗装すれば、塗面表面をツルツルに磨いたりしなくても、表面側から見ればツルツルできれいに見えるよう仕上がります

ポイント2 スミ入れ

機体全体に入るパネルラインのスジ彫りは飛行機モデルの大切な見せ場のひとつ。そこで大切なのがスジ彫りへのスミ入れとなりますが、簡単にリアルに見せる方法があります

飛行機モデルのスジ彫りのほとんどはパネルラインを再現したものです。

実機を見ると、空気の流れを邪魔しないようにパネルライン周辺はきれいに整えられていて、ちょっと離れるとほとんど見えないぐらいです。かといって模型でスジボリをなくしてしまうとさびしいのでスミ入れをしますが、スジ彫りへのスミ入れはうっすら見えるくらいの感じで押さえておくようにすると飛行機っぽく見えます。

進行方法へ……

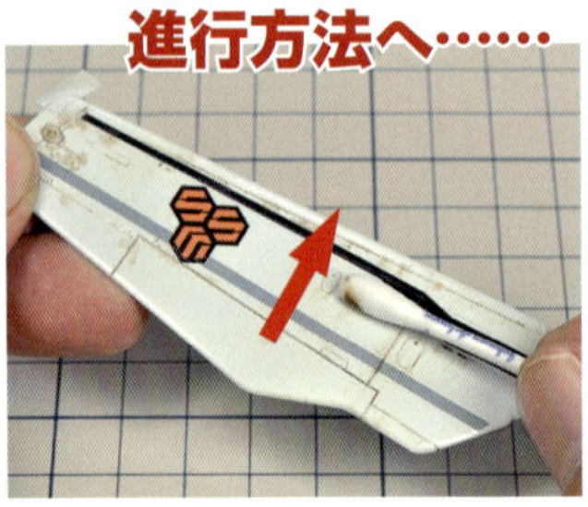

▲スミ入れの拭き取りの際微妙にスジを残すと汚し塗装を兼ねられます。スジの方向は空気が流れる方向（機体の進行方向）にしますが、うしろから前へ拭くときれいにスジが残ります

黒は厳禁!!

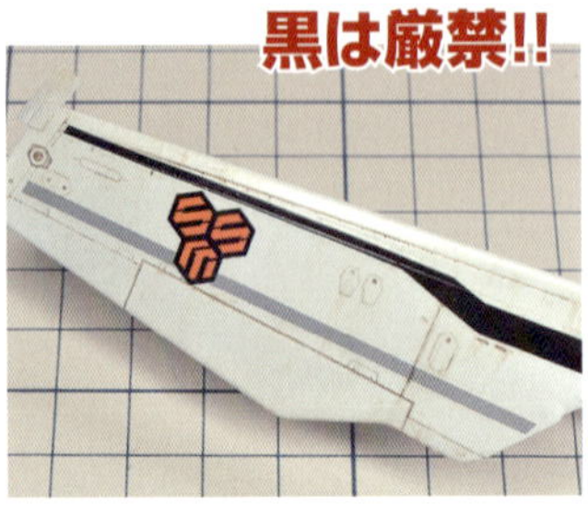

▲スミ入れを黒でするとたんにオモチャっぽくなります。スミ入れをしたいところの色に黒やこげ茶色を少々足した色のエナメル系塗料でスミ入れ施すとよいでしょう

アンチグレアってナニ？

ＶＦ-25のカラーリングもそうですが、実機ではよくキャノピー周辺が黒く塗られています。これは太陽の反射がまぶしくないように施された塗装で、このような反射避け塗装（コーティング）のことを「アンチグレア」と呼びます。

▲アンチグレアは反射避けなので、光りを反射しづらいツヤ消し黒なのが普通。模型でもここをツヤ消しにするとリアルなだけでなく、よいアクセントとなるでしょう

ポイント3
ランディングギア

機体周辺の空気の流れを考えて全体につるんとしているジェット戦闘機。機体本体には模型で見せ場にしやすいこまかなディテールが意外と少ないので、ランディングギアはポイントです。

飛行機モデルは全体につるんとしていて、スジ彫り以外に模型的見せ場となるゴチャっとしたディテールがあまりありません。コクピットとノズル以外で目立ったディテールがあるのはランディングギアくらい。そこで、実機のディテールを参考にキットパーツをディテールアップしてみましょう（同スケールの飛行機モデルキットから流用するのもよいでしょう）。

ジェット戦闘機のランディングギア（着陸脚）は、普段は機体内に収納されるので、大きな機体のものでも脚はけっこう細くて華奢な感じです。逆にタイヤは着陸時の衝撃を吸収するためにわりと大きめのものがつけられています。

▶F／A18ホーネットの前脚。一般に、空母に着艦する海軍の艦載機は空軍機に比べランディングギアがゴツめ。VF-25は艦載機のイメージでディテールアップすると似合うでしょう

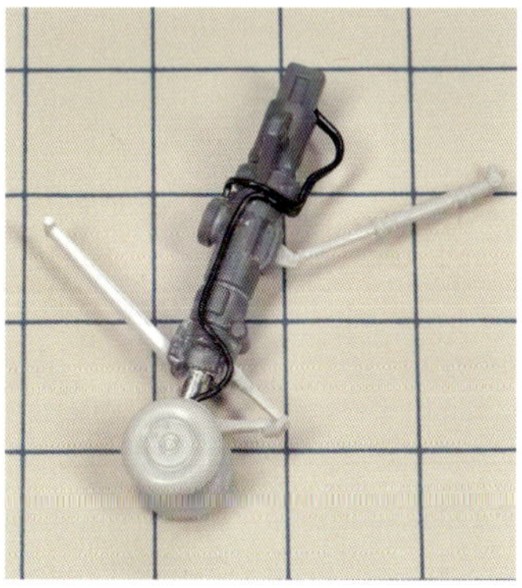

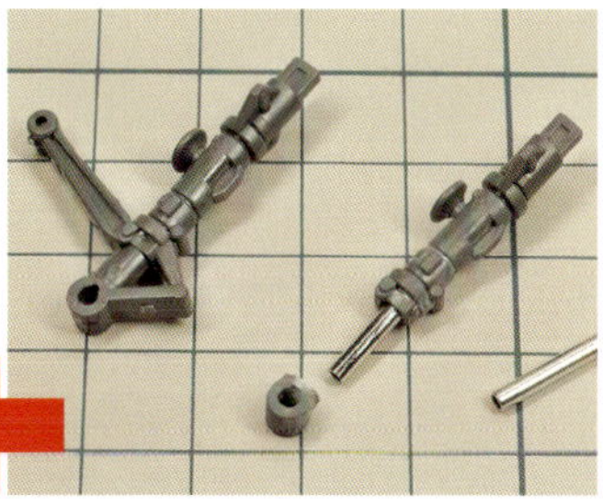

▲サスペンションのシリンダーシャフトを金属線に置き換えてみます。キットパーツを切り穴を開けて市販の洋白パイプ（2.5㎜径）を使うと塗装いらずでよい質感になります

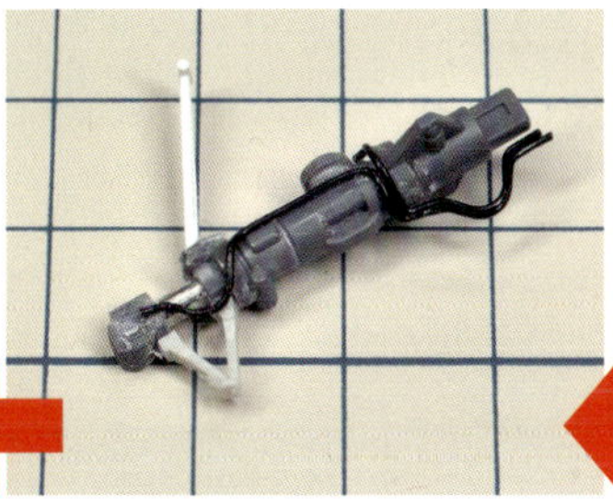

▲ブレーキホースや、サスペンションのリンク、ランチバーを追加しました。ランチバーやリンクは1/72現用ジェット機キットのパーツを使うと簡単にディテールアップできます

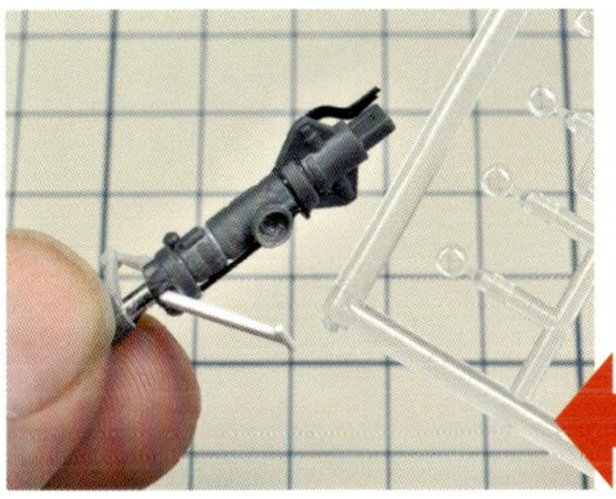

▲全脚の前側に付いている円盤上のディテールは着艦用ライト。塗装でライトっぽく仕上げてもよいのですが、クリアーパーツでレンズを作るとよりライトっぽく見えるようになります

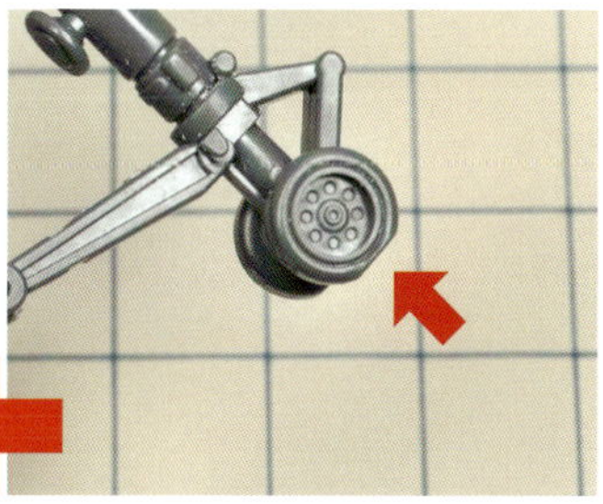

▲キットパーツのタイヤ接地部分がたいらになっているのは、機体重量によるタイヤの変形を表現したものです。タイヤがこうなっていないキットでも接地部を削れば再現できます

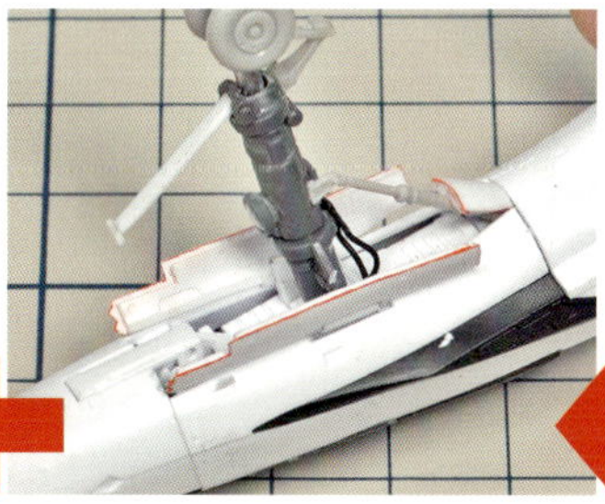

▲ランディングギアをディテールアップしたら収納庫にも基を配りましょう。収納庫カバーのフチを薄くして実機で見られるよう赤を塗るとランディングギアのディテールが映えるようになります

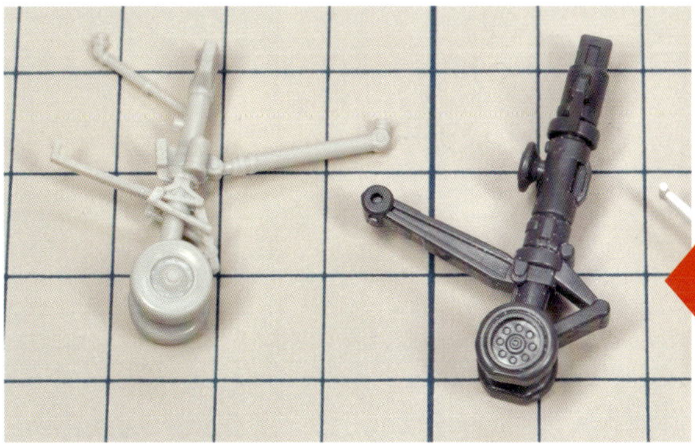

▶いっそのこと、実機が存在1／72ジェット戦闘機のスケールモデルからパーツを流用してしまうのもよいでしょう。写真左はハセガワの1／72トムキャットのパーツ。そのままでもVF-25に合いそう

ポイント4
ノズル

ジェット戦闘機はノズルからの噴射で推進しています。カーモデルのタイヤのようなもので、ここにリアリティーがないと、いかにも「飛ばないオモチャ」っぽくなってしまいます。

ノズルは高熱のジェット噴射をするところなので、熱に耐えられるような金属やセラミックが使用されていて、機体を使い込むにつれ焼け色がついてきます。

キャラクターモデルの一般的な製作法では、金属色を塗ったらそのまま上にスミ入れをしてオシマイということが多いですが、グラデーション塗装を重ねたりエナメル塗料やパステルなどでウェザリングを施してみることでノズルの使い込まれた雰囲気を表現することができます。

▲下地にGSIクレオスのメッキシルバーNEXTをエアブラシ。メッキシルバーは、簡単に金属のような質感をえられるだけでなく、しっかり乾かせば上からスミ入れもできます

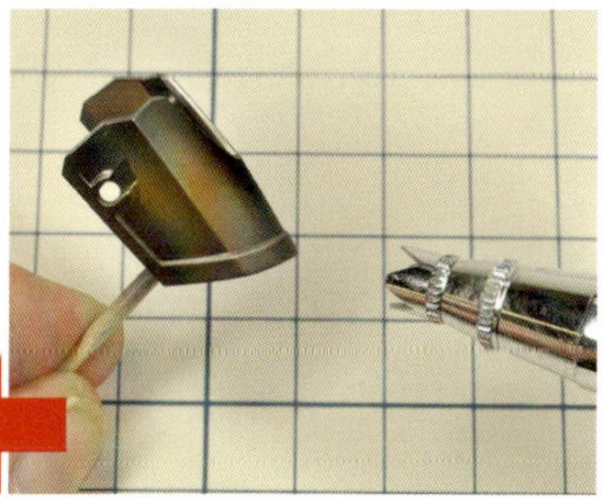

▲上にスモークやクリアーオレンジを塗り重ねて質感を出していきます。あまり均一に塗らず、微妙にまだらが重なるように塗っていくようにするとスケール感が出るでしょう

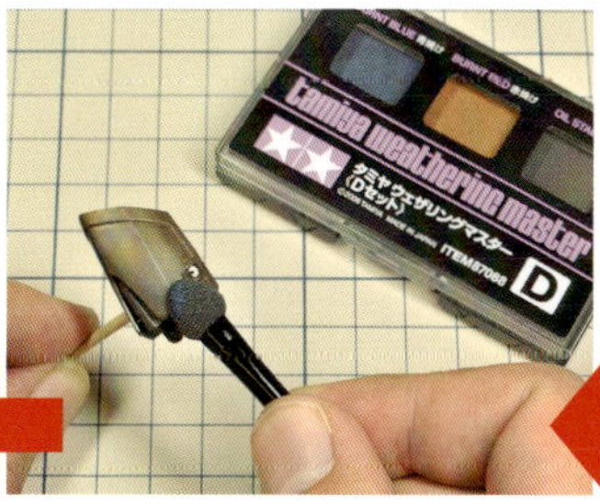

▲金属が焼けるとバイクのマフラーのように青や赤などに焼け色が付きますので、タミヤのウェザリングマスター（Dセット）を使って焼け色を表現します。とくに青を少々入れると効果大です

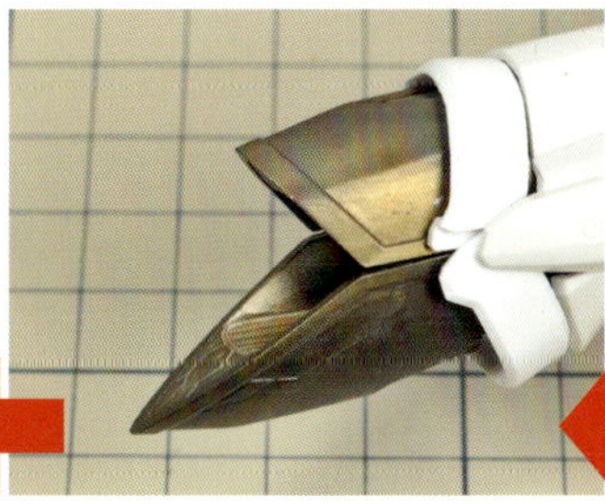

▲ウェザリングを終えるとこうなりました。いろいろな色が重なっているのがわかるでしょうか。全体はすすけた感じで、角度によって下地の金属色がギラッとするようにするとよいです

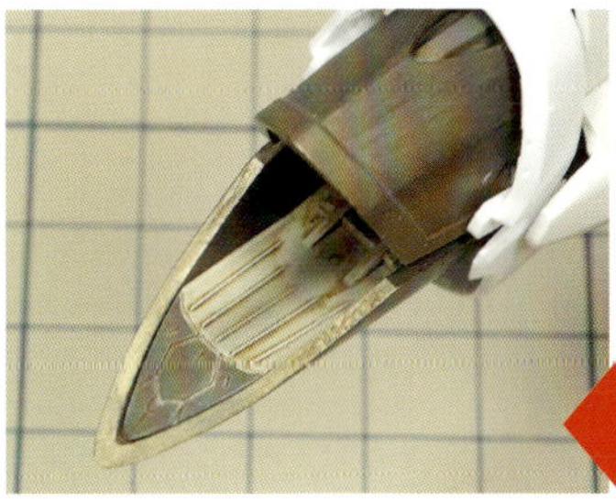

▲内側はキットのディテールを活かしつつセラミックコーティングを表現。基本塗装を白で行ない、茶色でスミ入れしますが、塗料がやや残るようにすると使い込まれたセラミックっぽくなります

ポイント5
インテーク

ジェットエンジンのための空気取り入れ口＝インテークは、ノズル同様ジェット機の機能を象徴する箇所なので気を使いたいところ。なかにファンが覗くと盛り上がることうけあいです。

ジェット戦闘機のインテークはさまざまな外形のものがありますが、共通しているのは内部が筒状で奥の突き当たりにファンがあるという構造。VF-25のキットでは股関節などのギミックを収める都合上、インテークがカバーされていますので、ファンイター限定で作るなら手を入れたいポイントになるでしょう。

インテーク内部は、空気を効率よく取り入れつつ空気抵抗を減らすために、フチが薄く、内部の筒表面はなめらかな形状になっていますのでそれを再現します。

▶F-14トムキャットのインテーク。ちなみに、この機体はインテークのなかには可動板（ランプ）があり、これで空気の流入量を調整している

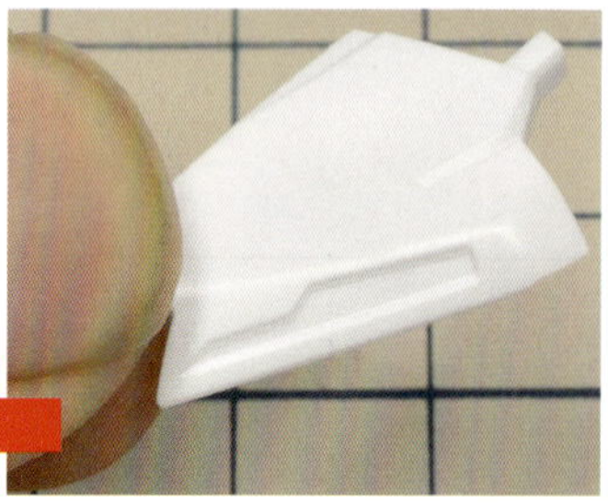

▲機首付け根横にあるインテークがキットパーツではふさがっているので、ここを開口してみましょう。まずは開口しやすいようにインテーク部分裏側のダボをニッパーで切っておきます

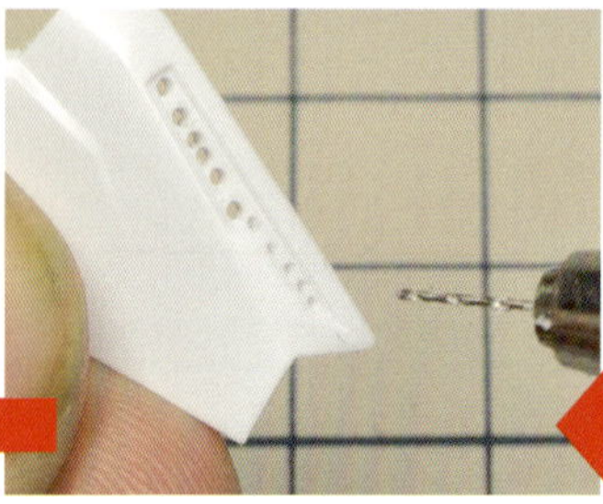

▲いきなり狙った形状に切るのは難しいので、まずはドリルでガイドとなる穴を開けます。狭いところは1㎜径、幅が広いところは2㎜径くらいで穴が並ぶようにしていきます

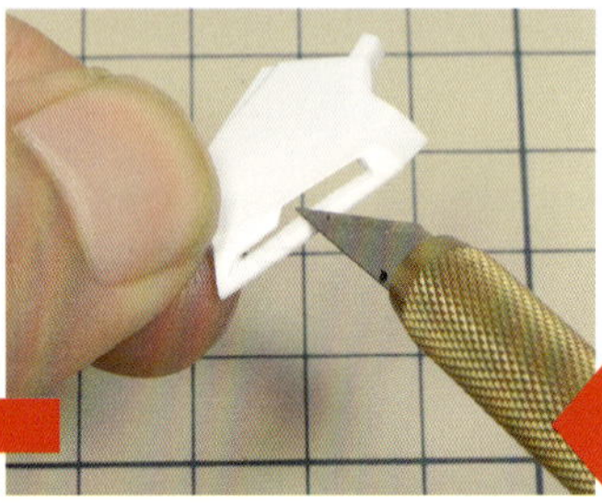

▲穴を開け終わったらナイフで穴をつなげるようにし、ひとつの大きな穴になってから外形を整えていきます。ナイフで形を整えたら400番～600番の紙ヤスリで表面を仕上げます

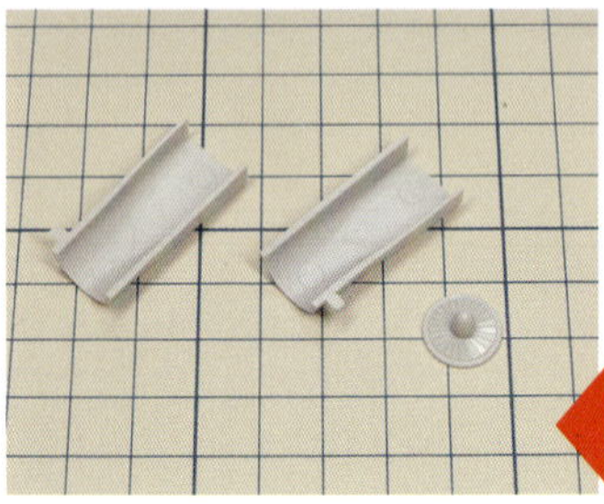

▲インテーク内部を作ってみましょう。ファンの自作はむずかしいので、1/72現用ジェット機のキットから流用します。これはハセガワ製1/72トムキャットのインテークパーツ

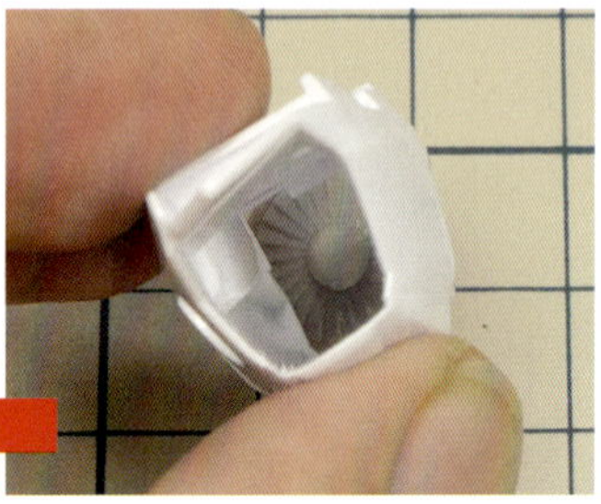

▲内部の関節パーツなどは入れずに、ダボなども切って外装を接着します。そして奥にファンを収めるとこんな感じに。同時にインテークのフチを薄くシャープにするとよいでしょう

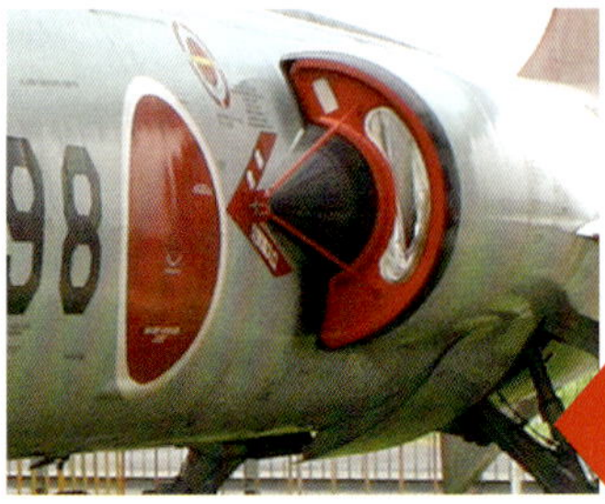

▲キットの状態のままで作る場合、インテーク部分のフタパーツを赤く塗ってFOD（異物吸入）防止用カバーとするのも手でしょう（上の写真はF-104のFODカバー）

ポイント6
翼端灯

航空機にはいろいろなところにさまざまな用途の灯類が装備されていますが、模型で目立つポイントとなるのは主翼にある翼端灯。ここをライトっぽく見えるようにしてみましょう。

翼端灯は左翼を赤、右翼を青く光らせることで航空機の位置や姿勢を視認できるようにするためのものです。

この翼端灯ですが、スケール飛行機モデルでもクリアーパーツが別途用意されているものはごく一部で、ほとんどのキットでは翼と一体成型になっています。このVF-25のキットも翼端灯の透明パーツは結いされていません。そこで翼端灯をクリアーにする方法を紹介します。

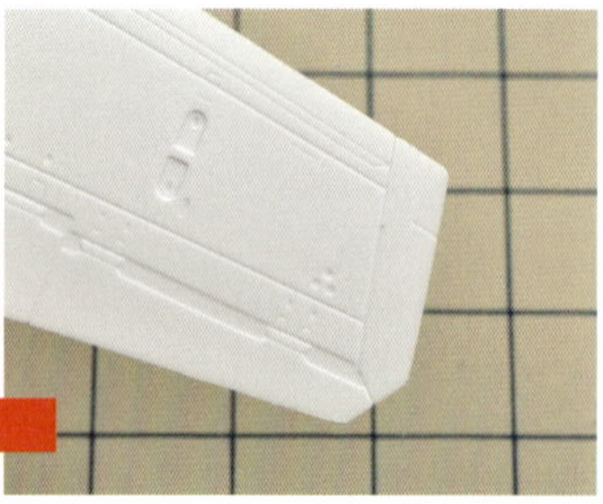

▲キットパーツは翼端灯のディテールのスジ彫りは入っていますが、主翼と一体成型で透明ではありません。そこでキットのクリアーランナーを使ってライトっぽく仕上げてみましょう

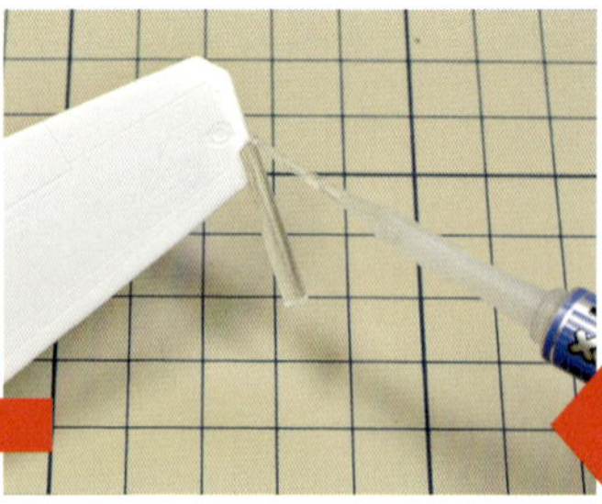

▲キャノピーパーツなどが入っているランナーを適当に切って接着します。瞬間接着剤を使う場合は、ほかのところのスジ彫りに流れ込まないように注意し小量ずつ流し込むようにします

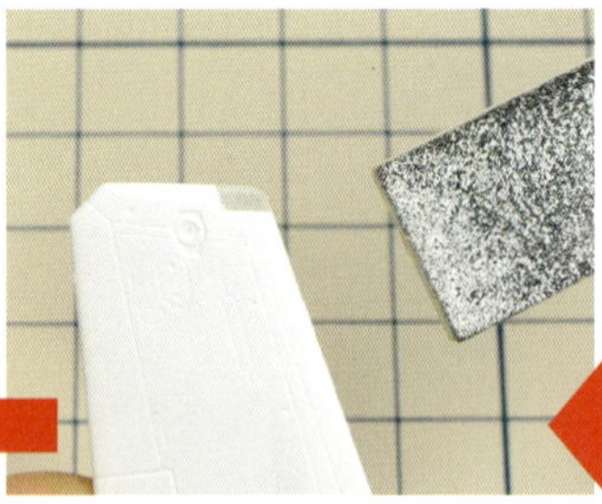

▲接着したらヤスリで翼パーツ表面と面が揃うように整形しましょう。先にクリアーパーツの形を整えてから接着しようとするより、接着してから整形したほうが楽にきれいに仕上がります

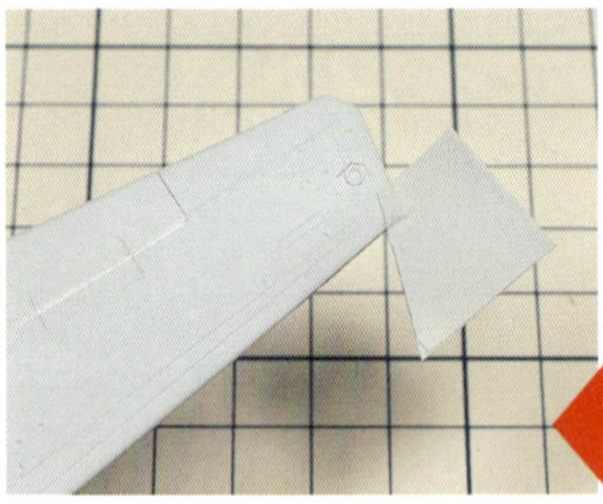

▲先に接着したので、翼端灯部分をマスキングしてから翼の塗装をします。傷つけたり汚したりしないよう、基本塗装～デカール貼り～スミ入れが終わってからはがすようにします

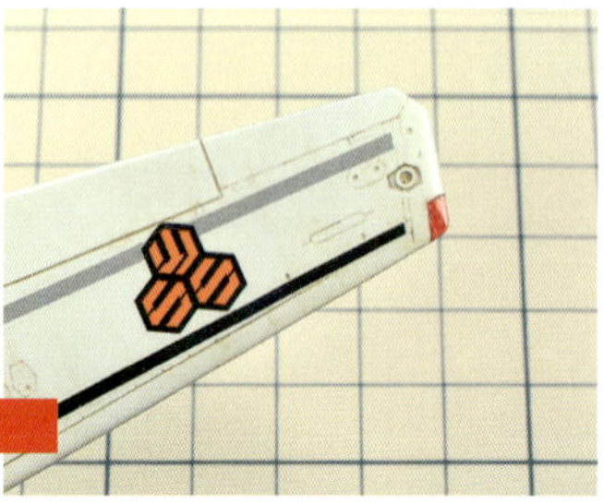

▲マスキングテープを剥がしたらエナメル系塗料のクリアーレッド／クリアーブルーで翼端灯部分だけ筆塗りします。塗料をやや多めに盛ると表面張力でツルピカになってライトっぽくなります

▲このとおり、光を透かすと光っているように見えていい感じになります。キットのクリアーランナーはけっこう使いでがあるので、パーツを切ったらすぐ捨てずに取っておくと吉

▲今度はもっと手軽に塗装でライトを再現する方法を紹介。そのままクリアーレッド／クリアーブルーを塗ると色が沈んでしまうので、まずラッカー系塗料のシルバーを下地に塗っておきます

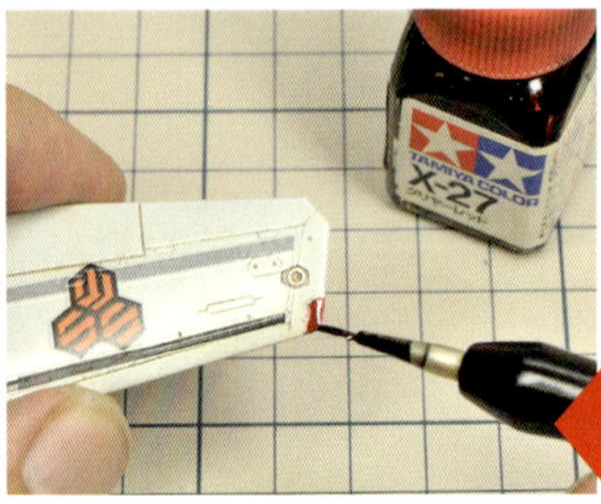

▲下地をよく乾かしたら上にエナメル系塗料のクリアーレッド／クリアーブルーを先述した要領で筆塗り。下地のシルバーに光が反射するとなかが光っているように見えます

ポイント7
動翼

多くのジェット機は機体の姿勢を制御するために翼の一部が可動します。この「動翼」部分は翼本体とは別体になっているので、そう見えるように工作してみましょう。

ジェット戦闘機はジェットエンジンで推進していますが、一部のベクタードノズル採用機も含めて機体の姿勢制御は基本的に各部の翼で行なっています。

その機能によって「ラダー（方向舵）」、「エレベーター（昇降舵）」、「フラップ（高揚力装置）」、「スラット（主翼前縁にすき間を作る高揚力装置）」、「エルロン（ロール方向の姿勢を制御する翼）」、「エレボン（昇降舵と補助翼を兼ねたもの）」、「フラッペロン（フラップとエルロンを兼ねたもの）」などと呼ばれていますが、模型では機能より見た目が重要。可動箇所の境目に気を配るようにすると実際には動かない模型も動きそうに見せることができます。

▲F-15の主翼。下がっているところはエルロン。F-15はやや古いコンサバティブな設計の戦闘機なので、動翼ごとに機能が割り振られていますが、最近の戦闘機はいくつかの役目を兼ね備えた動翼が採用されていることが多いようです

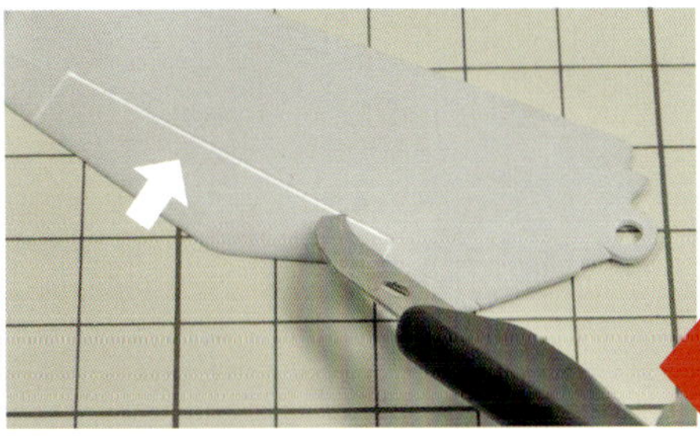
▲矢印のところのスジ彫りは角を矢印側に斜めに削りつつ幅を広めにしておくと可動部っぽく見えます。エングレーバーは刃をななめに倒すと角をななめに削れるので、いったんスジボリを深くしてから、写真のような刃の角度でスジ彫りをなぞっていきます

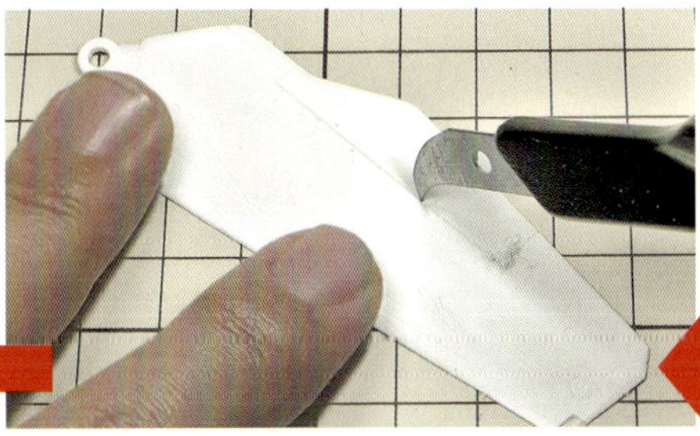
▲工作はいたって簡単で、胴欲部分のスジ彫りを深め、広めにするだけ。元々スジ彫りがあるところなのでなぞっていけば大丈夫です。ハセガワトライツールのエングレーバーを使うと、簡単かつ適度にスジ彫りを深く彫っていくことができます

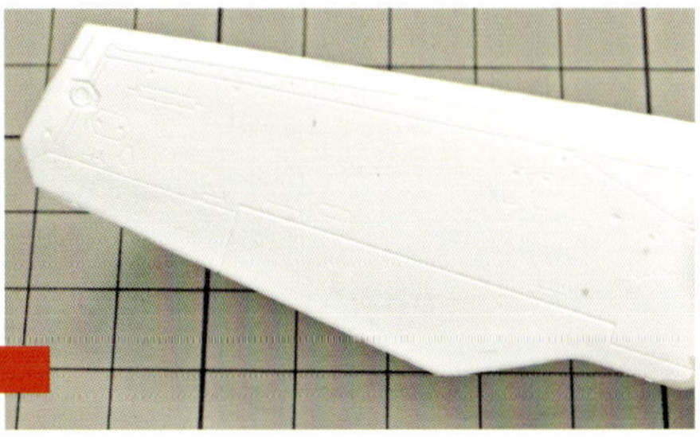
▲キットの主翼パーツの動翼部分を見るとスジ彫りに太さの強弱が付けてありますが、模型的な演出として動翼がはっきり別体に見えるよう工作してみましょう。こういうところを工作しておくと動きそうな「生きた」戦闘機に見えるようになります

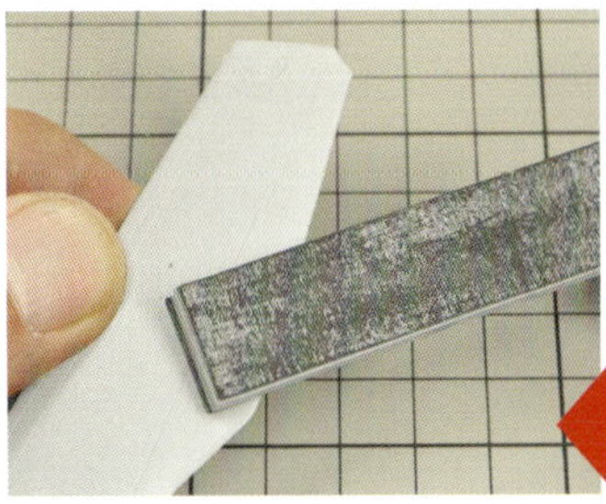
▲翼を薄くシャープに見せるとき、翼全体を薄くする必要はありません。翼上面の曲面になじむよう注意しつつ削ってフチだけ薄く見せれば、全体が薄いように見えます

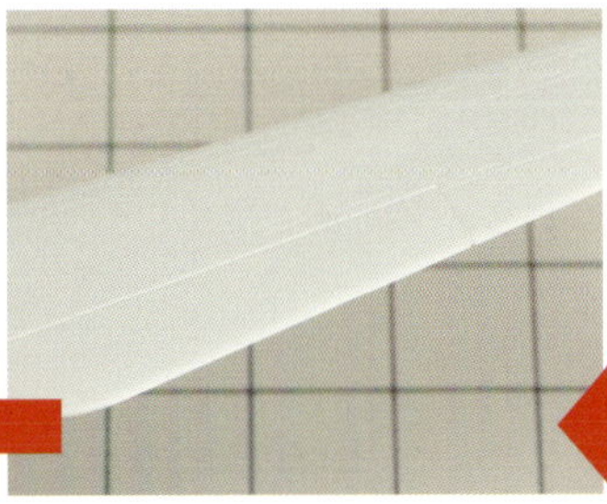
▲プラモデルでは、都合上、翼のフチ、とくに後縁が厚くなってしまってことがあります。VF-25のキットパーツはかなり薄く成型されていますが、さらに削ってみましょう

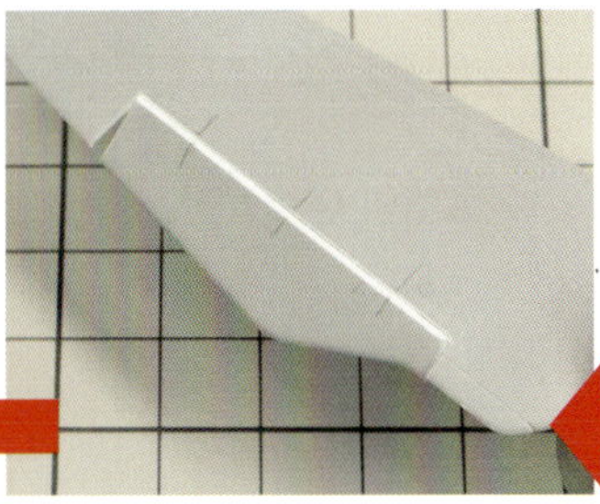
▲切り離した動翼はそのまま接着してもよいのですが、工作中や完成後に壊してしまうことがあるので、0.5㎜径の真ちゅう線で補強しておくと安心。先に印を付けておくと位置がずれません

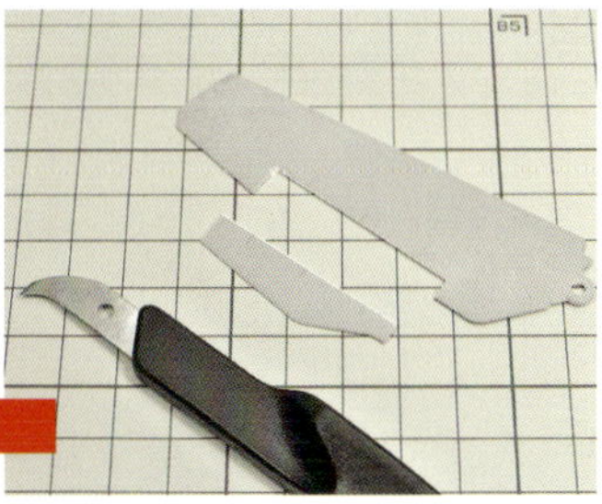
▲駐機状態では機体によっては動翼が下がっていることがよくあります。これを再現するには、スジボリをどんどん深く彫っていって、動翼部分を切り離して再接着しましょう

ポイント8
ピトー管、放電索

ジェット戦闘機はよく見るとあちこちに大小の金属棒が取り付けられていますが、これはピトー管や放電索。プラスチックでは再現できないシャープなディテールを金属素材で再現します

ピトー管はもっとも一般的な航空機の速度計測装置。なかが二重構造になっていて、二重の管の管圧力差で速度を測定します。形状はいろいろなものがあって、棒状のものや小さな翼状の板に空気を取り入れる突起があるようなものもあります。戦闘機では、空気の流れの乱れが少なく正確に計測できる機首や機首側面、翼前面などに装備されていることが多いです。模型においては、市販の金属挽き物パーツを使うことで、簡単にピトー管のディテールをシャープに見せることができます。

近年のジェット戦闘機の機体各部にある細く短い金属棒は「放電索（スタティックディスチャージャー）」と呼ばれるものです。飛行中に機体に蓄積する静電気の電荷を空中へ放電する装置です。

放電索は、プラモデルではほとんどの場合省略されているディテールなので、金属線などを取り付けてディテールアップしてみましょう。放電索の追加は、手軽なわりに効果が大きい工作でしょう。基本は、翼後端に追加していきます。

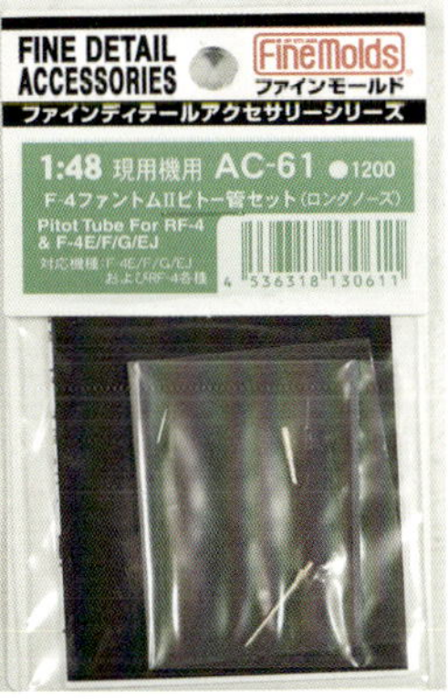

▶ファインモールドのF・4用ピトー管の真ちゅう製挽き物パーツ。ほかにも多種リリースされています

▲穴に0.3㎜の真ちゅう線を接着し、ラッカー系パテの溶きパテで接着部をなだらかに整えます。ナイフで基部をこのように削っておくとホンモノっぽい雰囲気になります

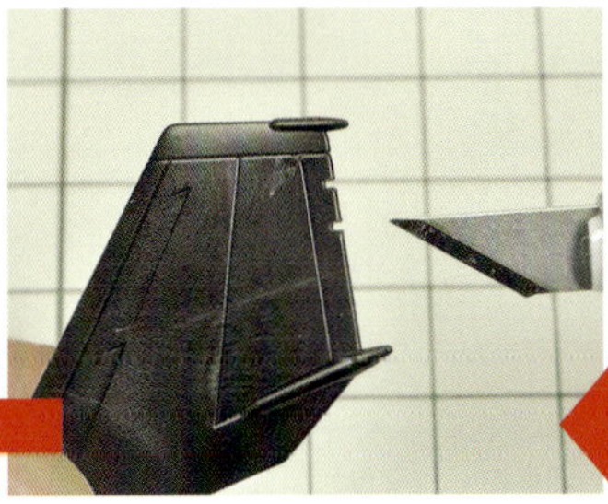
▲いきなり翼端に金属線を挿すための穴を開けようとするとうまくいかないので、いったんナイフで写真のようにコの字形に切り込みを入れます。これでドリルの刃が滑らず開口できます

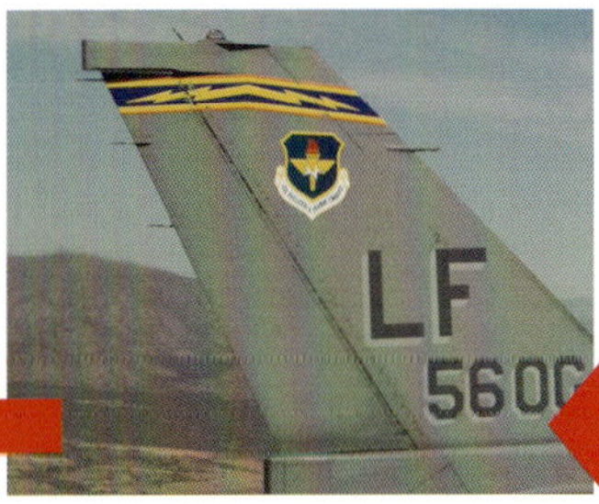

▲F-16の実機の尾翼に装備された放電索。F-16では尾翼のほか、主翼後縁にも放電索を装備している。静電気を放電刷るための金属棒なので、外形はいたってシンプルです

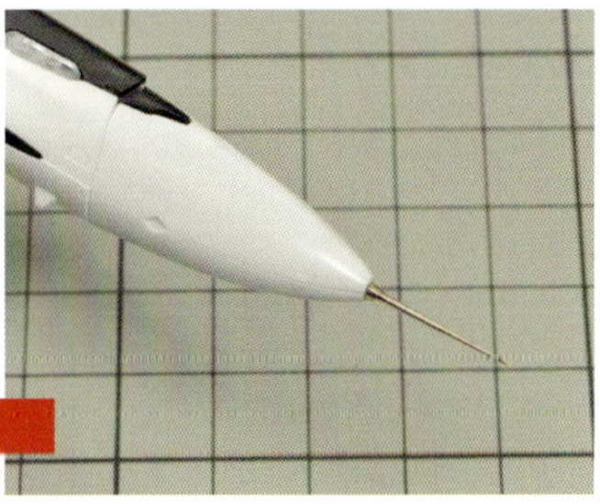
▲VF-25の機首にはピトー管はありませんが、実機では制式機にはなくてもテスト機では装備しているケースも……というわけで、金属パーツを取りつけてみてもおもしろいでしょう

●**レドーム**　ジェット戦闘機の機体先端部はレーダーを収めるためのドーム（＝レドーム）になっているのがほとんど。レーダー波を透過する素材（FRPなど）で作られているため、ここだけやや質感や塗装が異なっていることが多い
●**姿勢制御ノズル**　ガスを噴出して機体の姿勢を制御する機構。一見アニメ的演出に見えるかもしれないが、現実世界でも大気が薄い高高度領域を飛ぶ航空機に装備されたことがある
●**風防／キャノピー**　コクピットを覆う透明のカバー。キャノピーは日本語だと「天蓋」にあたり、厳密には前方の固定部分より後ろの部位を指す（前方部分は「風防」）
●**チャイン／ストレーキ**　「チャイン」は船底、ストレーキは主翼の前縁が延長されているものを指す。本来の意味は違えど形状的には似たり寄ったり。離着陸性能、旋回性能を向上させる設計手法だ
●**ランチバー**　発艦時に下方へ倒れ、機体とカタパルトを接続するための棒。これは艦載機に必要な装備なので、もちろん空軍機ではまず装備されていない
●**スラストリバーサー**　本来は着陸時に滑走距離を短くするための装置だが、空中での機体制動に使われることも。逆噴射装置と訳されるが、ジェットの方向を前方にねじ曲げる機構であって、エンジンが逆回転するわけではない

■いまどきのステルス

☆電波の反射を利用するのがレーダー。じゃあ電波をやってきた方向に反射しなければ見つからないのでは？

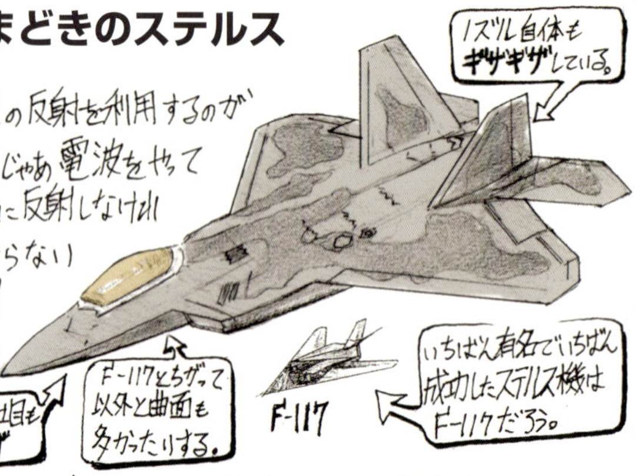

☆F-22は実用化された史上初のステルス戦闘機。わりとマトモなカタチだが、素材も設計も徹底的に研究されて、『目で見える距離なのに、レーダーに映らない』。

☆ギザギザ（セレーション）処理は電波がまっすぐ跳ね返らないためのもの。

ちなみにコウモリは音波でエサを探すけど、見つかりにくい形に進化しちゃった蛾もいるみたいね…
ステルス…

■いろんなところで姿勢制御

☆飛行機は空気の力で上下左右に方向を変えるが、そのためにあるのが各所の翼だ。それは時代が進むにつれてその配置や形も進化してきた。

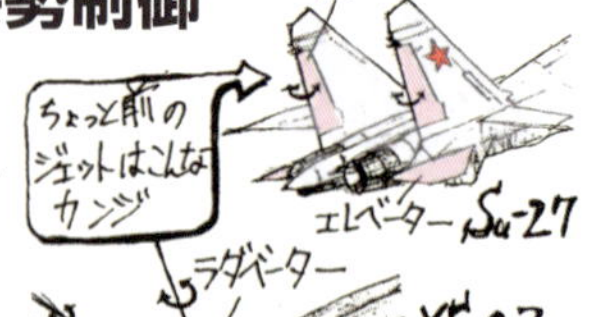

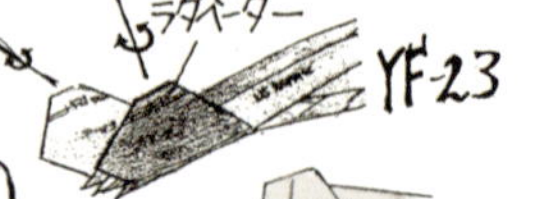

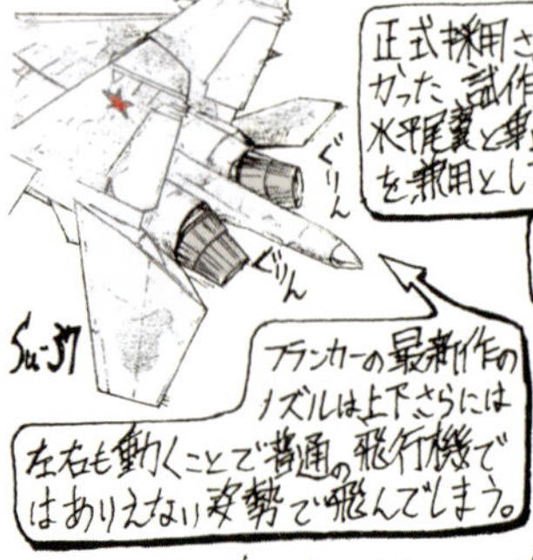

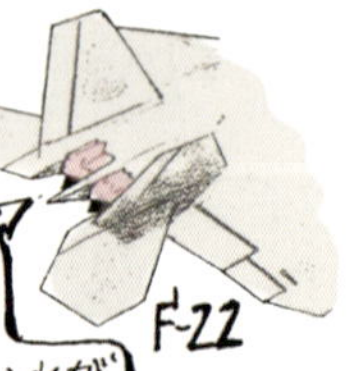

☆さらに最近では翼だけでなく、そもそもエンジンから吹き出すジェットの向きを変えれば、もっと動きが機敏になるのでは？　って考えてるんだな。

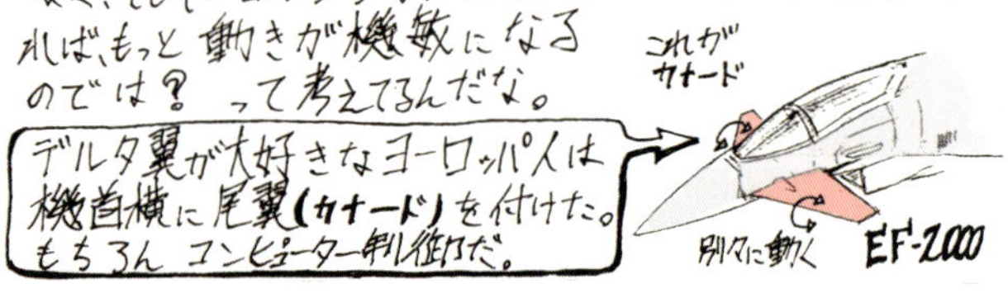

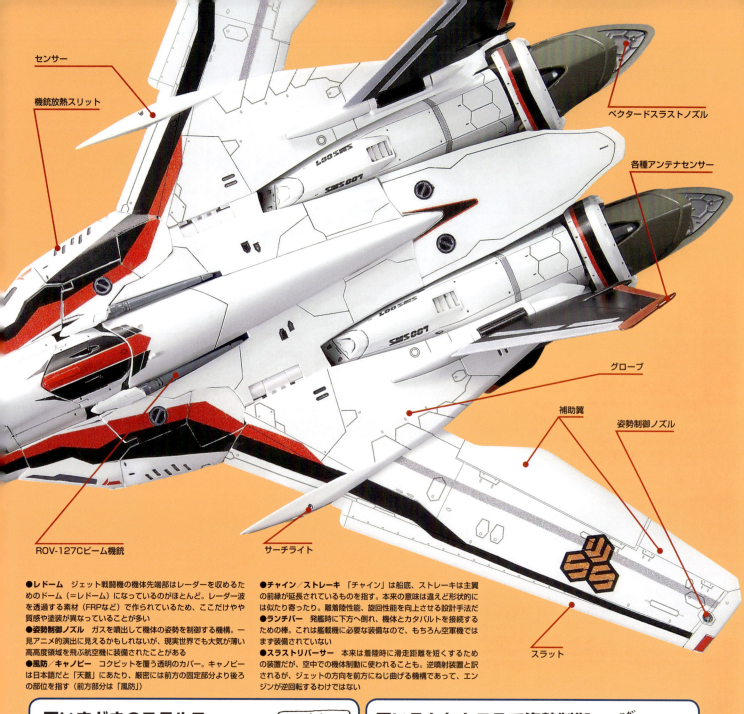

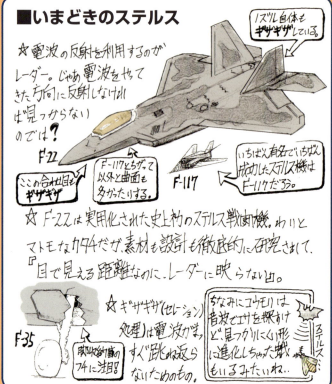

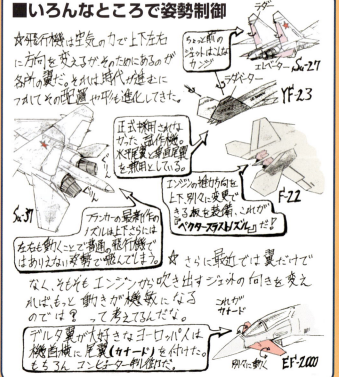

「注意書き」デカールを貼るための"cautionマーキング"基礎講座

軍用機にみられる数々のコーションマーク。それぞれの意味がわかれば貼るべき位置もおのずと決まり、作品のリアリティがぐっと向上します。代表的なマーキングをここでおさらいしておきましょう。

中空仕上げにより軽量ながら剛性の高いハニカム構造部（点の力に弱い）を「押してはいけない」という注意

外部からコクピットを開放するなどのアクセスを示している。黄色で不用意に操作しないよう注意をうながす

キャノピーの下に貼られる警告。キャノピーが爆砕され、イジェクションシートが飛び出す危険を示している

増槽の給油口に見られる警告。可燃性の液体及び揮発したガスの出入りに伴う命の危険を赤色で示している

ジェットエンジンのインテーク側面に見られる。吸い込まれれば高い確率で命を落とすため、赤色で示される

"FUSELAGE LIFT"のマーク。機体を吊り上げ可能なポイントを示す。構造の強固な部位でないと貼れない

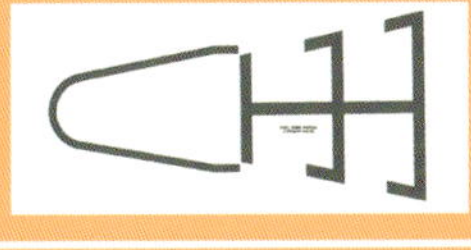
魚の骨のようなマークだが、これは空中給油口（レセプタクル）の位置を示す標識。空中給油機からパイプやパイプやホースを降ろして給油するため、機体上面にあるのが普通。海軍機には原則備えられていないことを覚えておこう

▲NF-15B STOL/MTDやF-22に見られる二次元ベクタードスラストノズルは上下のパドルでエンジンの推力を偏向し、翼面を操作することで得られる空力学的作用を用いるよりも高い機動性を得るために考案された。VF-25ではバトロイド時に足首となる上下のノズルが可動することでこれを実現している

バンダイ渾身の完全変形モデル、VF-25

ここで教材としたのはバンダイ製1/72 VF-25F メサイアバルキリー。『マクロスF』の主力機であるVF-25の可変キットとしては唯一の存在であり、インジェクションプラスチックキットの設計精度、成形技術の粋を尽くしたプロダクトとなっている。ファイター、ガウォーク、バトロイドの3形態を完全変形で再現でき、各形態での形状は劇中の印象そのままに仕上がっている。複雑な分割線の走る外装はヒンジや関節の塊である内部フレームに接続されており、塗装をしたうえでの組み立てにはある程度気を使う必要があるが、詳しくは製作解説記事を参照いただきたい。もちろん、各部のカラーリングは成形色でおおまかに分かれており、シールと水転写式デカールが用意されており無塗装でサクッと組み上げることも可能なので臆することなくチャレンジしてみてほしい。きっとその完成度に驚くはずだ。

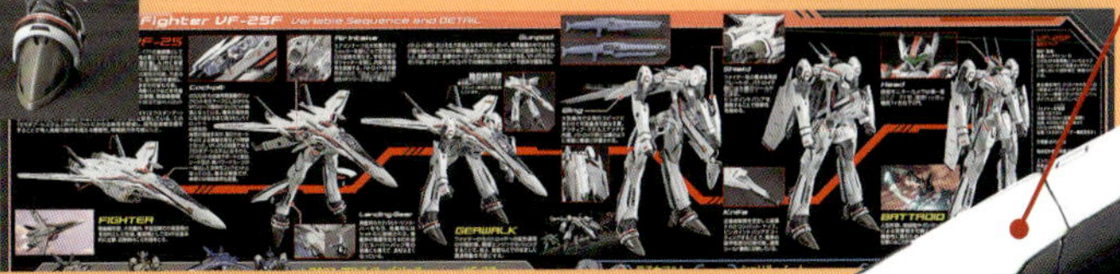

VFを飛行機モデルとして作るための
航空用語の基礎知識

Model Graphix
2009年1月号
掲載

可変する戦闘機＝ヴァリアブルファイターという概念をリアルロボットアニメ界に打ち立てた『マクロス』シリーズ。ここでは実在する戦闘機に見られるディテールや機能をVF-25に重ね合わせて簡単に解説していこう。カタチや色に込められた意味を知ることで、「あり得るかも知れない未来」のリアリティーをあなたのマクロスモデルにも取り入れられるはずだ。

▲Su-27などに見られる鎌首をもたげたような機首形状。武装搭載空間を確保しながらエンジン（およびインテーク）を配して機動性を向上させることが戦闘機に求められる要件だが、これに降着装置の配置や人間工学的要件（コクピット位置など）が加わることでこうした独特な形状に進化していった。コクピットを覆うキャノピーは、軽く強度があって（鳥が音速でぶつかるかもしれない）視界を遮らない素材として近年ではポリカーボネートなどが採用されている。ステルス性を考慮し酸化イリジウムなどの合金でコーティングすることでレーダー派を拡散させる工夫などもされており、"外見が透明ではないキャノピー"が増えつつある

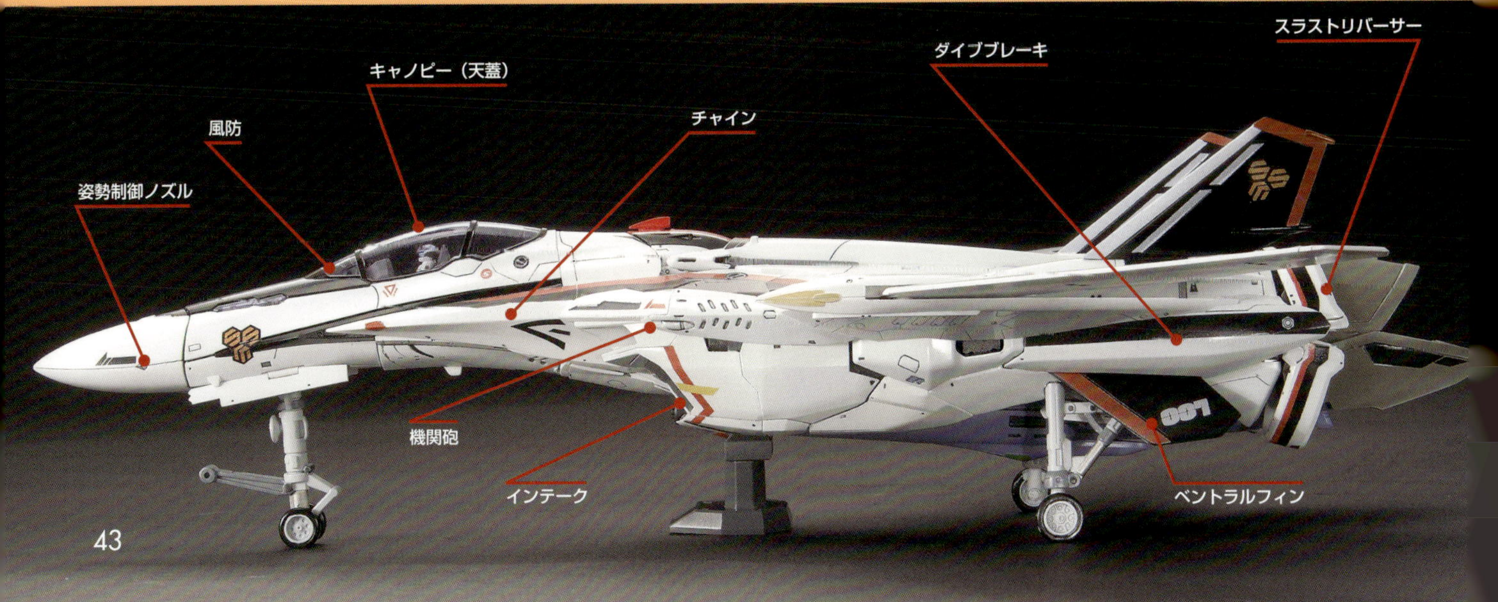

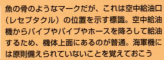

バトロイド優先で作り込むヴァリアブルファイター

バンダイ1/72 VF-25F 製作講座

Model Graphix
2009年2月号
掲載

先月号ではファイターに特化した製作法講座をご紹介いたしましたが、今月はキットの変形ギミックを活かして作るときの工作の注意点、およびバトロイド限定で製作する際のポイントをまとめて解説します。

製作・解説／岡 正信（プロ）

可動ロボモデルならではのポイント

このバンダイのVF-25のキットは「完全変形」を再現するためにサイズのわりにパーツ数が多く、関節ヒンジも普通の1／100サイズのガンプラより数多くあります。

とくにヒンジ周りのパーツは、向きを間違えて取り付けると可動範囲が狭くなったりきちんと変形しなくなったりするので、説明書をよく見て作業を進めましょう。間違った向きでもはまってしまうところもありますので、間違えないよう要注意です。

また、バトロイド状態を優先して製作するならば、完成後の関節の破損やヘタリを防止するために、パーツ形状の改造はせずとも補強だけは行なっておくのがオススメです。

胴体

VF-25の胴体は非常に複雑な構造になっていて、可動するヒンジ部も多数ありますので、とくに注意しながら作業を進めるようにしたいところ

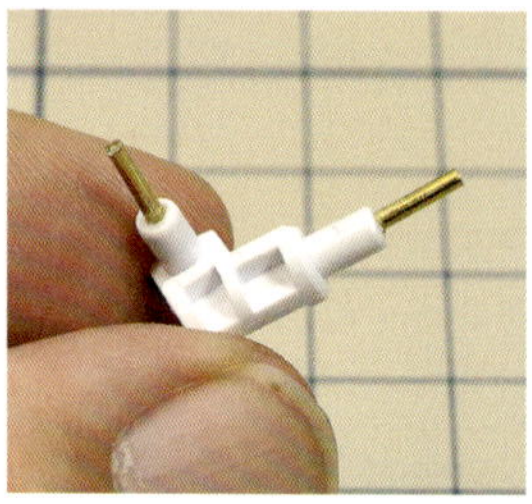

▲力がかかる関節部の大きめのヒンジは補強を施すと破損やヘタリを予防できます。軸にドリルで穴を開け、軸径の1/3程度の径の真ちゅう線を挿して接着後余分を切ります

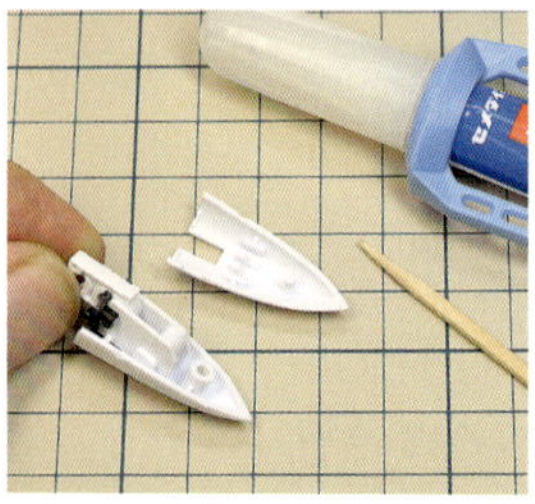

▲力がかかる可動ヒンジを挟み込むパーツ同士をしっかりと接着しておくと関節の保持力が上がりヘタリづらくなります。接着はダボにゼリー状瞬間接着剤を塗って行ないます

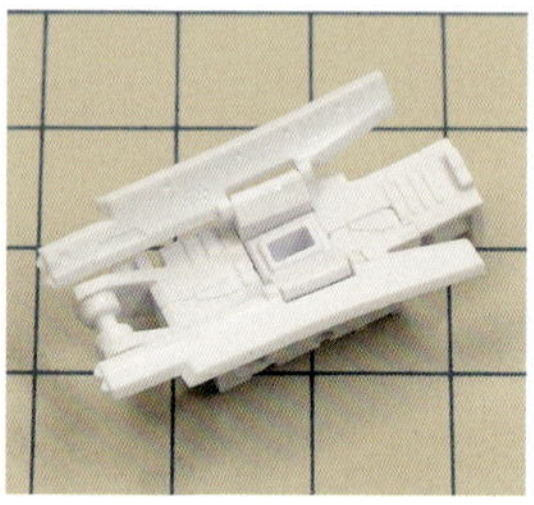

▲前脚収納庫はバトロイド時にはここに機首が収まるので開閉させられるようになっていますが、変形を繰り返すとだんだんはずれやすくなってきます。そこで、ヒンジ部を補強しましょう

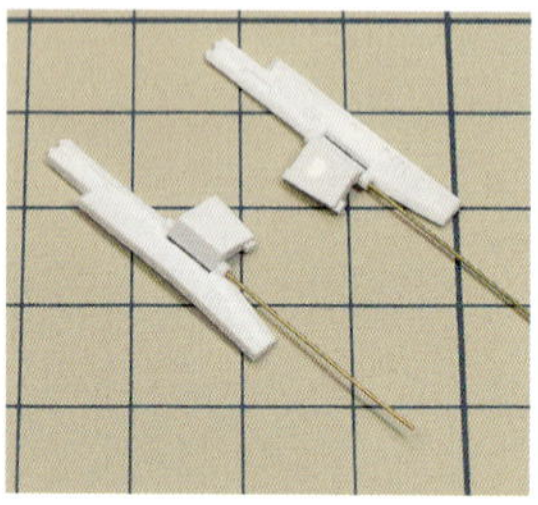

▲パーツをはめた状態でドリルで穴をあけ、0.3㎜径の真ちゅう線を通しておくとはずれないように作れます。細いドリルの刃は折れやすいので、刃を真っ直ぐにあてるよう注意

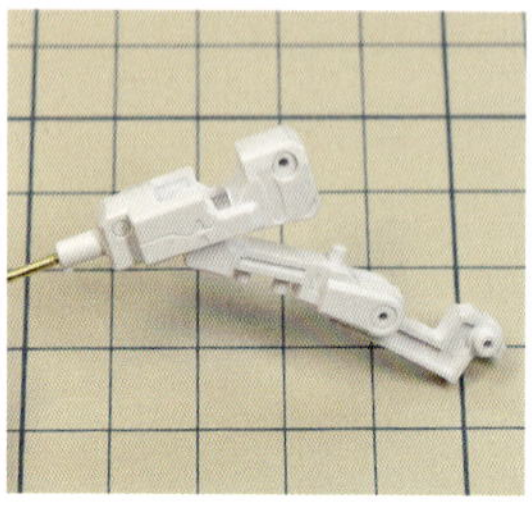

▲機首内に収まる関節部分。パーツの向きを間違えると収まらなくなるので要注意。保持力を上げるために挟み込むパーツ同士は接着しておきますが、ヒンジ部に接着剤が流れないよう注意

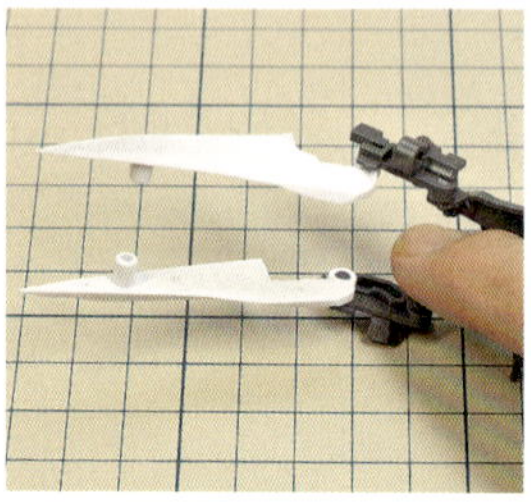

▲機首部分を回転させる大きなヒンジ部（ファイター時に機首付け根左右部分になるところ）は力がかかるところなので、外装パーツとヒンジがついた内部パーツをしっかりと接着します

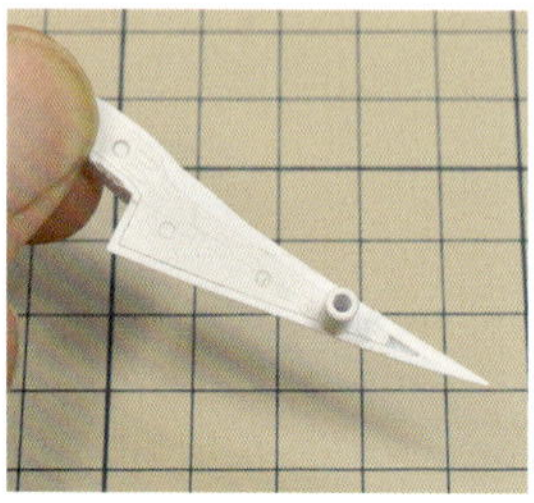

▲ちなみに、ヒンジ部を太らせると一時的に固くなりますが、その後動かしていると一気に前よりもゆるくなってしまうので、ヒンジ自体ではなく周囲を固めるようにしましょう

こんなところは要注意です！

このキットのABS関節パーツのなかにははめ合わせが非常に固いところが何カ所かありますが、ペンチなどで無理にハメルとパーツの形を崩してしまうので要注意！

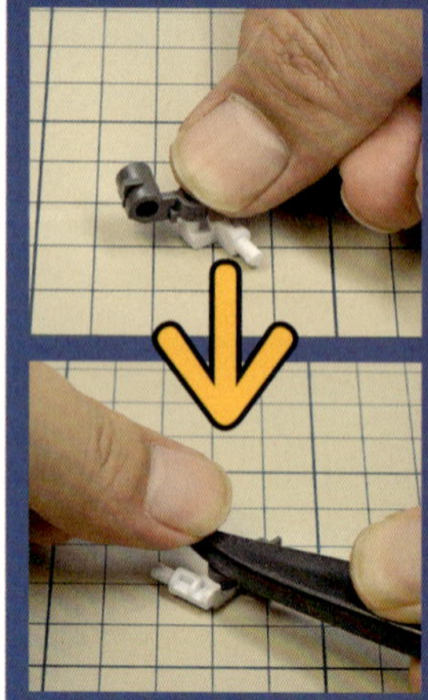

▲指ではめられないない場合は、たいらな机カッティングマットの上で、工具の柄などを使って写真のように押し込むようにしましょう

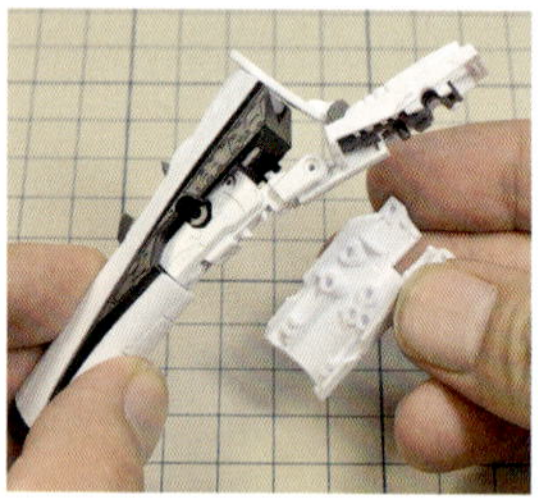

▲仮組み前にキットパーツのダボはニッパーでななめに短く切っておきましょう。こうしておくと、一度ハメたパーツをまたはずせます。軸を間違って切らないようにします

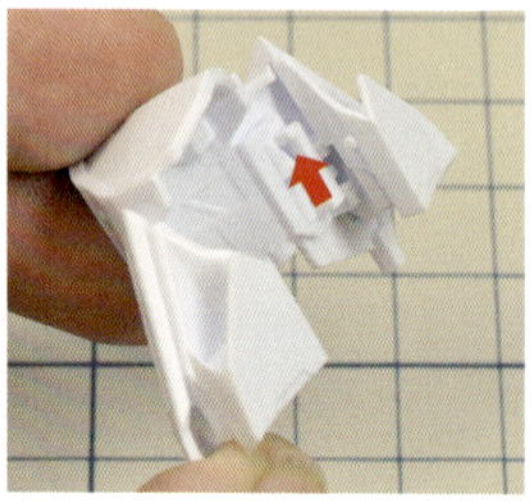

▲胸パーツの内側にある赤矢印の突起はバトロイド時にパーツ同士を保持するストッパーですので、整形の際にヤスったり削り落とさないように注意するようにしましょう

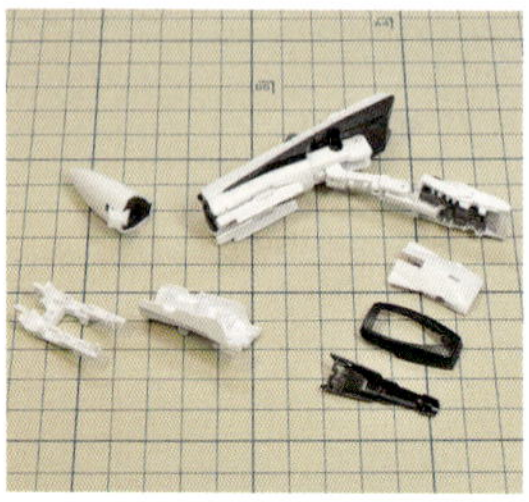

▲このキットは先にすべて組み立ててしまうと塗装がかなりやりづらくなります。機首は、いったん仮組みした上で、パーツの接着による組み立てをこのあたりまでで止めておきます

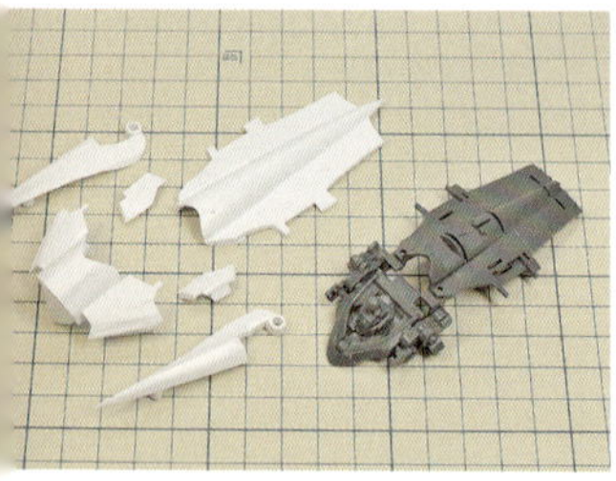

▲胸、背面はここまで組み立て、塗装後に組み立てます。ABS同士のハメ合わせヒンジは、ゆるくなってしまわないよう、よく確認して一度ハメたら外さないようにしましょう

頭部

このキットの頭部はパーツの成型色で色分けがされており、形状もよくできています。ただし、可動する機銃は破損してしまわないよう要注意！

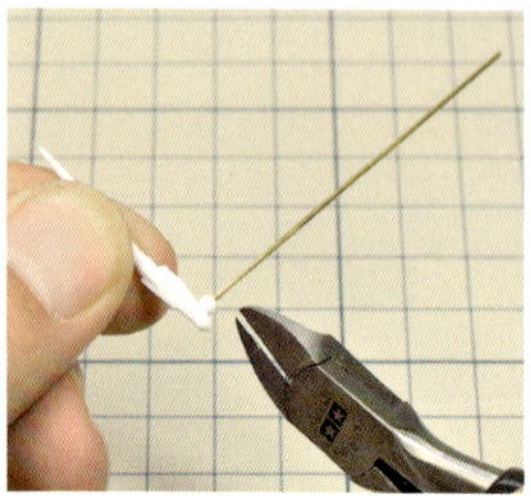

▲頭部の機銃パーツの基部はボールジョインとになっていますが、基部が細く折れやすいので真ちゅう線で補強しておくと安心です。貫通しないよう注意して穴を開けるようにします

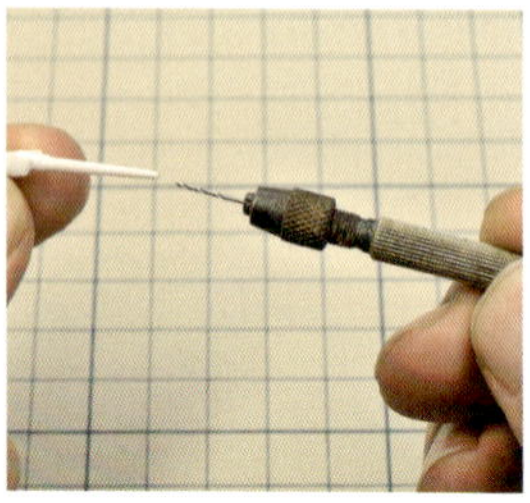

▲キットパーツは成型の都合上機銃口が開口されていないので、ドリルで穴を開けてみました。こまかいところですが、「機能を感じさせる」ディテールアップはとても大切です

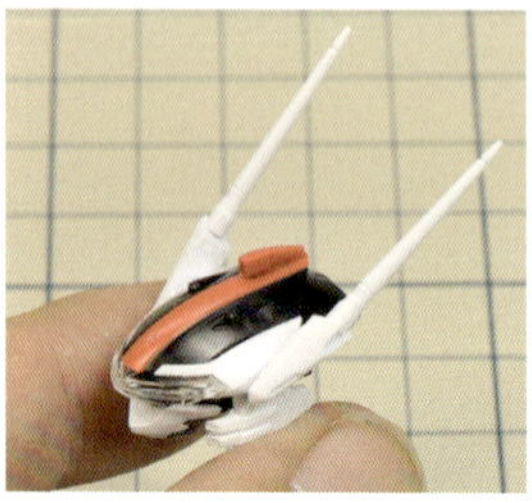

▲フェイス部（下側）は上下逆でも取りつけできてしまうので、向きに注意するようにしましょう。クリアーパーツはいったん整形、仮組みしたら外しておき、塗装後に組みつけます

腕部

このキットは接着後の合わせ目消しが必要な箇所はとても少ないですが、もっとも目立つのが腕。部分的に後ハメ加工する方法を紹介します

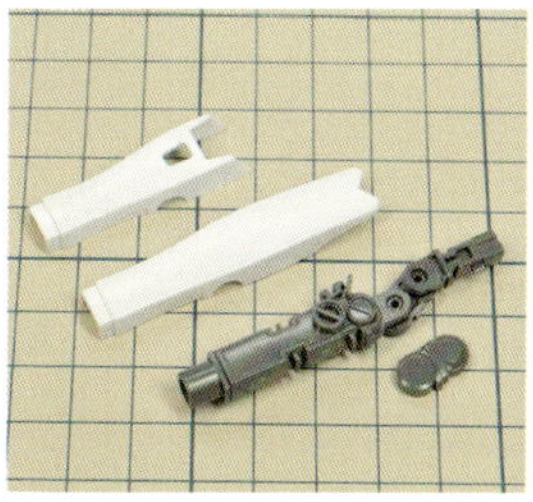

▲ヒジ関節は前後の向きがあり、はめるときにはちょっと折り曲げるようにします。外装パーツも左右の腕でディテールが異なるので、間違えて取りつけないよう注意しましょう

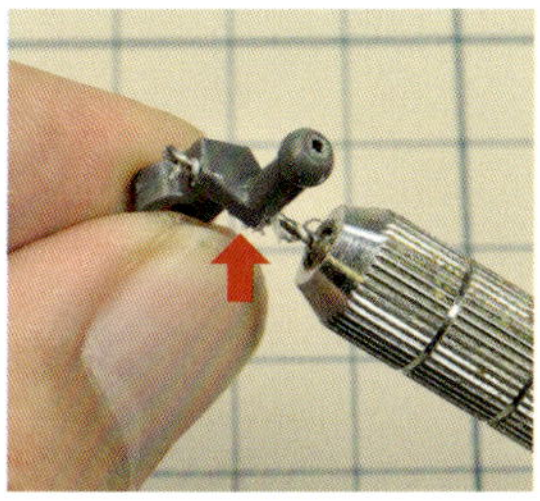

▲肩関節の補強ですが、ここは軸だけに真ちゅう線を通してもあまり効果がありません。根元まで真ちゅう線を通すために、まずは、このようにドリルで穴を開けましょう

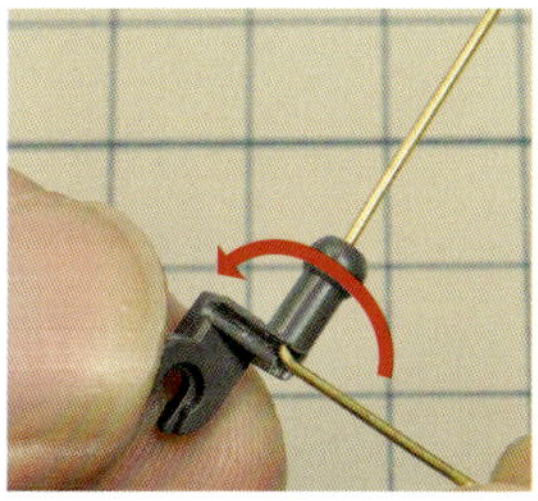

▲つぎに真ちゅう線を入れられるように右写真の赤矢印のところをナイフで切り欠きます。そこに写真のように折り曲げた真ちゅう線を通し、くるりと回せばパーツ内に収まります

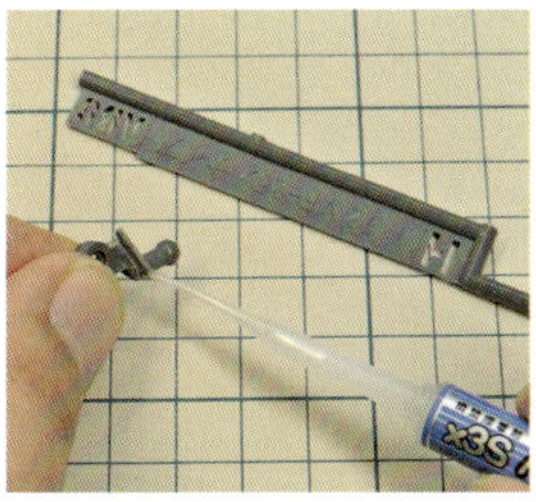

▲真ちゅう線を収めたら、切り欠き部分にあまったABSランナーを切ったものをはめて流し込み瞬間接着剤でしっかりと接着、余分なところをヤスリで整形するようにします

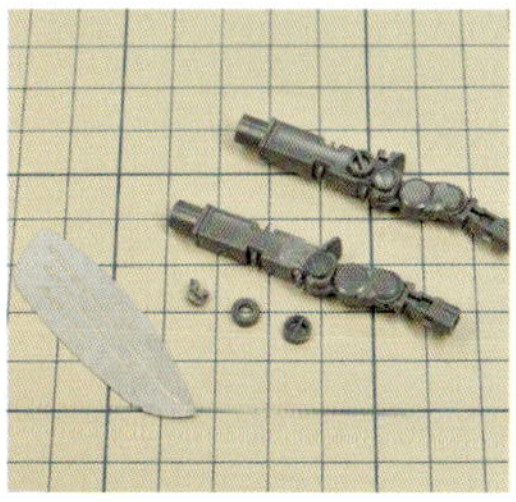

▲前腕の外装は接着して合わせ目を整形したいところ。そのままでは塗り分けが面倒ですが、部分的にエッチングソーでディテールをいったん切り離せば簡単に後ハメ加工できます

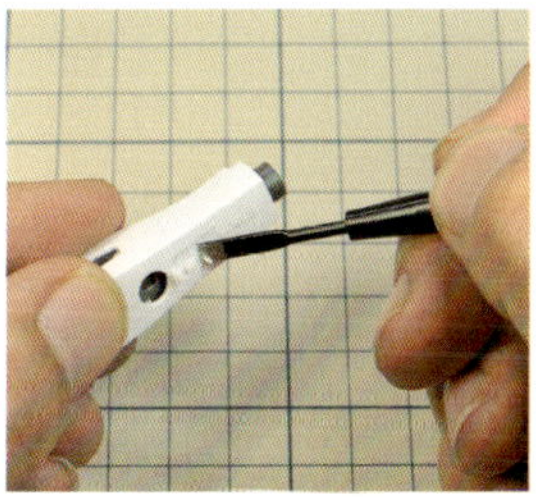

▲パーツの合わせ目にある凹んだ箇所は、まず平ノミでおおまかにたいらに。仕上げは、プラ板に両面テープで紙ヤスリを貼りディテールの形状に合う形に切り出したもので行ないます

脚部

人型ロボットをカッコよくポージングするためになんといっても重要なのは脚の可動範囲の広さ。とくによく動く足首は重要なポイントです

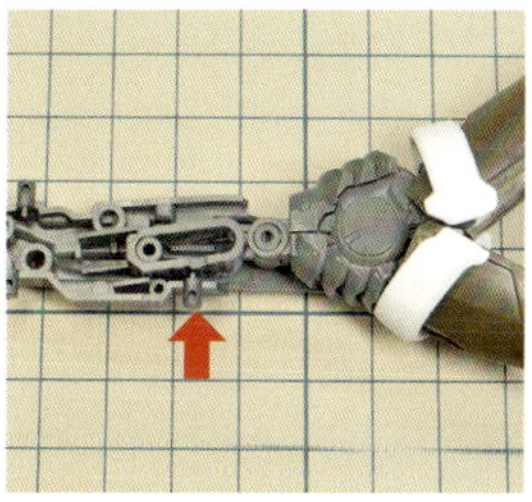

▲キットの足首関節は両形態のバランスをとるためにスライドすることで伸縮しますが、赤矢印のところにストッパーを受けるための切り欠きがありますので、向きに注意しましょう

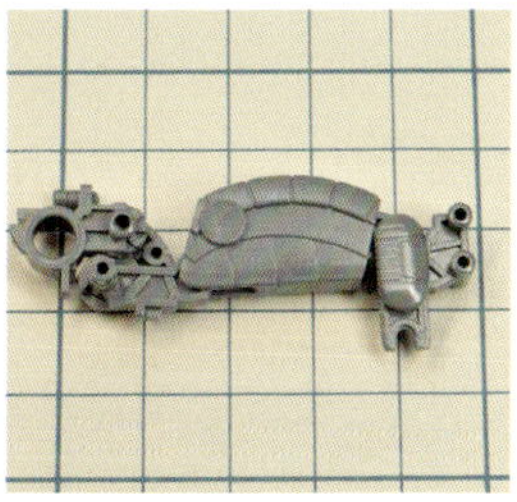

▲膝関節は複雑な多重関節になっていますが、ヒンジパーツ、外装パーツともに向きがあるので注意しましょう。ここも外装パーツ同士は接着しておくとヘタりづらくなります

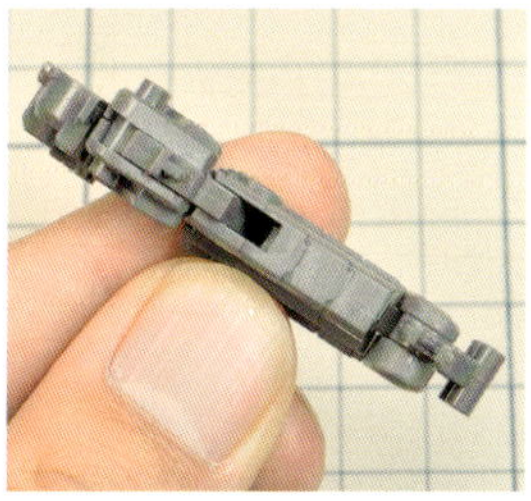

▲ファイター時に絶妙なクリアランスで収めるために、関節ヒンジなどが微妙にオフセットされています。間違えると可動はしてもファイター時に収まらなくなるので気をつけます

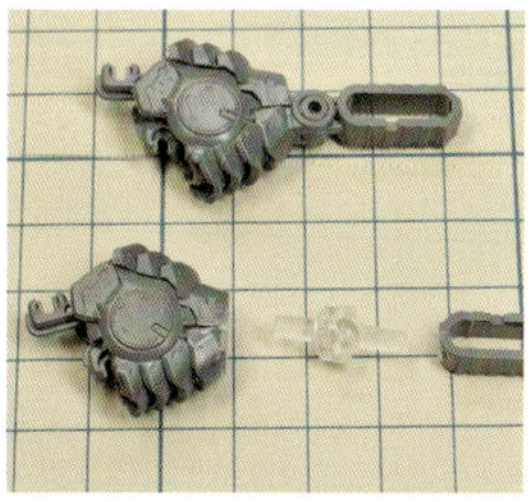

▲このキットは足首の可動範囲が意外とせまいので、ボールジョイントを入れてみます。ここをボールジョイントにしても変形に支障はないので今回いちばんのオススメの工作ポイントです

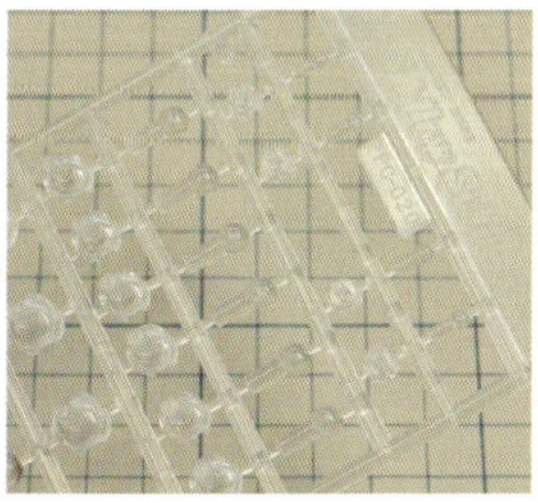

▲ボールジョイントはイエローサブマリン製の「関節技」を使用。このパーツはABS製で非常に保持力が高く重宝します。大中小と入っていますが中くらいの大きさのものがぴったりです

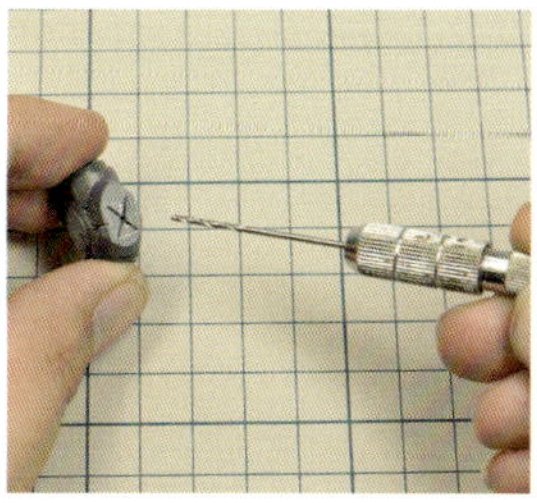

▲取り付けの際はパーツを切り出し、穴を開けて底に軸を挿し込んで瞬間接着剤で接着します。接着面積が小さい場合は周囲を余ったランナーを削ったものなどで補強しましょう

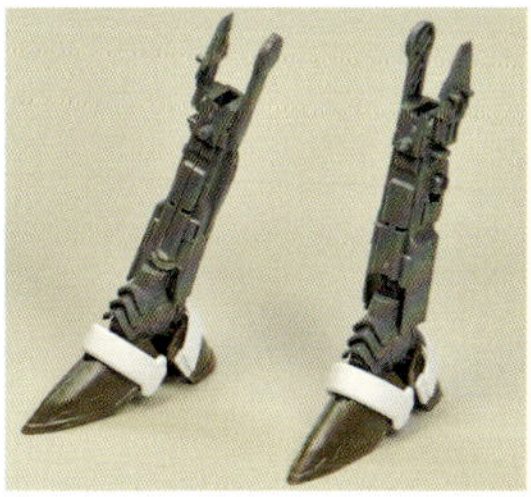

▲右がキット状態で足首をいちばん曲げたところで、左は加工後です。大きく倒し込めるだけでなく、自由に回転するようになったため足首を大きく「ハの字」に開けるようになりました

翼部

可変翼のVF-25ですが、形態によって見えたり隠れたりするこの可変翼の付け根の塗装とデカール貼りにはちょっとした工夫が必要です

可変翼を挟み込むパーツは、接着後に合わせ目消しの整形作業をしたいところですが、先に挟み込んで接着してしまうと、翼の付け根の塗装やデカール貼りがしづらくなります。そこで、飛行機モデルのように、塗装と組み立てを交互に行なうときれいに仕上げることができます。

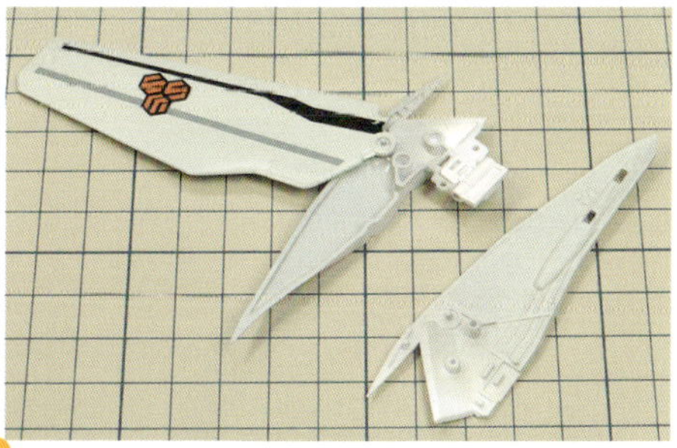

▲先に翼パーツの整形～塗装、デカール貼りを済ませ、クリアーを軽く吹いて表面を保護します。バトロイド時に見える基部パーツ内側もこの段階で塗っておくようにしましょう

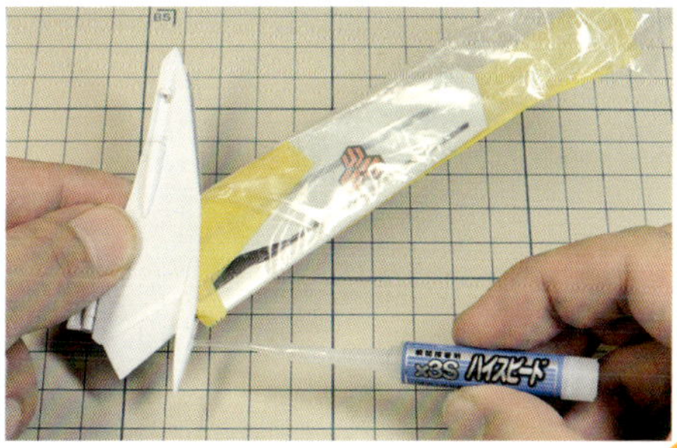

▲翼パーツをビニール袋等で包んでマスキングし、基部パーツで挟み込んで接着します。マスキングはあとで簡単に外せるよう、包むだけでベッタリとパーツに貼りつけないようにしましょう

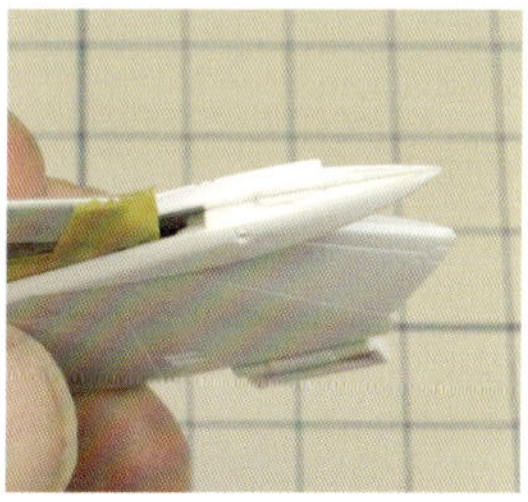

▲合わせ目にある凸モールドのディテールはサーチライト。たいらにヤスってからプラ材などでディテールを復活してもよいのですが、モールドを活かしたほうがピシッと仕上がります

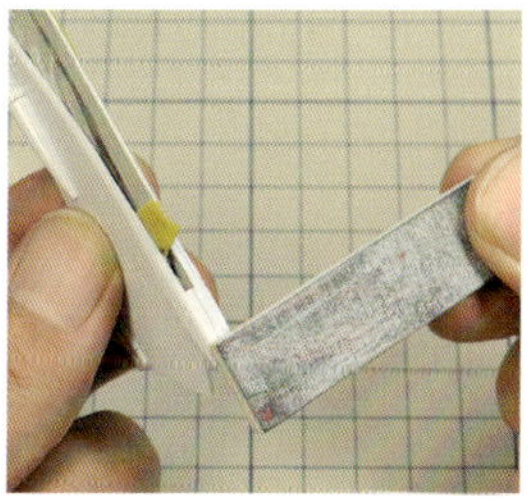

▲まずはプラ板を当てた400番の紙ヤスリで大まかに整形。やすりすぎないよう、パーツをよく見ながら数回ずつヤスリを動かすようにし、すこしずつ整形していきます

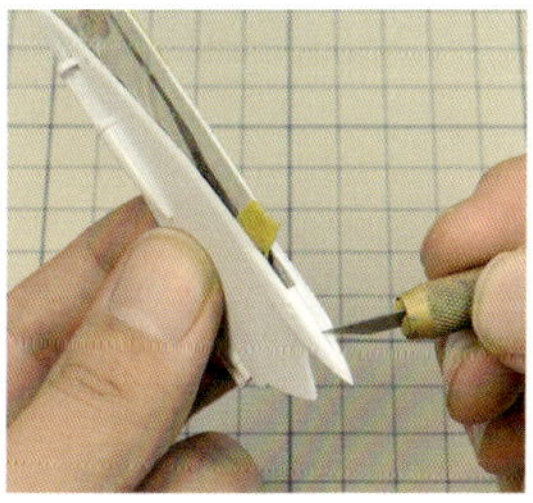

▲ヤスリがけだけだと凸ディテールの角のところがどうしても甘くなるので、ナイフを使って軽く彫り込みモールドをシャープにします。合わせ目にスジ彫りがある場合もナイフで彫ります

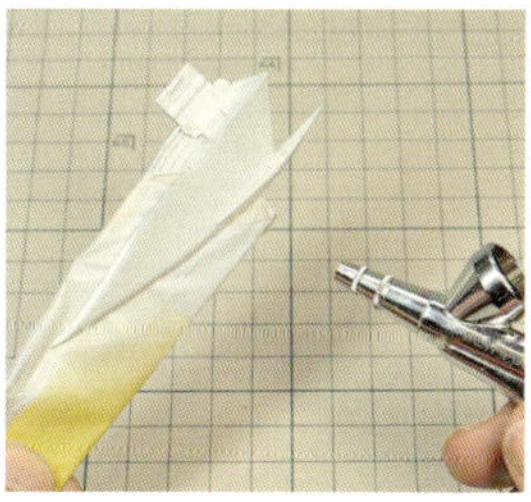

▲合わせ目の接着～整形が終わったら基部部分を塗装します。翼と色味が違ってしまわないよう、翼を塗るときに使った塗料はビンなどにとっておくようにするとよいでしょう

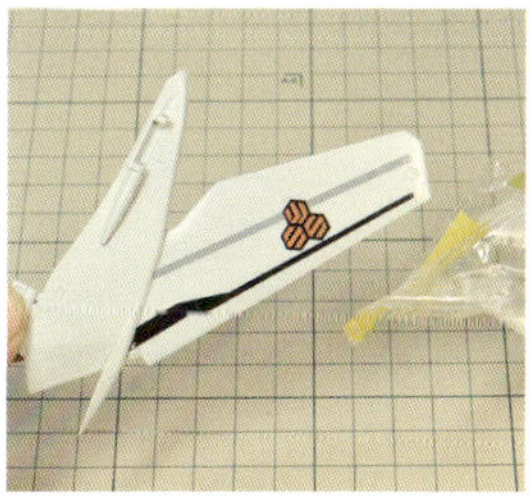

▲最後にマスキングをとりはずせばこのとおり。翼の付け根までクリアー塗料でコートしたので、キレイに塗れるだけでなく、可動させてもデカールがハゲるなどの事故が起こりづらいです

バトロイドに最適化するための工作ポイント集

バトロイドとして製作する際、とくにポイントとなる工作箇所はこんなところ。可動範囲はとくに重要になってくる

「マルイチ」ディテールをよりシャープにしてみよう

▲キットパーツには「マルイチ」ディテールの形が楕円状になってしまっている箇所があります。コレは金型で成型しているのでいたしかたないところ

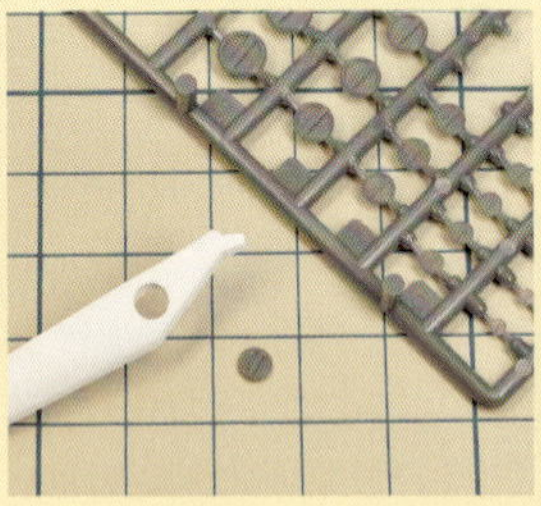

▲そこで、市販のアップデートパーツを使ってみましょう。使い方は簡単で、キットパーツに穴を開けて底に埋め込むだけです

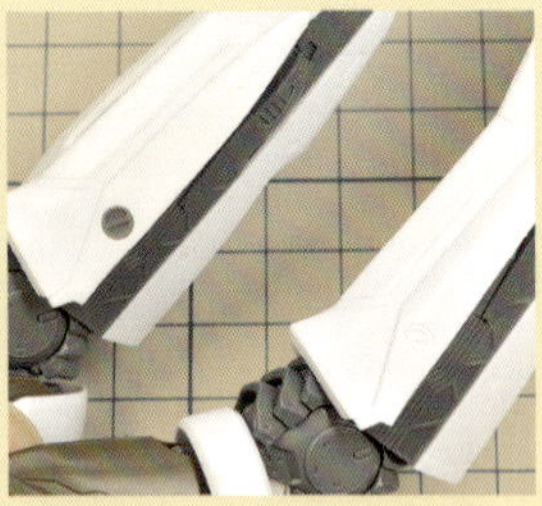

▲今回はコトブキヤのパーツを使いましたが、いろいろな大きさ形のものが市販されているので、好みで選んでみてください

股関節の可動範囲がパワーアップ!!

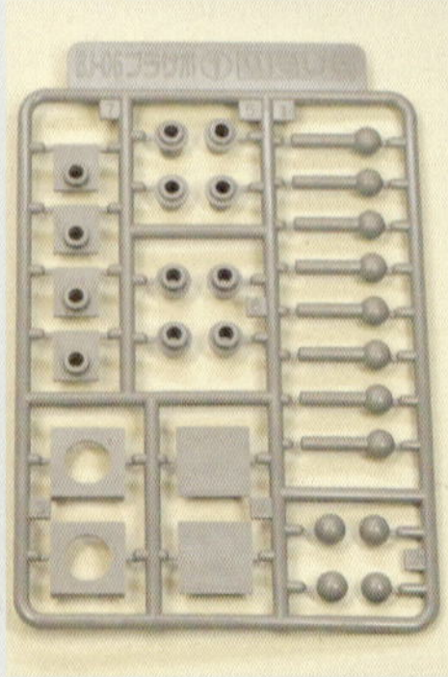

▶可動派ロボットモデラーの強い味方、ウェーブの「プラサポ」。とくに軸受けのパーツは保持力も高く使いやすい径と形状でとても重宝します

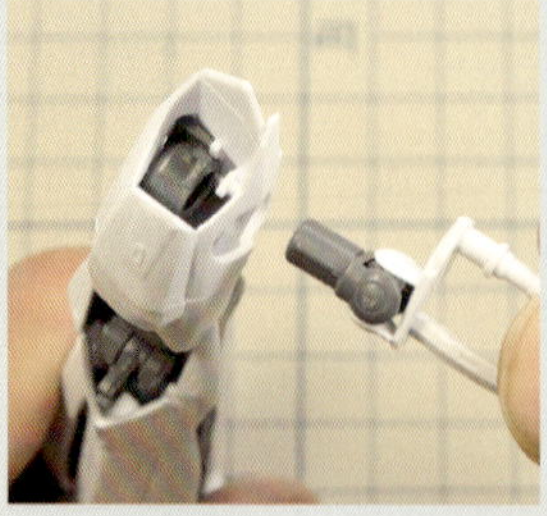

▲キットの股関節はこのような構成。ディテールを再現するために2軸可動となっているので、ボールジョイントと比べると可動範囲がやや狭いです

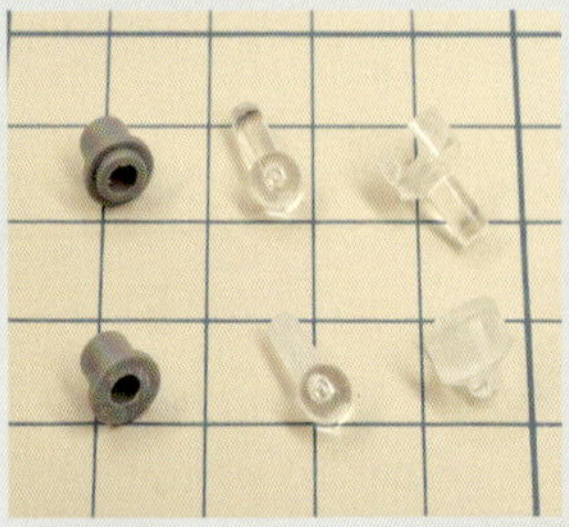

▲股関節をボールジョイント化して可動範囲を広げてみます。イエローサブマリンの関節技の中とプラサポの軸受けを写真下側のように小加工して使用

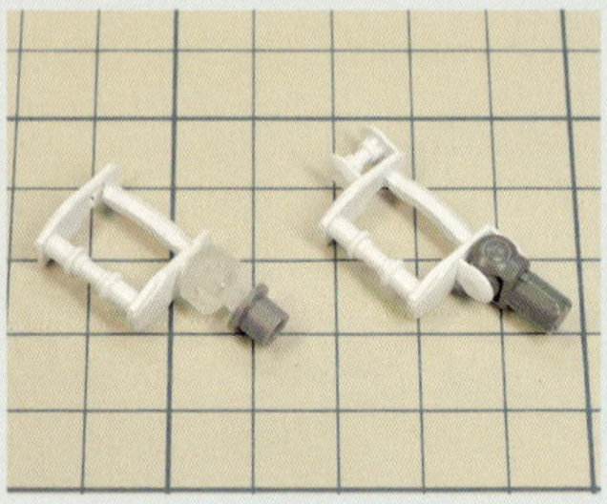

▲左が加工後。ボールジョイントのオスをもも側に持ってくるようにします。ジョイントとキットの股間パーツの接着は瞬間接着剤でガッチリと

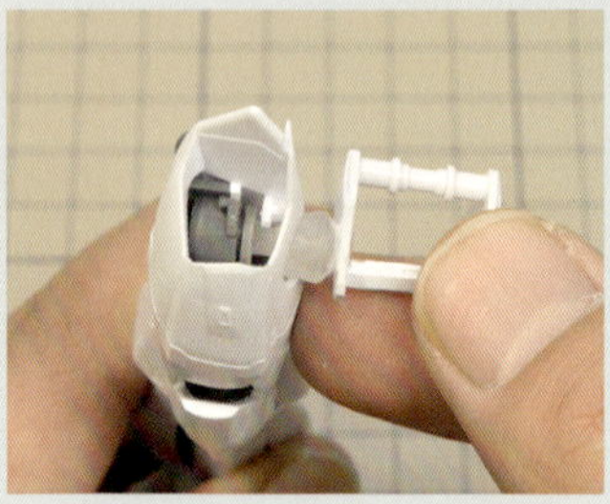

▲なんとすばらしいことに、キットのポリキャップとプラサポの径がぴたり！　特別な加工なしにはめられ伸縮させることで変形も可能になりました

▲左が加工後。併せて先述の足首のボールジョイント化を行なうことで、大きく脚を開いたポージングをとることができるようになりました

こんなところも……

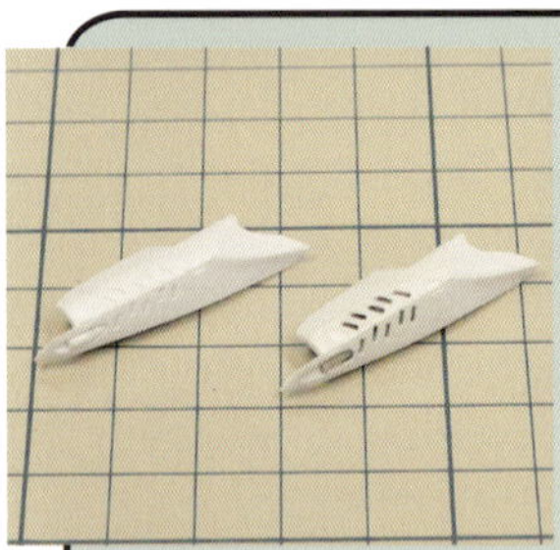

▲先月のファイター編でも紹介した機銃の吸排気スリットの開口加工はバトロイドでも有効なディテールアップ工作でしょう

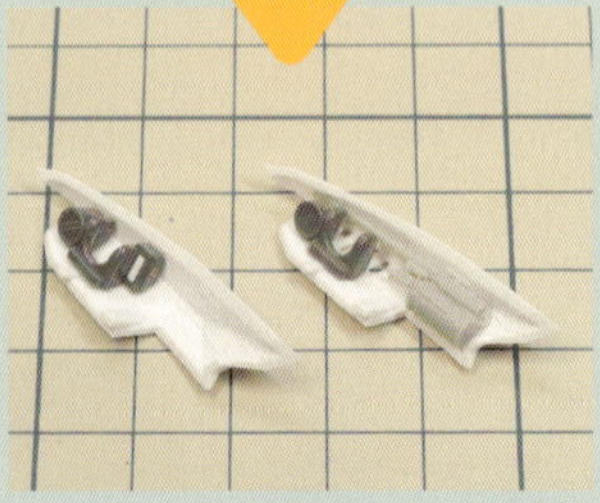

▲これはバトロイド限定で作るときに限りますが、丸見えになる機銃部の裏側に機銃のディテールを追加してみました。1/35AFVキットの機銃を適当に切り貼りし、銃口が外装から飛び出すようにするとリアル！

関節の可動範囲拡大とユニットの位置変更でプロポーションを攻める！

このキットは、変形のためにユニットが細分化されているので、バトロイド限定で製作するなら、ゆにっとの位置を少しづつずらしていくことでパテなどは使わずとも、プロポーションを好みのものに変更することができるのだ

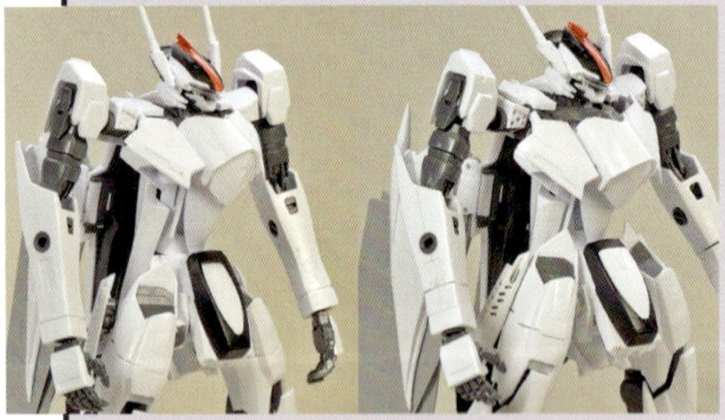

▲今回はバトロイドならではの少々人型を外したカッコよさを念頭に置いてプロポーションを変えてみました。全体のバランスの傾向としては、「胸の左右幅を増し、傾斜を強く」「胴体内に収まっている機種ユニットの上下幅をせまくし胴を上下方向に圧縮」「肩関節を引き出し気味にして肩幅を増す」「ふくらはぎの外装を浮かせて取り付けることで脚の前後幅を増す」「上腕を3㎜ほど短く切り詰める」の組み合わせです。最後の腕の切り詰め工作以外では、外装ユニットの形状はいっさい変更していませんが、このキットなら外装の取り付け位置の変更や関節に手を入れることで、ここまでボリュームバランスをコントロールすることができます。もちろん、どのようなプロポーションがよいかは好みが分かれるところでしょうが、この方法なら自分好みのプロポーションに調整することもそれほど難しくありません

◀▼左がキット状態で、右がP.8から掲載している作例と同様のプロポーション変更を行なったもの。劇中CGのプロポーションにはキットのほうが似ているが、より力強く精悍なイメージになるようにしてみた

◀左がキットのパチ組みで右がプロポーション改修を加えてみた作例。設定や劇中のCGに近いのはキット状態だが、模型ならではの遊びとして、よりスマートで力強いイメージにしてみている。複雑な変形機構で改造を受け付けないように見える本キットだが、解説したようなポイントを押さえればこういった遊び方をすることもできるのだ

VF-25F メサイアバルキリー アルト機
バンダイ　1/72
インジェクションプラスチックキット
税込4860円
製作／**畠山孝一**

1/72 BANDAI

VF-25F MESSIAH VALKYRIE ALTO CUSTOM

Modeled by Koich HATAKEYAMA

バトロイド限定でプロポーションを改修 追加ディテーリングで、キラッ☆とね!

●ひと昔前のロボットのプラモデルでは、スクラッチビルドや大改造でもなければ、ここまでメカニカルな表現は難しかったが、バンダイのヴァリアブル・ファイター可変モデルなら話は別。なぜなら、キットの状態で超絶な可変機構を再現するために、パーツの断面や裏側にメカニカルなディテールがビッシリ入れられているからだ。本作例では、キットパーツでの構造再現を活かしつつディテールをさらに追加することで、大改造はせずに高い密度感とメカニカルなリアリティーを出すことに成功している。作例とキットををよく見比べると、意外とキットパーツのディテールがそのまま活かされている部分が多いことに気付くはず。バンダイの1/72 VF-25のポテンシャルの高さには改めて驚かされる

●本作例では、「バトロイド時に限定した見せ方」の参考例として、プロポーション改造を施してみた。キットのまま状態で劇中設定（というかCG）をほぼ完璧に再現している本キットだが、あえて「ロボットとしてより強そうに見えるプロポーション」を目指して改造を施している

●さらなる遊び要素として、スナイパーライフルはイメージをブーストしたより派手なバランスに改造

AI 1/72 VF-31 SIEGFRIED
ESSER IHLEFELD USE

●1/72 VF-25で培われた設計ノウハウを活かして、より組みやすくより再現度が高いヴァリアブル・ファイターモデルとして生まれたのが本キット。作例はほぼストレートにキットを製作しているが、プロポーション、可変機構再現、ディテール表現ともに非常に高いレベルでまとめられており、組みやすさについても1/72 VF-25からさらに向上している

VF-25から進化を果たした次世代VFをバンダイ可変モデルで

VF-25と似ているようでまったく異なる変形機構となったVF-31を、その可変機構も含めて見事に再現したバンダイの1/72 VF-31。VF-25と比べると比較的簡素になった変形ギミックの本機だが、きちんと塗り分けてきれいに完成させるには相応のテクニックとコツを知っておくことが必要となってくる。ここではバンダイ製VF-31を塗装して完成させるためのノウハウを、工程を追った詳細な解説記事とともに紹介していくことにしよう。

VF-31F ジークフリード
（メッサー・イーレフェルト機）
バンダイ　1/72
インジェクションプラスチックキット
税込5616円
出典／『マクロスΔ』
製作・文／**有澤浩道**

Model Graphix
2017年2月号
掲載

BAN
M

複雑に折りたたまれる
機首の可変構造を完全再現

●機首が複雑に折りたたまれる変形機構を巧みに再現することで、寸胴にならずマッシブでスマートなプロポーションを実現したバンダイ1/72 VF-31。ブラッシュアップされた変形ギミックにより胴のスイング可動等も実現。実際に組んで触ってみると、見た目以上に頑丈にできていることにも驚かされる

●作例は基本的にストレート組みだが、
ノズル内のディテールなど一部をエッチ
ングパーツでディテールアップ。基本的
に貼り付けるだけなのでお手軽な工作だ
●キットには色分け／マーキング用のシ
ールと水転写デカールが付属するが、機
体上面の塗り分けとストライプは塗り分
けで再現。塗り分けで再現することによ
り、スジ彫りなどのディテールを繊細に
見せることができる

あれから7年！ 最新VF可変キットの作り方を解説します。

本誌ではお久し振りよなる作例はなんとヴァリアブルファイター。時の流れとは恐ろしく早いもので、このVF31が登場する『マクロスΔ』の前作である『マクロスF』のVF-25がバンダイから発売されたのが……もう7年前!? VF-25のときはその複雑な可変機構に驚きましたが、さらにブラッシュアップされた機構を搭載したVF-31、その進化は見どころいっぱいです。

可変機構はVF-25とは異なる部分が意外と多く、さらに洗練されたイメージでした。前脚の収納庫カバーは1／72にもかかわらず可動引き込み式になり、外れる心配がなくなっていて驚きました。バトロイド時に存在感を主張している武装コンテナは脚部のあいだにスッポリ収まり、ファイター形態時の形状を損ないません。

製作についてですが、ポイントは機首から主翼に掛けての塗り分けとマーキングの再現法でしょう。ここはあえて塗装できれいに仕上げたいものです。付属のシールを使うのもよいのですが、ここはあえて塗装できれいに仕上げたいものです。付属のシールをマスクとして使うことにより難易度が格段に下がるのでぜひ挑戦してみてほしいです。可変機は普通のロボットより工作量が増えますが、完成した際の達成感は得がたいものがありますのでぜひ作ってみてほしいです。■

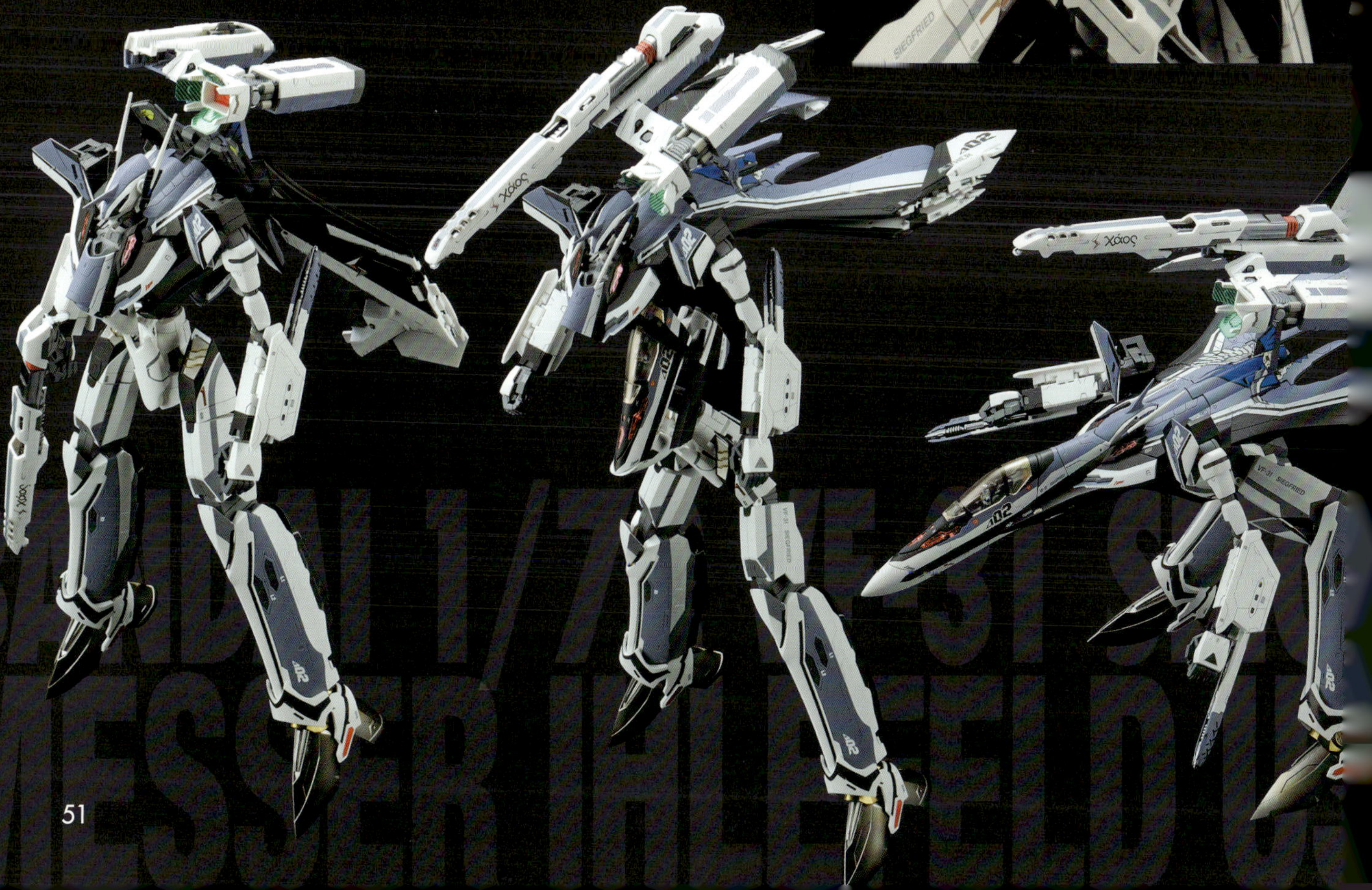

進化したバンダイ製VFを塗装して完成させせよう！

バンダイ 1/72 VF-31F（メッサー・イーレフェルト機）全工程製作完全ガイド

変形再現が最大の売りであるバンダイ1/72 VFキットですが、変形が緻密に再現されているだけに普通のガンプラと比べると難しそうに感じるかもしれません。でも、ここで解説するポイントを押さえて作っていけば、アナタもカッコいいVF-31が作れちゃいますぞ！

製作・解説／有澤浩道

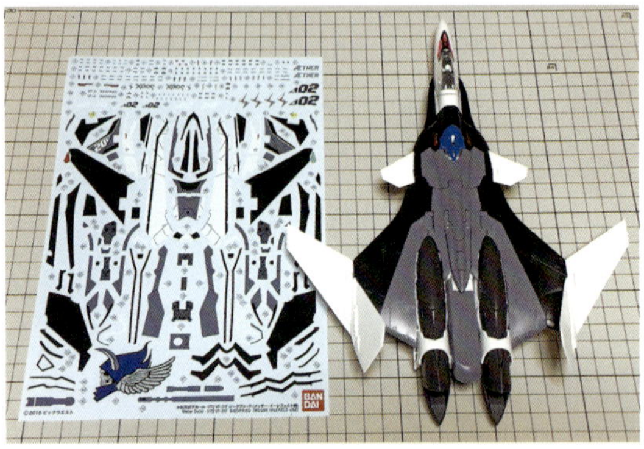

なんと言ってもカラーリング再現が……

ヴァリアブルファイター（VF）の変形モデルを製作するときにいちばん悩むのがカラーリングの再現。とくにVF-31のように塗り分けとストライプが多用されたカラーリングだと、油断するとファイター形態のときに塗り分けラインやストライプがぴしっと揃わなくなってしまうことも……。

本キットにはシールと水転写式デカールが付属しています。塗装仕上げということでより薄く貼れる水転写式デカールを使うところまではいいとしても、すべてデカールを使うか塗り分けにするかは場所によって悩ましいところ。なかにはデカールを貼るよりも塗ったほうが簡単できれいに仕上がりそうなところがあります。

そこで今回は、「付属シールを型紙にしたマスキングでなるべく塗り分けてカラーリングを再現する」という方針を採用することにしました。基本的にデカールは使用しつつも、塗り分けたほうがよさそうなところはなるべく塗り分けにすることで、工作の手間と見映えのバランスがもっともよいと思われる作り方、そして工作順を探ってみましたので、ぜひ参考にしてみてください。

胴体 整形工作／仮組み

難しい工作はありませんがパーツの合わせ部には要注意！

ゲート処理／整形作業の工程は基本的にガンプラとあまり変わりませんが、変形モデルなので、ファイター時にパーツが合わさる部分のゲート跡はきちんと処理しておかないとあとできちんとパーツ同士が収まらなくなったりします。また、両形態で思わぬところが目立ったりすることもあるので、適宜仮組みをしながら進めていきます。仮組み時にハメ合わせがきついところはダボを切っておくのを忘れないでね！

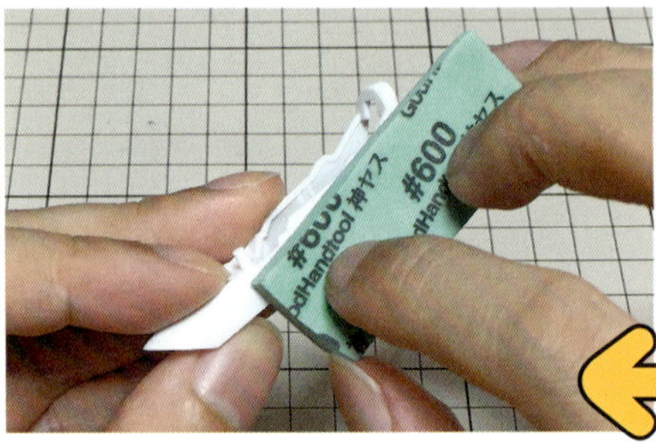

▲神ヤスは硬めのスポンジがついたヤスリ。スポンジが硬すぎないので曲面部分でもしっかりと面でヤスることができ、また、柔らかすぎないので狙った部分にヤスリをあてやすいです

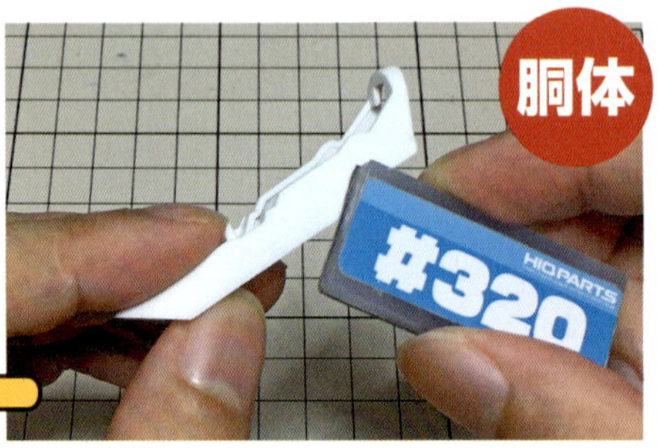

▲ゲート跡の処理には#320→#600の耐水性サンドペーパーを使用します。曲面部はゴッドハンドの神ヤス#400→#600という順で表面処理していきます。この手順は全パーツ共通です

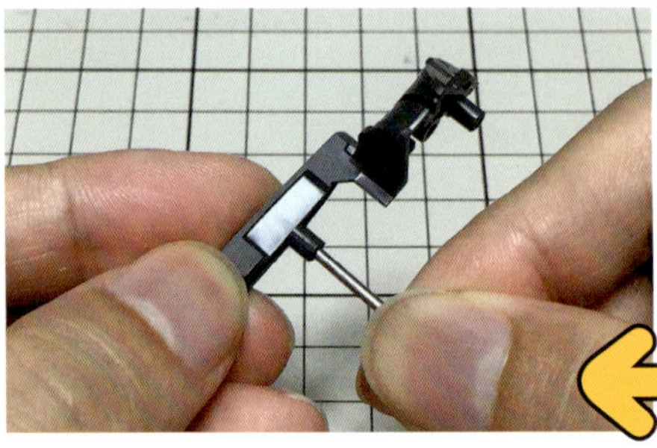

▲可動部のあるパーツは、塗装でダボ軸が太くなるのを防ぐため、一部組み立てた状態で塗装することにします。一部金属シャフトが採用されていますが長短2サイズあるので間違えないよう注意

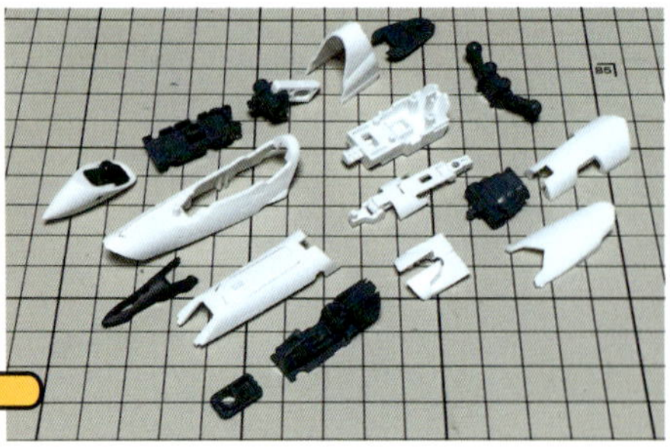

▲機種周りのパーツの整形が終わったところ。ファイター時にパーツが合わさるところのパーツ断面は、#320耐水性サンドペーパーで少し削って塗膜のぶんのクリアランスを確保します

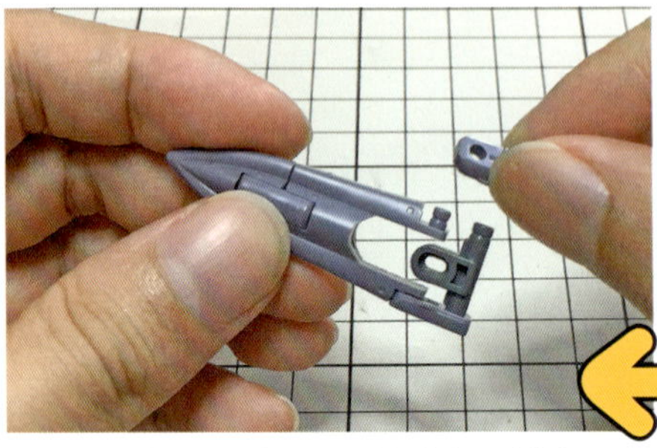

▲テールはバトロイド形態のときに折れ曲がって武装プラットフォームのアームになる機構がおもしろいですね。ここは先に整形しておいて、一回ハメたら外さないようにします

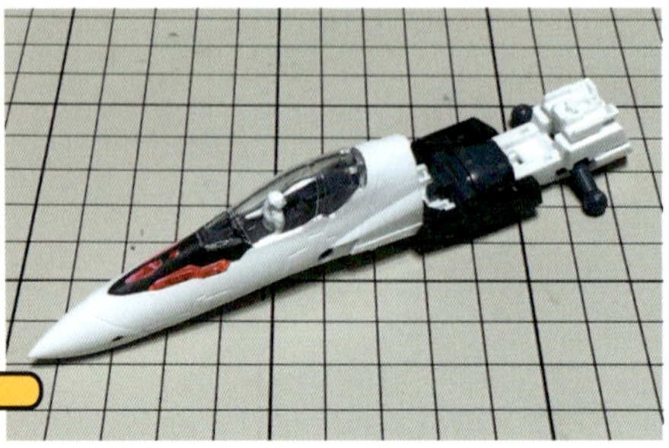

▲機首を組み立てたらキャノピーも含めて仮組みして、クリアランスやどこが見えやすい箇所かを確認していきます。ここまではゲート跡さえきちんと処理すれば大丈夫そうです

ますます1/72『Δ』シリーズ拡充中!! スーパーパックも発売中

現在発売中のバンダイ1/72 VF-31ジークフリードのバリエーションは、VF-31J ハヤテ・インメルマン機、VF-31S アラド・メルダース機、VF-31F メッサー・イーレフェルト機、VF-31C ミラージュ・ファリーナ・ジーナス機、VF-31J ジークフリード（マクロス35周年塗装機）の5種。また、スーパーパックがセットされたスーパージークフリード（ハヤテ・インメルマン機）とは別にハヤテ機用のスーパーパック単体も発売されたので、これを使用してほかのVF-31のバリエーションをスーパージークフリード仕様で製作するのもよいだろう。なお、スーパーパックは組み立て時に選択して組み込む構造なので、完成後の差し替えはそのままでは不可となっている

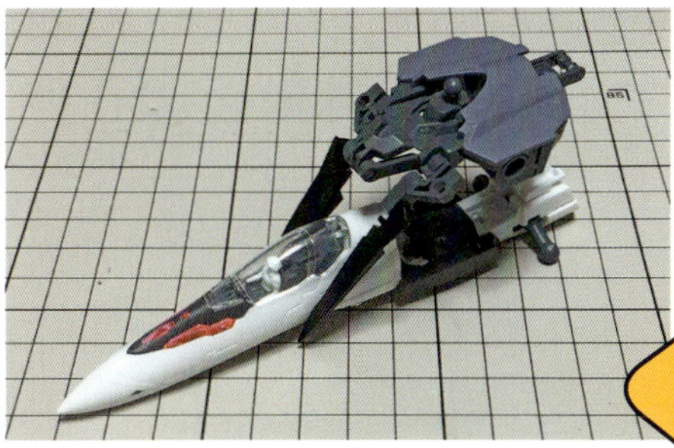

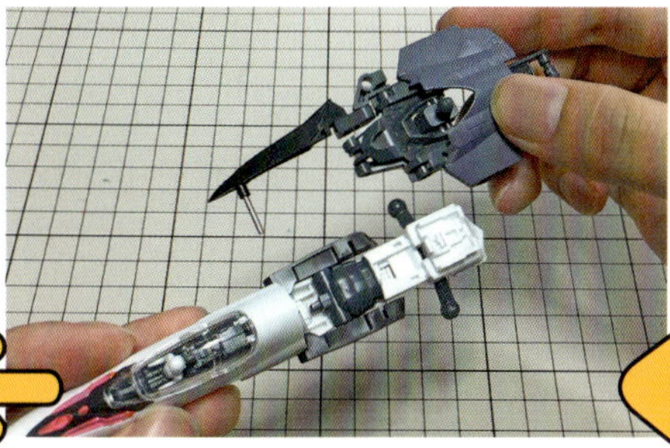

▲華奢に見えますが、金属シャフトががっちりと入っているので意外と頑丈。変形ギミック部の保持力がかなりしっかりしているので、ある程度組み立ててから塗装しないときつくなりそうです

▲先に組み立てた機首側に首がつく上面側パーツを組み付けます。組み立て説明書では頭部を先に組み込むことになっていますが、作業中に機銃を折りそうなのでまだ取り付けていません

▲背中のフレーム状パーツ（E27）は完成後も隙間から見えるのですが、パーティングラインがあるので、一度モールドを削り取り面を整えてから流用したリベットを貼りました

腕

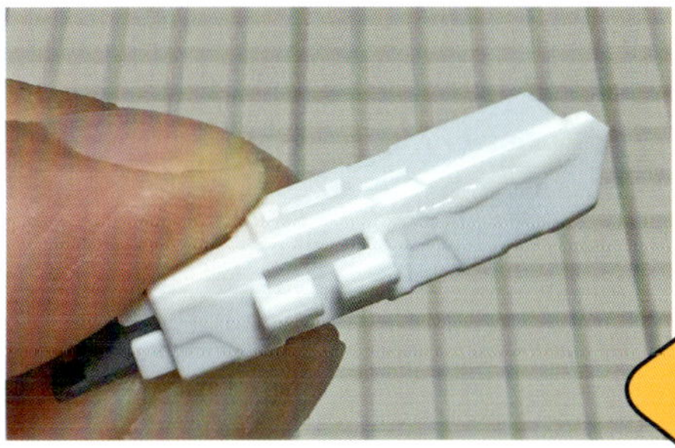

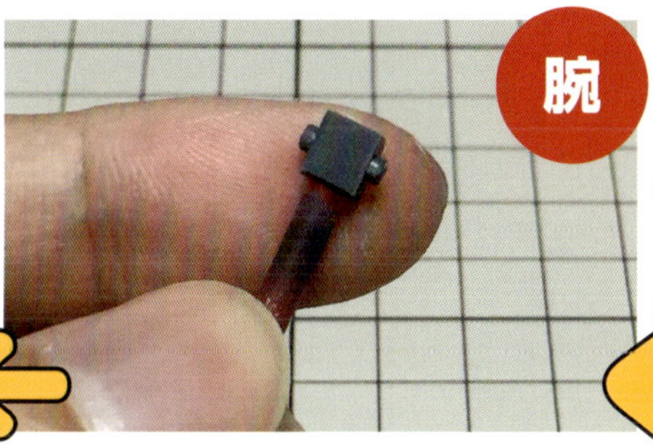

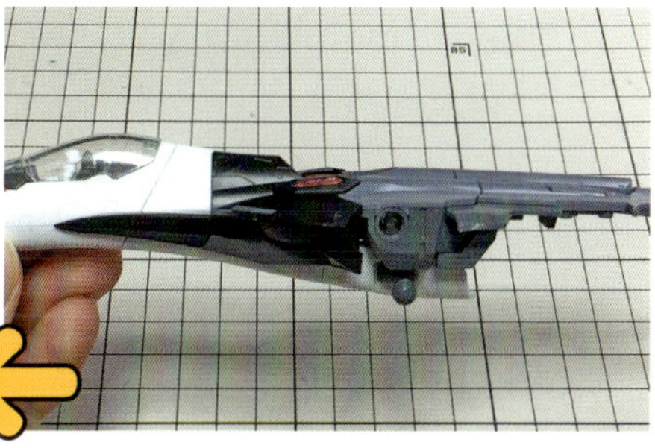

▲前腕部にはパーツ合わせ目ができますので、バイアノーツの瞬間カラーパテのホワイトを使って処理しました。写真のようにパテを適量盛ったあとヤスリで削って整えています

▲ヒジ関節のパーツ（F5）には結構目立つところにパーティングラインがあります。そのままだとパーツが小さくて処理しにくいので、ランナーの切れ端を挿し持ちやすくして整形します

▲特別な調整はしていませんが、このとおり上面のラインがされいにつながってくれました。ここの上面パーツの合いはVF-25からさらに進化した印象で、すごい精度とクリアランスです

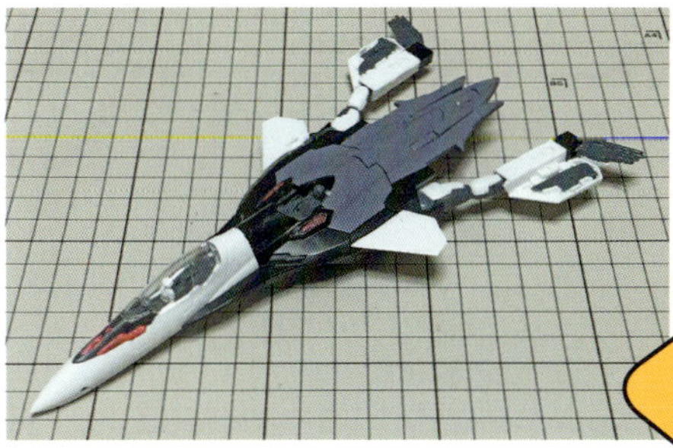

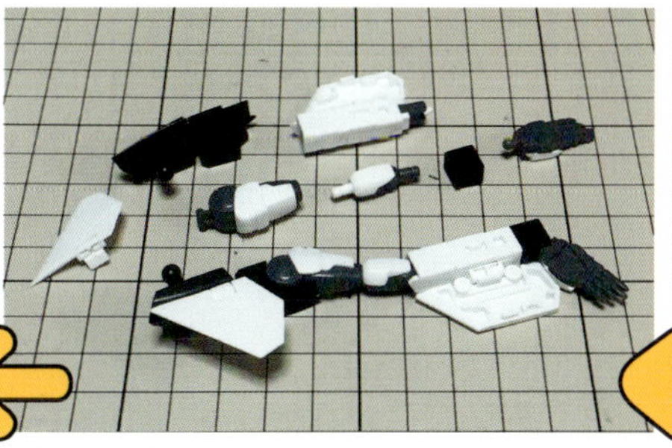

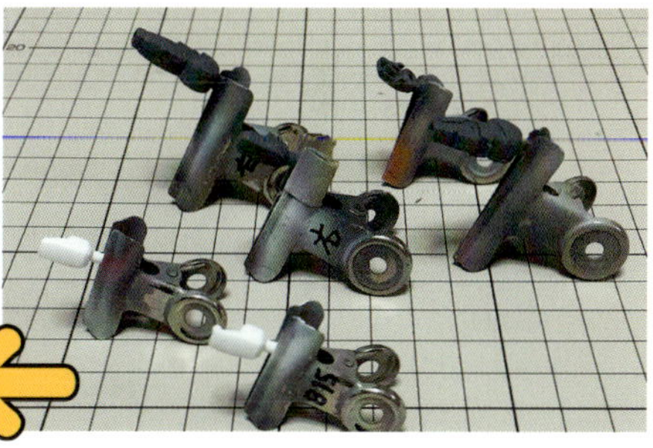

▲VF-31ではファイター時にバトロイド時の腕が脚の外側にくるような変形機構となりました。主翼下面の凹んでいるところに、このようなかたちでぴったりと腕が収納されます

▲腕パーツの整形が終わり仮組みしたところ。ファイター時のカナード翼は、バトロイド時には折りたたまれて肩の前面にきます。腕が非常に華奢ですがそれには変形上の理由がありました

▲ヒジ関節と上腕は左右で形状が異なるのですが、形状が似ているのでランナーから切り離すと判別が困難になります。そこで目玉クリップにはさんでマジックで左右と番号を振っておきます

翼

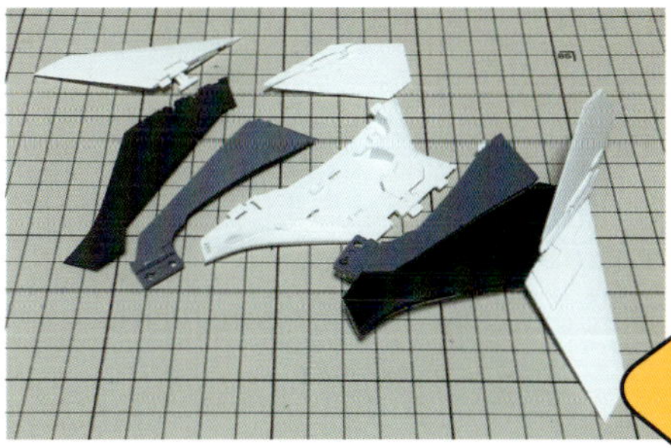

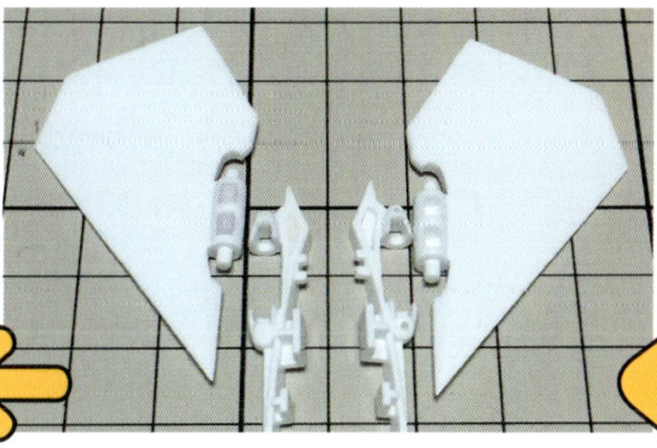

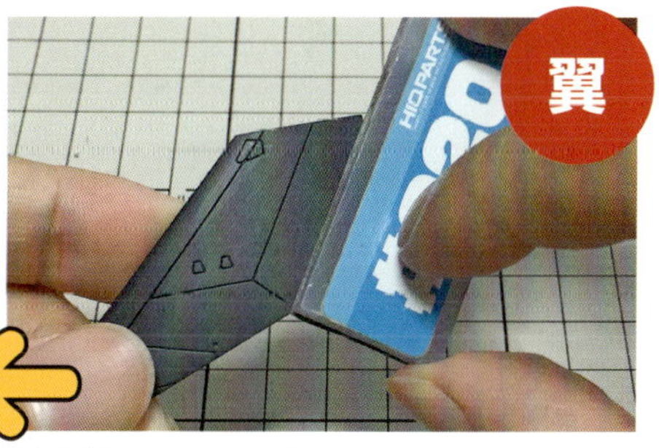

▲翼のパーツの整形処理が終わったところ。翼は表面を耐水性サンドペーパーの#600まで磨いたあと、Mr.ラインチゼルでスジ彫りを深めに彫り直しておくようにします

▲垂直尾翼には写真のようなヒンジで降りたためるギミックがありますが、ヒンジ部に肉抜き穴があってこれが意外と目立つので、瞬間カラーパテで埋めておくようにします

▲変形機は塗膜をできる限り薄くしたいのでサーフェイサーは吹かないことにしますが、サーフェイサーなしでも塗料の食い付きをよくするためにしっかりと表面処理します

バキバキ折れてビシッと決まる!!
VF-31の胴体のギミック

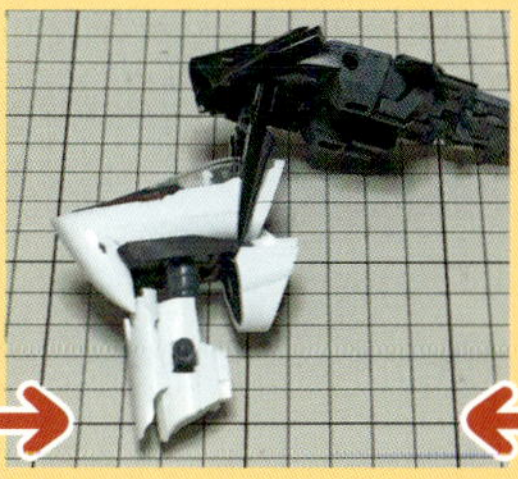

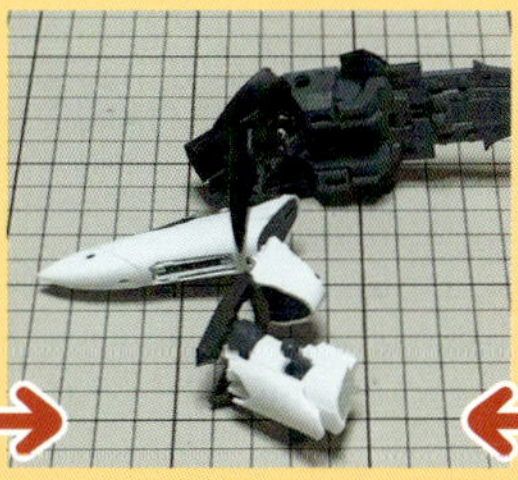

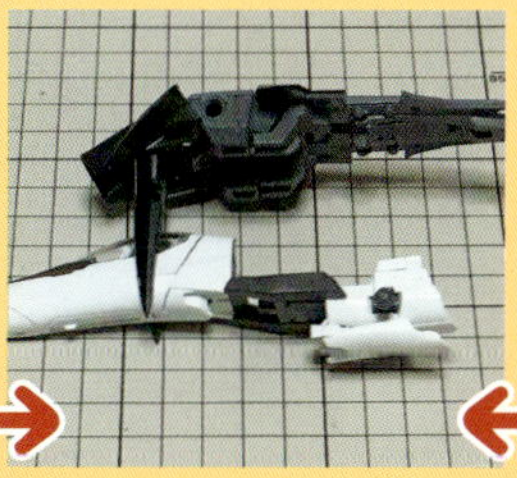

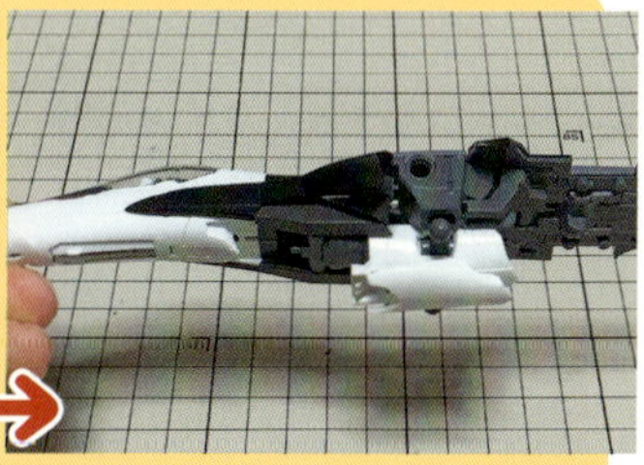

◀▲VF-25とは変形機構がかなり変わったVF-31。もっとも異なるのはコクピット部分の向きで、VF-25では機首側が上にきたが、VF-31では機首が前方にくるようになっている。機首が折れる構造から斜めに180度回転するように変わったことやコクピット後方の折り畳み構造の変更により、ファイター時の長い機首とバトロイド時の締まりのある胴長すぎないボディーを両立している

脚

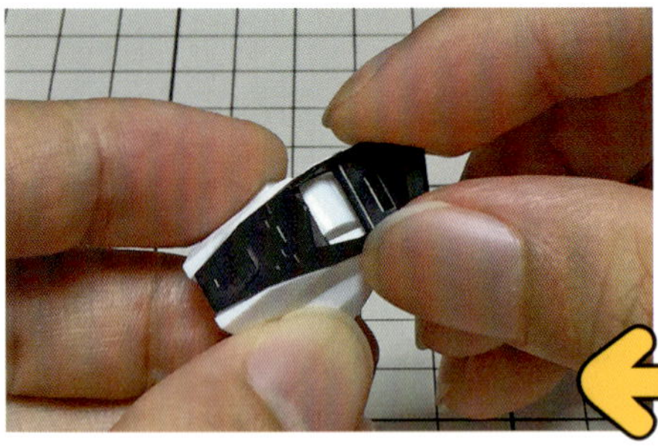

▲ゲートをノミでていねいに削り取って表面処理をしたら、インテークの黒いパーツを取り付けてはまるか確認。ハメ合わせをきちんとチェックしておかないとファイター時に隙間ができます

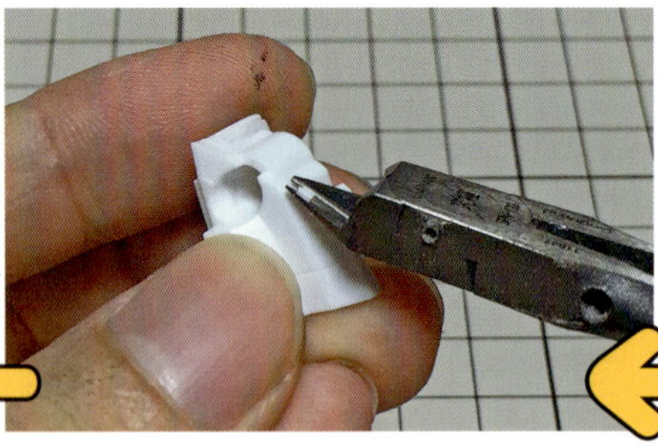

▲バトロイド時の太もものパーツ（C3／5）の上側にあるゲートはきれい削っておかないとインテークの黒いパーツ（A24／25）がキチンとはまらなくなりますので注意しましょう

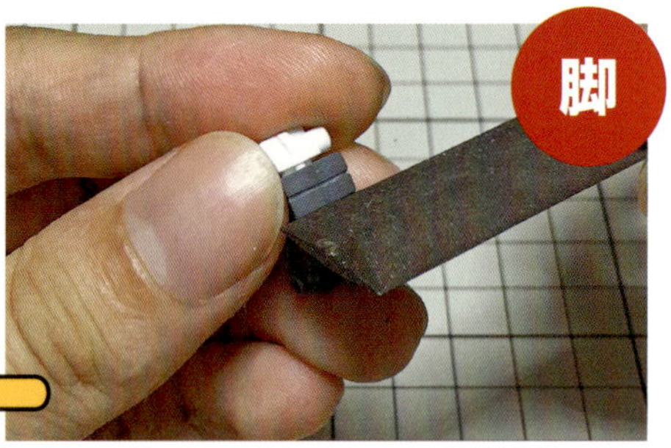

▲太ももの関節は蛇腹状になっているので、パーツを接着してから合わせ目処理をして、蛇腹のスジ彫りモールドは目立てヤスリで彫り直すようにするときれいに仕上がります

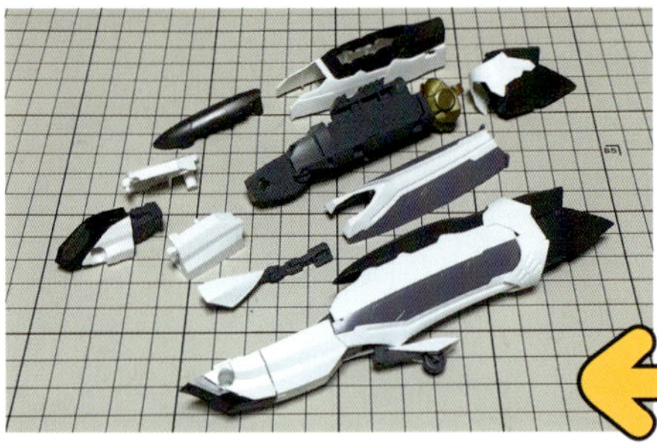

▲脚部のゲート処理と整形が終わりました。VF-25のように脚収納庫のカバーが外れてなくなる心配はなくなりましたが、車輪が差し替えですので、なくさないように注意しましょう

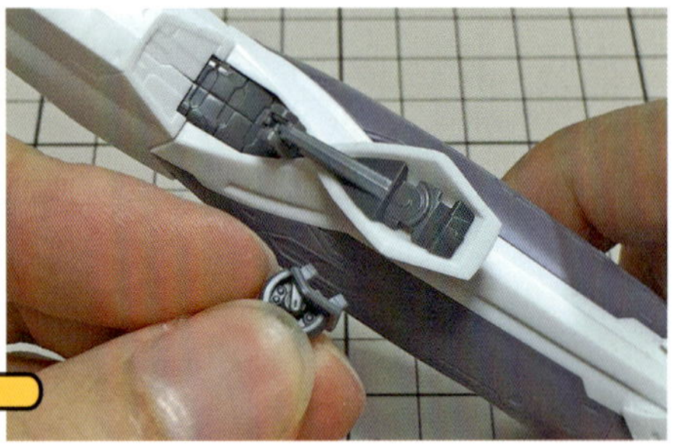

▲脚部のランディングギアはヒザアーマーからアームを引き出してタイヤを取り付ける構造です。アームを出した状態だとパーティングラインが目立つのでこのあと消しておきました

頭部

▲頭部の機銃は細くて折れやすいので要注意。 マイクロセラブレードでおおまかにパーティングラインを削ってから、神ヤスの上にのせてパーツを押さえつつ回転させながら表面処理をします

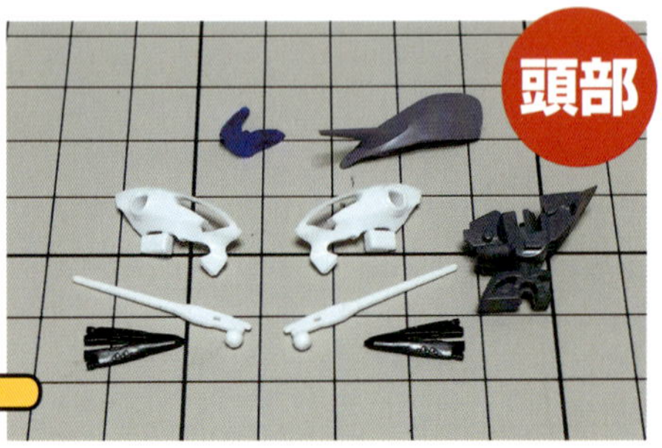

▲頭部はパーツがこまかいですが、組み立て説明書をよく読んで作業すれば組み立てがとくに難しい部分はありませんでした。少ないパーツ数で色分けもきちんと再現されています

武装

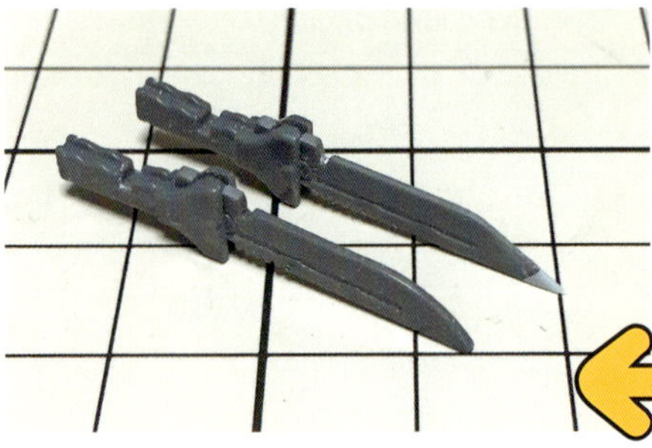

▲ナイフはキットパーツだと先端が丸めてありますので、先端を斜めに切ってからからプラ板を貼って削り尖らせました。ナイフは折り畳み可能で腕に収納することができます

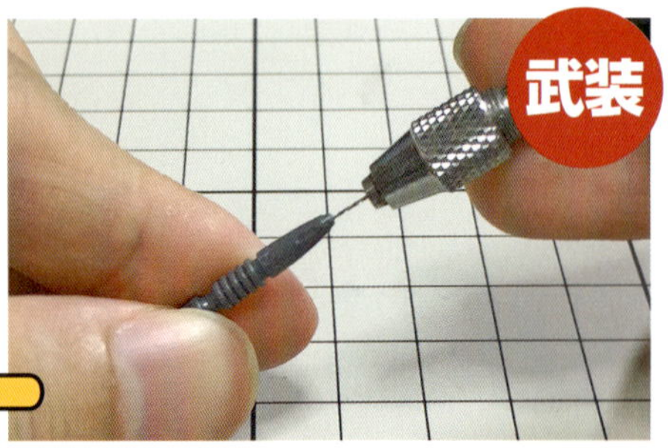

▲腕につくミニガンポッドのパーツはパーティングラインをマイクロセラブレードで削ってから神ヤスを巻きつけて表面処理をします。そのあと、0.6㎜径のドリルで砲口を深く彫り直しました

飛行機モデルとしてノズルにこだわる

せっかくVFを作るのだから、飛行機らしいディテールを作り込んでみよう！　ということで、作り込みポイントその1はノズル。キットでも関節フレームパーツにモールドがありますが左右がすっぱり省略されているので、市販の汎用アフターパーツを組み合わせてノズル内のディテールを作り込んでみました。市販パーツを組み合わせるだけでわりと簡単にできて、ノズル内の見映えがグッと上がりますぞ

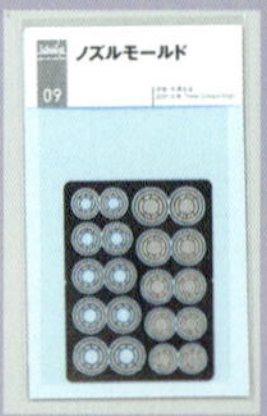

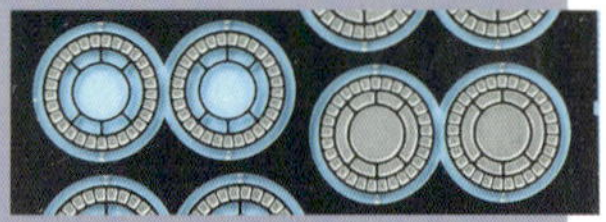

◀「idola タービンブレード」税込1200円　取り扱い／G PARTS（ジーパーツ）。直径7㎜から0.5㎜刻みで5サイズがセットされている

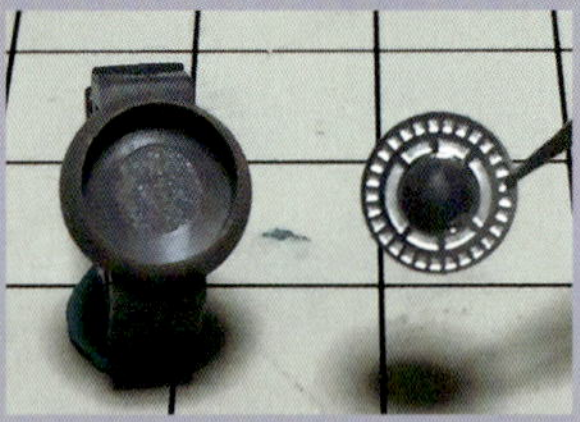

▶パーツのモールドを削って、ウェーブのUバーニアフラップ（2）とエッチングパーツ、真ん中にコトブキヤの丸モールドを接着するだけ

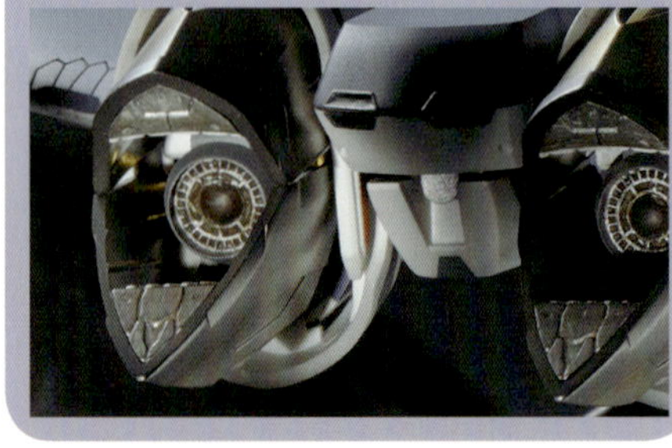

飛行機モデルとしてキャノピーにこだわる

▼このキットのキャノピーパーツはアンダーゲートですので、2回に分けてていねいに切り出して、合わせ面のゲート跡はきれいに削っておくようにしましょう。キャノピーの枠は裏側からエナメル系塗料のフラットブラックで塗り分けました。裏から塗り分けると、筆塗りでも表側に筆ムラが出ず、きれいに見えます

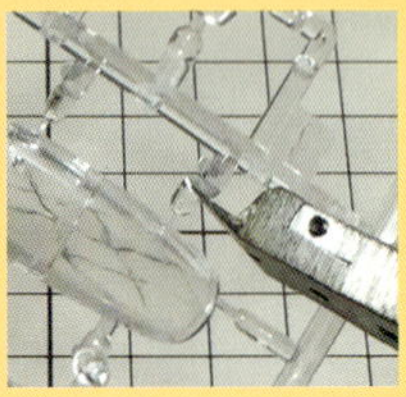

◀GSIクレオスのクリスタルカラーのルビーレッドを塗ってからトパーズゴールドを上に重ねるとゴールドのメタリック調に塗装で仕上げることができます。あまり吹き重ねないようにすると作例のように透けた感じにもできます

▶せっかくコクピット内がこまかく再現されているので、完全なメタリック調ではなく半透明くらいにしました

▲飛行機モデルとしてこだわりたいポイントその2はキャノピー。近年の戦闘機はキャノピーにコーティングが施されていますので（上の写真はF-22実機のキャノピー）、それを塗装で再現してみましょう。キャノピーは目立つところなのでこだわると効果が大きいポイントです

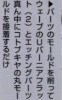

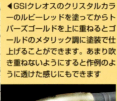

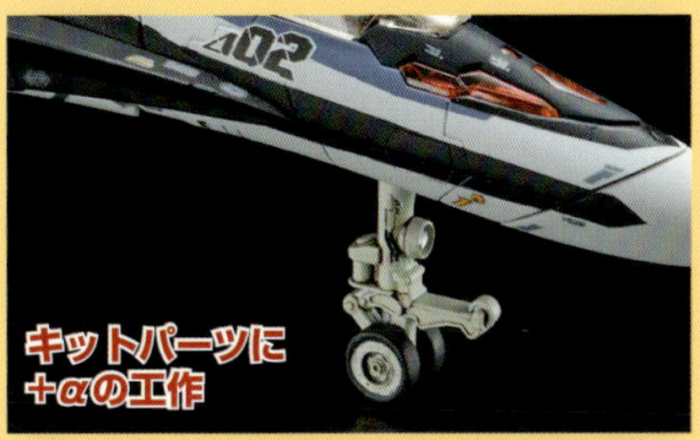

飛行機モデルとして脚にこだわる

このVF-31の脚パーツはキャラクターモデルとしてはかなりよくできていますが、差し替え式なのをよいことにF-14の脚パーツを流用して取り付けできるように加工してみたのが下側の写真。このままだと機体に収まらなさそうですが、そこはVFの模型ならではのお遊びなので、ご愛敬ということでひとつ。パーツの基部を交換するだけのわりと簡単な工作でもっと飛行機モデルっぽくすることができます

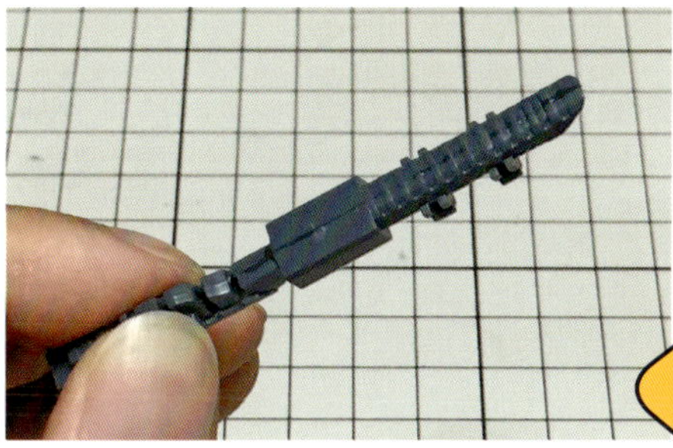

▲わざわざ瞬間カラーパテで接着したのは、今回サーフェイサーレスで塗装を進めるため。瞬間カラーパテホワイトとブラックを混ぜることで成型色に近いグレーのパテにすることができます

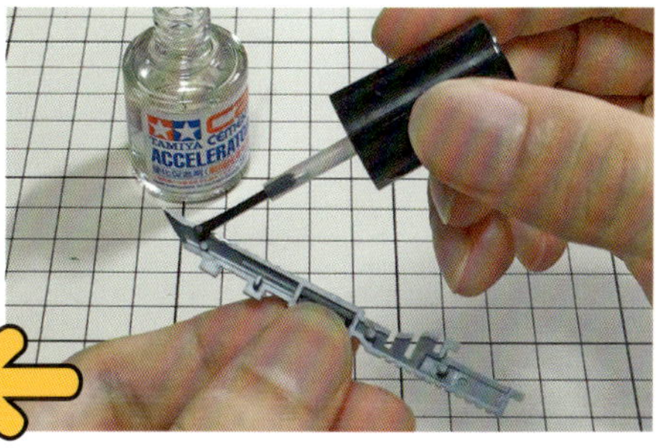

▲ビームガンポッドのパーツは合わせ目消しの処理が必要なので、瞬間カラーパテで接着します。片側のパーツにタミヤの瞬間接着剤硬化促進剤を塗り反対に瞬間カラーパテを塗って合わせます

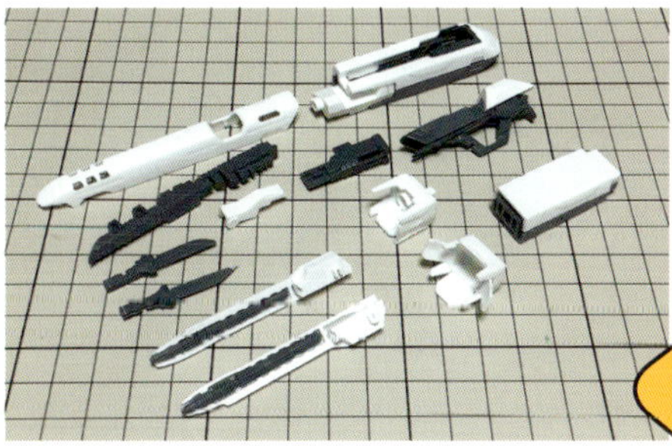

▲武装類のゲート処理と整形作業が終わりました。このあと、各ガンポッドの銃身部はガイアノーツのフレームメタリックで、ナイフの刃はブレードシルバーで塗装しておきます

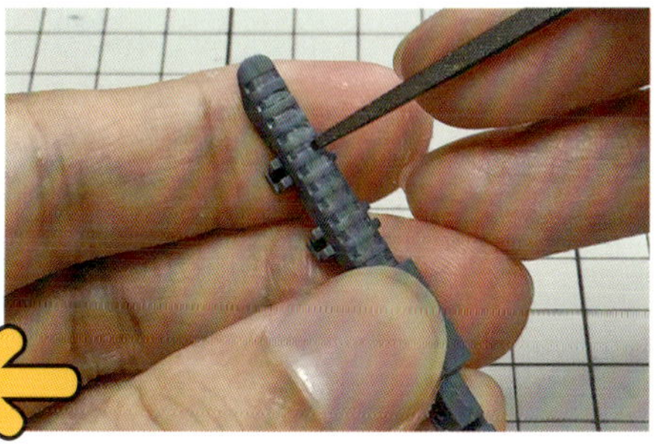

▲合わせ目が凸凹のモールドの真んなかにあります。凸のところは耐水性サンドペーパーで整えますが、凹部分は紙ヤスリでは削れません。そこでノミで彫って合わせ目部分を平らにしました

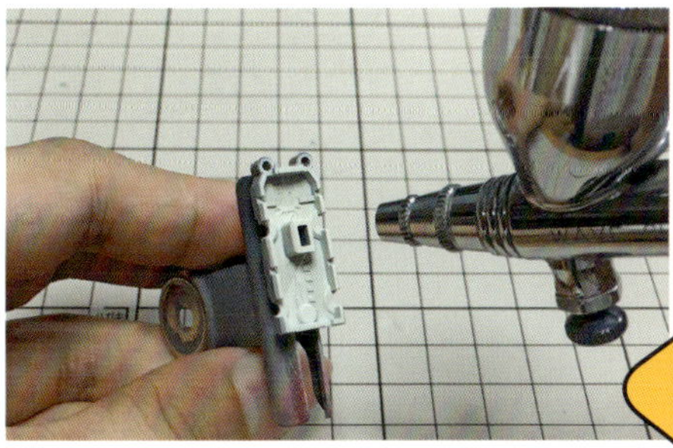

▲脚収納庫内のパーツは先にホワイトで塗ってから組み込みます。前脚パーツは抜き差しできるような構造になっているので、別に組み立てて塗装を進めておくようにします

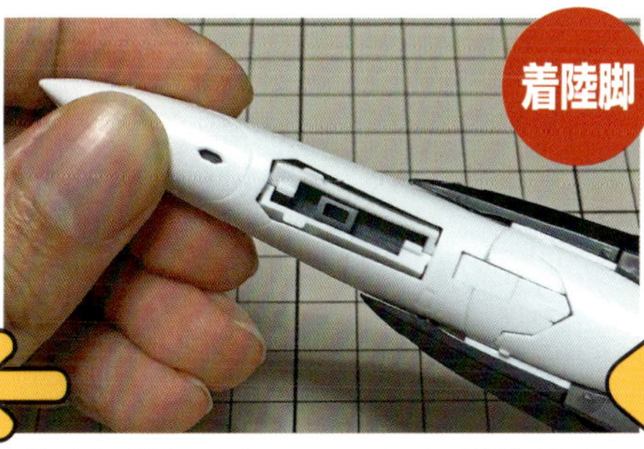

▲前脚収納庫部分ですが、1/72なのにカバーが内側に引き込むように開閉するのには驚きました！　このカバーパーツは左右がありますので間違えないように注意しましょう

▲コクピットに乗るメッサーのフィギュアの塗装です。ファレホを使って筆塗りしました。キャノピーから意外と見えるのでルーペで確認しながらできる限り塗り分けています

▲前脚のパーツには前照灯も再現されていますがちょっと小振りなので、レンズを再現するついでに作り変えてみました。キットのモールドを削ってコトブキヤの丸モールドを接着します

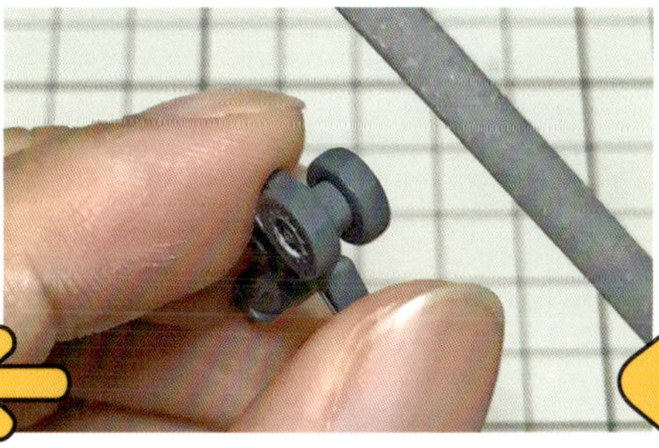

▲飛行機モデルでよくやられている定番工作ですが、タイヤの接地面を削ってタイヤの"自重変形"を再現。キットパーツでも平らになっているのですが、整形するついでにもっと削ってみました

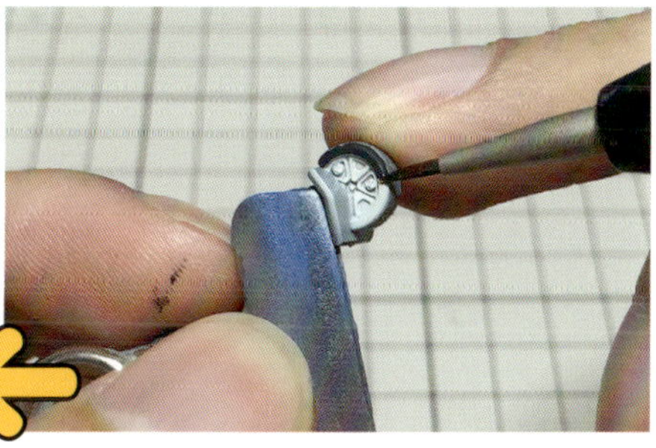

▲タイヤのゴム部分はファレホ（※）の筆塗りで塗り分けます。アクリル系塗料のファレホは筆塗りでも筆ムラがでにくく、きれいなツヤ消しで仕上がるのでタイヤの塗り分けにはぴったり

塗装に入る前に……

▼可変モデルのVFのキットを製作する場合は、ファイター時に外装同士が合わさるところを少しずつ削っておきましょう。こうしておくことで、塗料がのったときに「塗膜の厚みが干渉して収まらない!?」という事態を回避できます

▲駐機状態の航空機モデルでは着陸脚は結構目立つポイントですので、キットのディテールを活かしつつ少し手を入れてみました。流用パーツで置き換えたものも作ってみたので上を参照ください

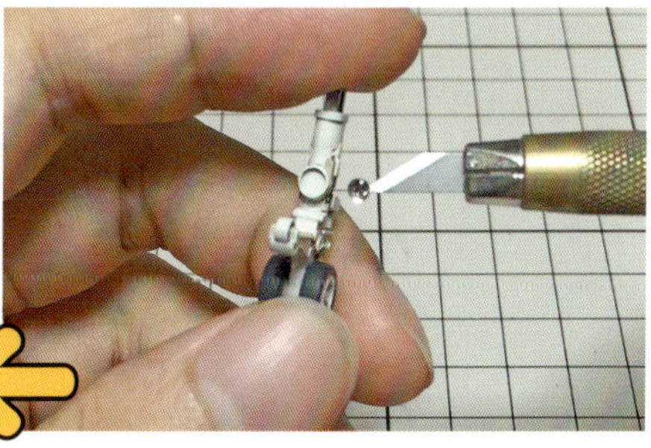

▲前照灯のライトレンズを作ります。ハセガワのミラーフィニッシュシートの上にウェーブのHアイズを貼り付けて光が当たると光るようにしたものを、先ほど接着した丸モールドに収めます

▲サーフェイサーと塗料を2回吹き重ねなくていいように、ビン入りサーフェイサーにマホガニーの塗料をを混ぜたウォーム系のグレーを吹きました。腕が収まるところも先に塗っておきます

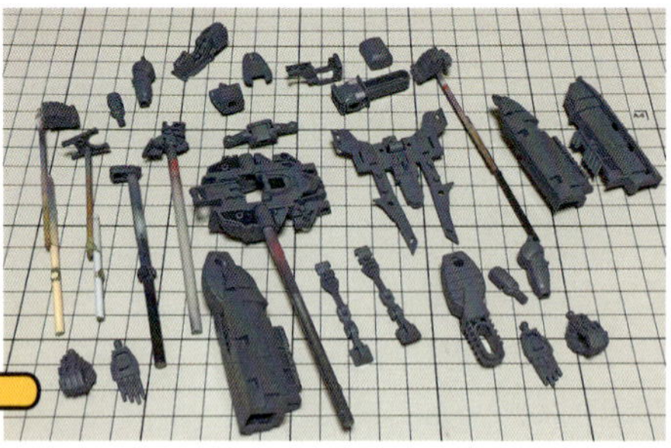

▲まずはフレームの塗装からしますが、素材がABSなのでフレームだけはプライマーを兼ねてサーフェイサーを吹くことにしました。ただし塗膜をなるべく薄くするためにひと工夫します

塗装&マーキング

完全変形1/72VFキットの塗装攻略法のカギは付属シールにあり！

カラーリングすべてをデカールで再現しようとすると、こま切れのデカールをラインなどが合うように貼っていかないといけませんし、どうしてもスジ彫りが浅くなったりするので、できるところは塗装で再現します。そこで活躍するのが付属のシール。いちからマスキングテープでマスキングしようとすると位置合わせが大変ですが、シールはぴったりのサイズですのでこれを使えばマスキングが大幅に楽になりますぞ！

▲まずは白と黒の塗り分けからいきます。パーツを黒く塗装してからシールをシワに気をつけながら貼ります。貼れたらシールに合わせて反対側にマスキングテープを貼ります

▲資料とキットのパチ組みをよく見比べて塗装の順序を考えた結果、付属するシールを型紙的に使用することに決定。パーツをまたぐ背中の白と黒のラインあたりがいちばん難易度が高そう

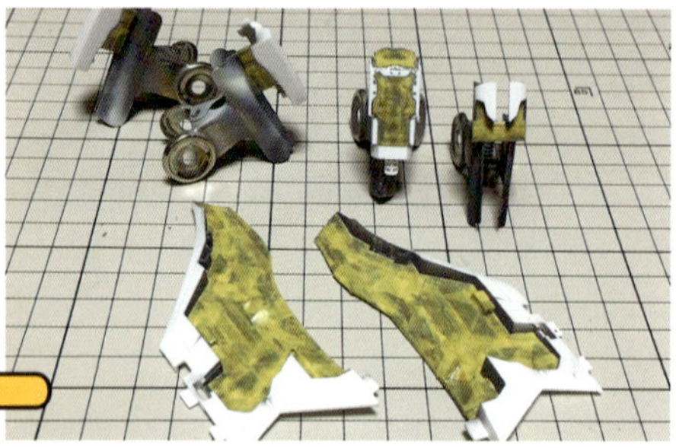

▲外装とフレーム色が同じパーツのなかにあるところは先にフレーム色を塗ってマスキングします。ハミ出したフレームのグレーは#600の耐水性サンドペーパーで削り取っておきます

▲胸のパーツは、黒いパーツを白いシールで色分けする仕様なので、ここは翼とは逆に、まずマスキングテープにシールを重ねて貼り、アウトラインに沿って切り出します

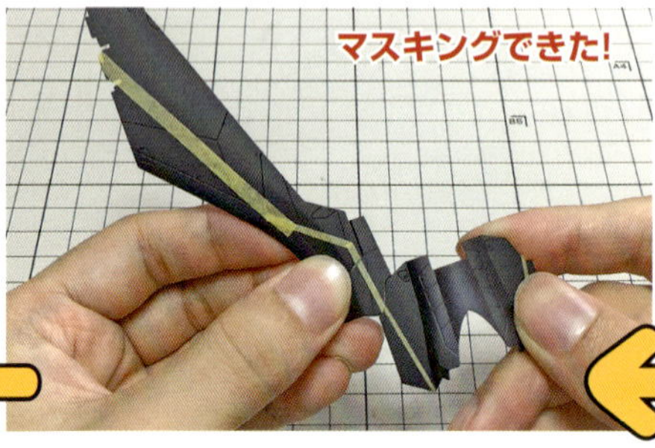

▲シールを剥がせばこのとおり境目のマスキングができました。シールの粘着力は強くありませんが、塗膜の剥がれが心配な場合は貼る前に指で触って粘着力を落としておくとよいでしょう

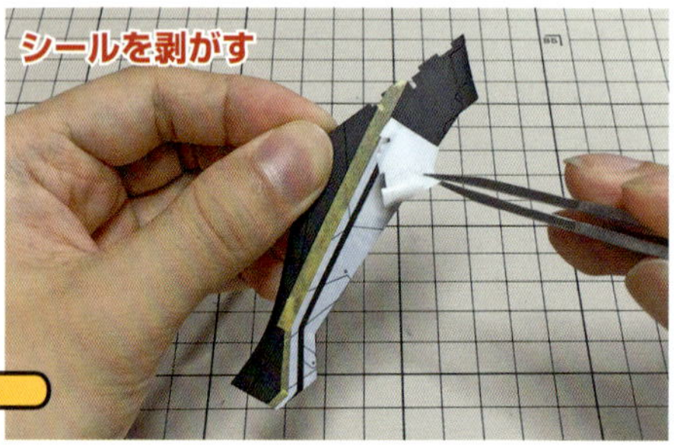

▲マスキングテープを貼り終えたらシールを剥がし、よれているところがないか確認します。なお、この付属シールは伸びる素材になっていますので曲面のところにもなじみます

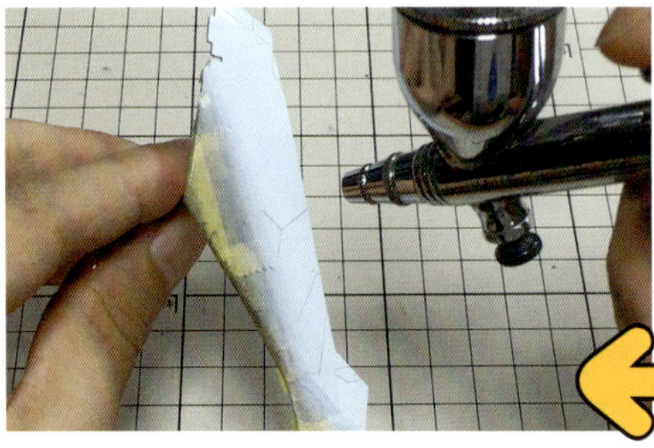

▲グレーを塗った上に白をエアブラシで吹き重ねました。黒の上から白を塗るのは心配かもしれませんが、多少厚塗りにはなるものの、このとおりちゃんと発色しますのでご安心を

▲マスキングゾルが乾いたら、まずグレーを塗ります。これは、このあと塗る白が発色しやすくなるようにしておくことで、白の塗膜がなるべく薄く塗れるようにするためです

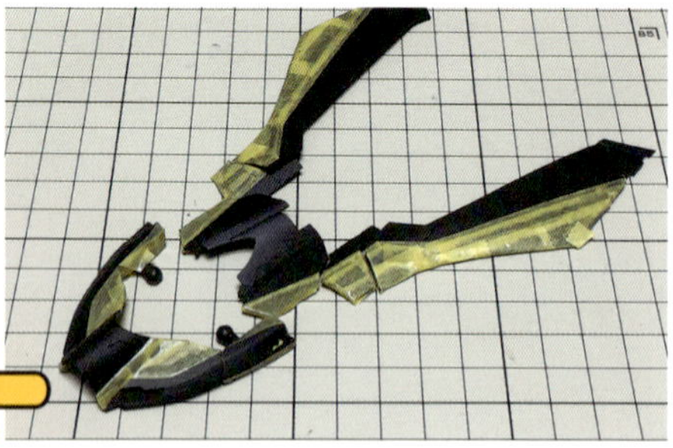

▲写真のパーツは黒を塗った上に白を塗っていくようにします。マスキングテープで境目以外を覆ったら、テープの貼り合わせ部にマスキングゾルを筆塗りして目止めしておくようにします

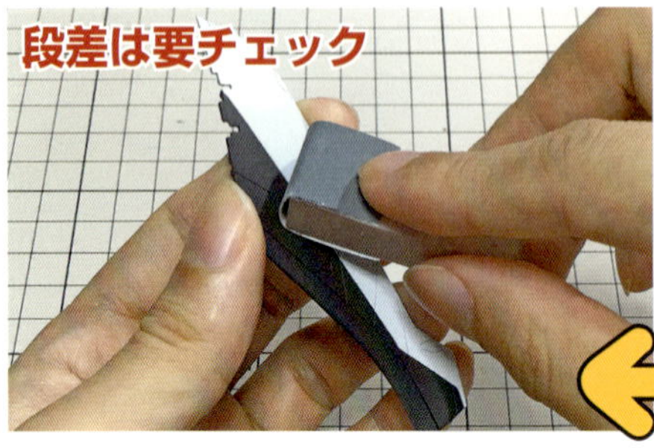

▲白はどうしても塗膜が厚めになります。白の塗料が乾いたらマスキングテープを剥がし、境目のところにできた段差は研磨材のラプロス#6000で磨いて平滑にしておくようにします

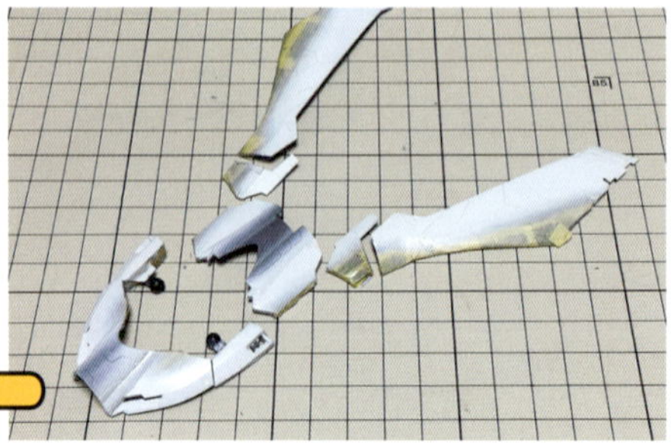

▲写真だと真っ白で塗っているように見えるかもしれませんが、本機のパイロットであるメッサーのクールなイメージを出すべく、黒を混ぜて若干グレー気味の白に振ってみました

ドローンを光らせてみよう

キットはふくらはぎに搭載されたドローンのディテールも再現。劇中だとキラキラ光りながら展開するので、蛍光塗料でブラックライトを当てると光るようにしてみました。ファレホに蛍光塗料を混ぜれば、簡単に筆塗りで再現可能

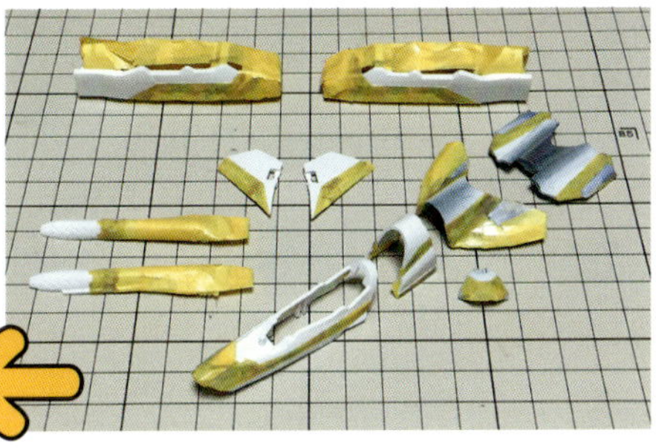

▲機首、胴体、脚などの「黒→白」を塗り終えたら、パープルっぽいグレーを塗るためにマスキングします。マスキングは、ここまで同様シールに合わせて位置を決めています

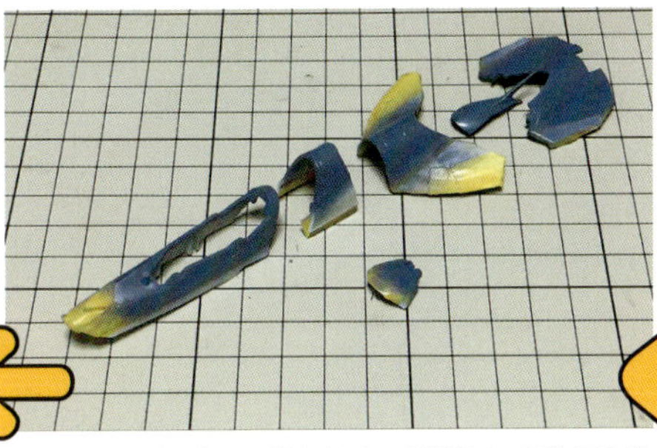

▲パープルっぽいグレーを塗りました。機首はアンチグレアのグレーもあるため4色の塗り分けになりますので少し複雑です。自分でもやっていて少し頭がこんがらがりました(笑)

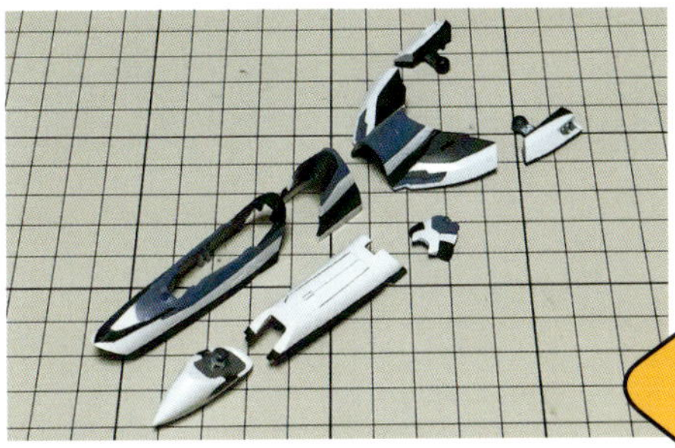

▲かなり塗装とマスキングを行ったり来たりしましたが、このような塗り分けになります。基本的に黒→マスキング→白→マスキング→紫→マスキング→黒の順で塗っていきました

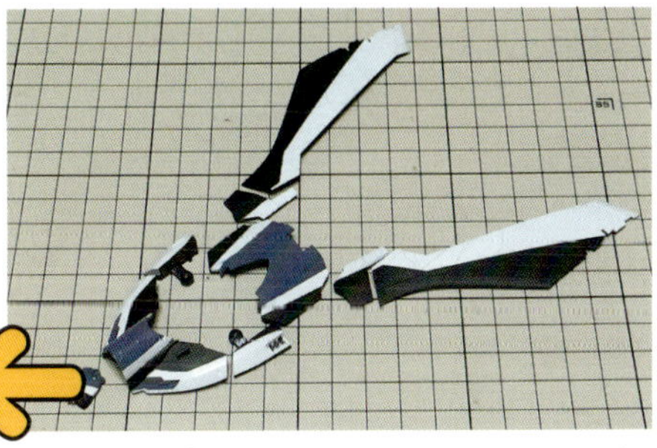

▲主翼側はこのような塗り分けになります。白いところに入る細めの黒いラインは塗り分けてもよかったのですが、より境目がシャープに出しやすそうなのでデカールでいくことにします

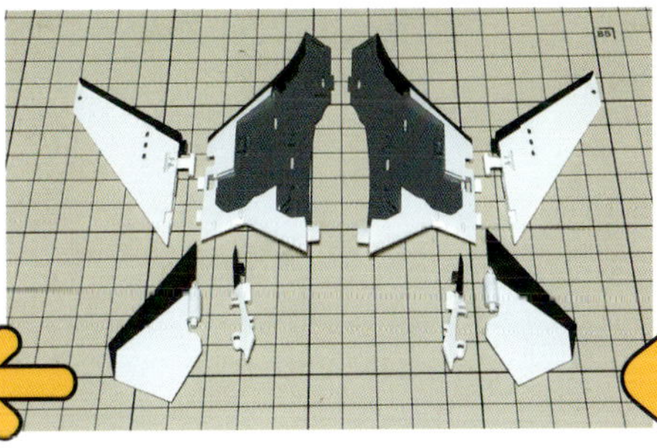

▲主翼の塗り分けが終わったところ。腕が収納されるところのグレーを先に塗ってマスキングしておいてから、ほかのところと同様にシールを使ってマスキングし、白と黒を塗り分けています

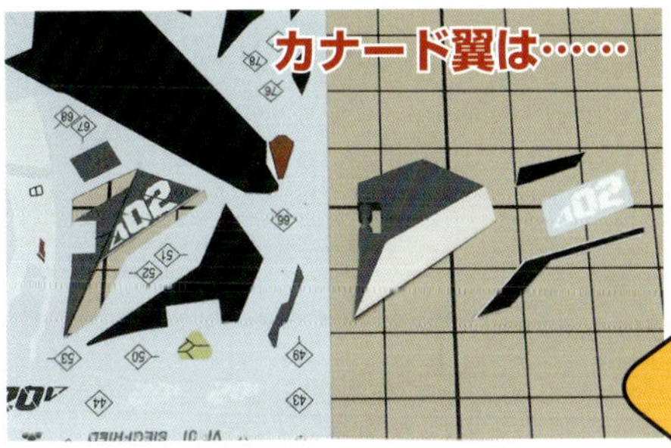

▲カナード翼はパーツを白と紫のツートンカラーにしてから、デカールの黒いライン部だけを慎重にカットして貼り付けます。複雑ですが、こうすると黒いラインがくっきりきれいにできます

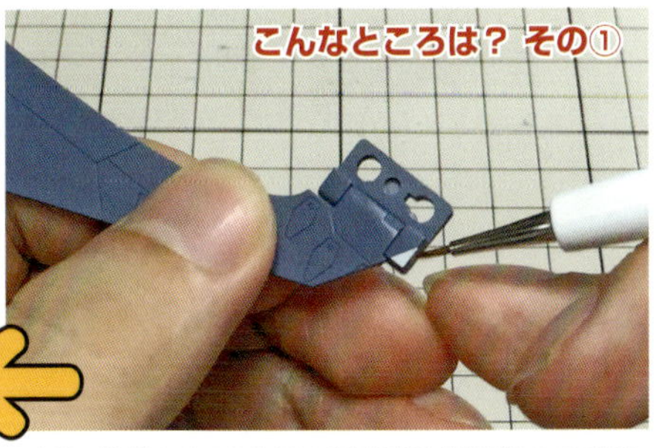

▲主翼の付け根のところ小さな三角形の塗り分けがあるので忘れずに白くしておきます。これくらいの広さならいちいちマスキングせず筆塗りで塗ってしまっても大丈夫そうです

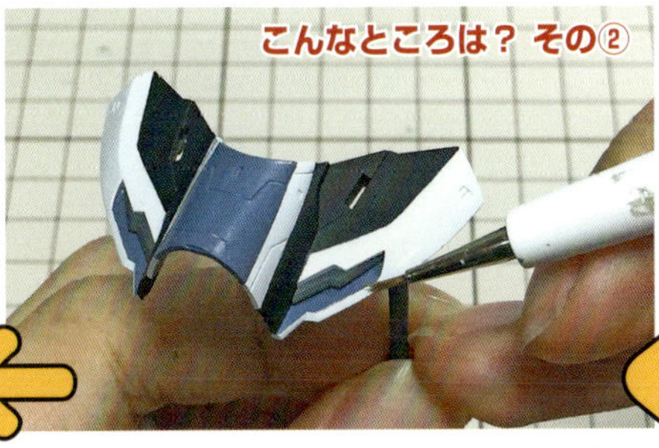

▲胸のパーツはさすがにマスキングが複雑だったので、剥がしてよく見ると各部にはみ出しが……。そこで筆でリタッチします。塗料をパレットに出して極細面相筆で慎重に描いていきます

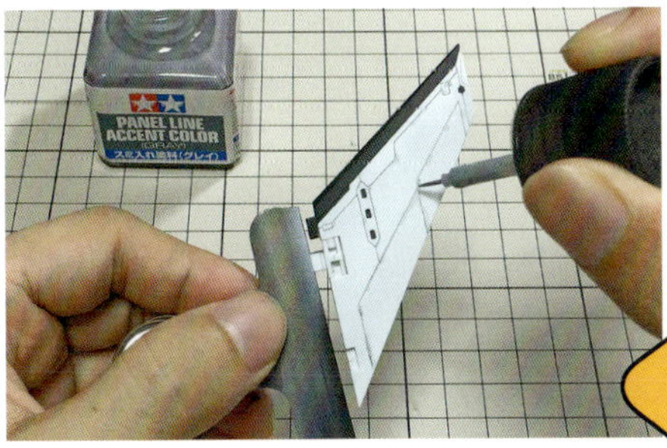

▲基本塗装が終わったらスミ入れ。白いパーツのスミ入れはタミヤのスミ入れ塗料のグレイを使用しました。乾燥後にうすめ液を含ませたガイアノーツのフィニッシュマスターで拭き取ります

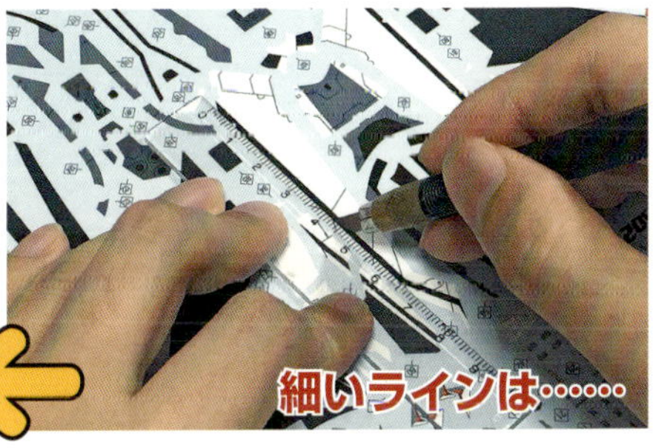

▲細い黒ラインとマーキング類はデカールを貼ります。細い黒ラインは定規を使ってナイフで慎重に切り出します。カットラインが見やすいようにプラスチック製の透明な定規を使いました

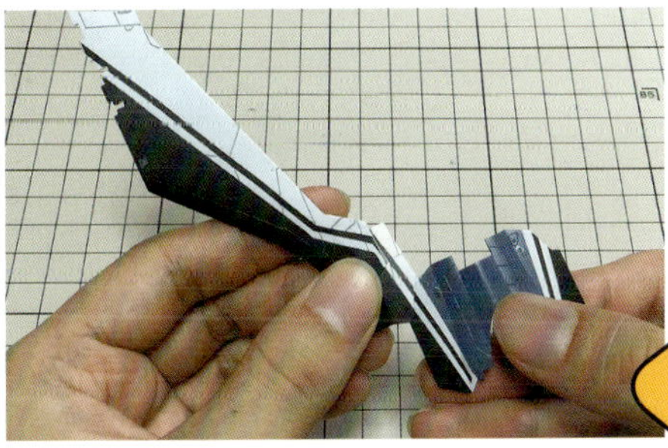

▲細い黒ラインのデカールは、パーツ同士の境目のところでちゃんとラインが揃うように確認しながら貼っていきます。手間はかかりましたが、かなりきれいにできたと思います

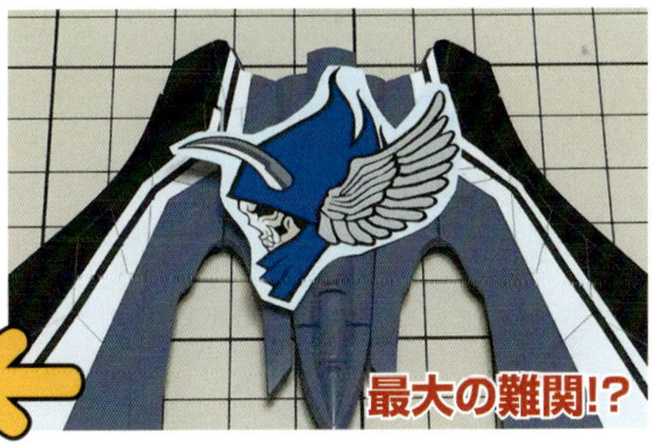

▲上面に大きく入るマーキングは、シールだと分割されていますがデカールは一体です。そのままでは貼れないので、マスキングテープでパーツを貼り留めして貼っていきます

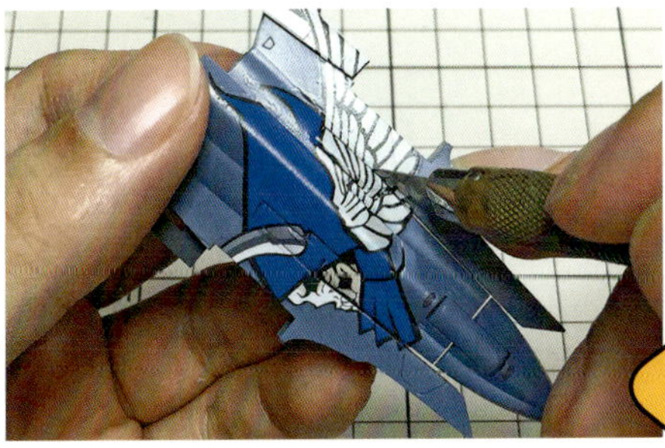

▲マーキングのデカールを貼ったら、パーツの合わせ目のところをナイフで切って分割します。ここの作業は難しめなので、心配ならここだけはシールを使うのもよいかと思います

▲あとはコーション類などのデカールを貼ってツヤ消しコーティングをして組み立てれば完成！　作る前はどうやって作ったらいいかドキドキしていましたが……案ずるより産むが易し！

もはや言うまでもないでしょうが、マクロスにおいてヴァリアブル・ファイター以上に欠かせないのが「歌姫」たちの存在（男主人公が歌ってるパターンもあったけど♡）。過去作の歌姫たちは一作品につき一人ないし二人でしたが、『マクロスΔ』ではシリーズ最多となる５人が登場。ヴァールシンドロームに対向する戦乙女、戦術音楽ユニット ワルキューレとして、Δ小隊とともに戦います。そんなワルキューレの面々を新機軸の胸像プラモデル「Figure-rise Bust」としてバンダイがキット化。高価なガレージキットやPVC製塗装済み完成品に肉薄する完成度の美少女フィギュアを2000円以下で手に入れられるという画期的な製品です。ワルキューレ5人の勢揃いで、よりかわいく魅せるFigure-rise Bust製作のポイントなども交えつつご紹介していきましょう。

Photo by KON(figuephoto)

Welcome to Figure-rise Bust...

Tactical Sound Unit Walküre
BANDAI Non-scale
Injection-plastic kit
Modeled and described by Yoshihiko MATSUDA

戦術音楽ユニット　ワルキューレ
バンダイ　ノンスケール
インジェクションプラスチックキット
Figure-rise Bust　フレイア・ヴィオン
Figure-rise Bust　カナメ・バッカニア
Figure-rise Bust　マキナ・中島
Figure-rise Bust　レイナ・プラウラー
発売中　税込各1620円
Figure-rise Bust　美雲・ギンヌメール
発売中　税込1944円
出典／『マクロスΔ』
製作・文／**松田悦彦**

Model Graphix
2017年1/2月号
掲載

バンダイが送る新シリーズ「Figure-rise Bust」とは？

『ガンダム』シリーズの男性キャラクターを皮切りに'16年よりスタートした『Figure-rise Bust』シリーズ。本ページにて作例を紹介している『マクロスΔ』の製品以降は女性キャラクターも積極的にラインナップに加えられており、『ラブライブ！サンシャイン!!』など多彩な製品が居並ぶ胸像シリーズだ。原型の製作も、普段から商業フィギュア原型を手がけている原型師によるもので、市販のPVC製フィギュアに引けをとらないクオリティーの完成品が簡単に手に入るのだ。

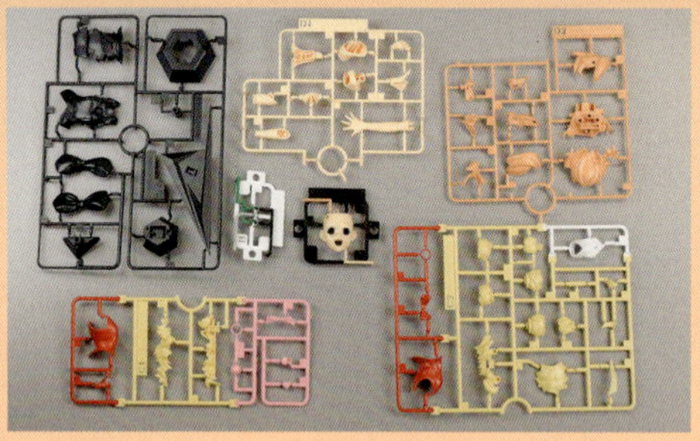

◀▲樹脂を多層成型する「システムインジェクション」の流れをくむ「レイヤードインジェクション」技術によって、瞳なども色鮮やかな成型色で再現される。パチ組みするだけで左記のような仕上がりが得られるのだ

『Figure-rise Bust』に対して「またなんかバンダイがミョーなシリーズをはじめたな〜」的に、横目にスルーしているモデラーの方々も結構いるのではないでしょうか？　たしかに組み立てが必要だし、そのまま組んだだけでは表面がちょっとツルツルしていて、塗装済み完成品フィギュアなどと比べると「もうちょっとなんとかしたい……」と思う方もいることでしょう。

しかし！　本製品は「組み立てキット」なところにこそメリットがあるのだ。加工のしやすいプラスチック製組み立てキットだからかわいさにこだわれる。「成型色を活かした半完成品的な手軽さ」と「こだって作り込めるガレージキットの良さ」の良いとこどりをしているのです。さらに言うと、大きすぎず小さすぎず、胸像としてちょうど良い大きさで、ロボットモデルにオマケで付属しているミニサイズフィギュアでは味わえない、肉体の曲面美を楽しめ、メイクアップをしてみるにもちょうどよし。完成後に飾ったときの存在感もいい感じでこのFigure-rise Bust、塗装済みフィギュアの「代替品」としてではなく、あくまで組み立てキットとしての長所を意識して楽しんでみてはいかがでしょう？■

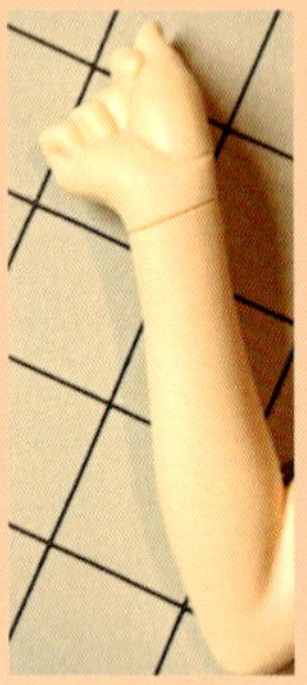

▶Figure-rise Bustにはインジェクションプラスチックキットならではの弱点も。肉厚なパーツ成型ができないためパーツの合わせめができるのは必然ですが、フィギュアではこの合わせ目が肌のところにあるとどうしても気になります。そこで合わせ目処理のテクも伝授！

◀逆テーパーが成型できないのもプラスチックのインジェクション成型の弱点。パーツはうまく処理されていますが、そこはプラモデルであることを活かし、彫り込みやパテ盛りしてみよう

パテなどを使ってみる

歌は生命!! カナメ・バッカニア

カナメの製作では少しだけパテを使うことにしてみましょう。ただ、「要点を絞った工作での効率的な仕上げ」というテーマはマキナと共通です。

◆一歩進んだ顔面整形

カナメは、組み上がった状態で目線を合わせたところが見た目のベストポジションのように感じます。しかしながら回転させながらある程度角度を変えて眺めていってみると、もう少しかわいく見せられそうな角度があります。いろんなアングルから見られるのが立体物の利点ですから、ベストポジション的なかわいさが楽しめる角度を増やしていくのが顔面整形の目的です。

下顎部から耳の下までのラインが前方に張り出しているのが気になるのと、頬のお肉が平面的な肉付きに見えるので、120番の紙ヤスリで削って顔の立体感を増していきます。体まで仮組みして、いろんな角度から観察していくと、どこを削ればいいのかがなんとなく見えてくるでしょう。それでもわからない場合は、自分がかわいいと感じるフィギュアを買ってきて見比べてみるのがオススメ。これはもちろんかわいさに優劣をつけるのが目的ではなく、自分が思うかわいさがどのような立体表現からもたらされているかの参考にするため。

◀マキナと同様、逆エッジを彫ることで髪の情報量を増やしつつ、「金型から一方向から抜いたようなプラモデル感」を減らしていきます。また、ピョコンとハネた毛束と顔面サイドの毛束にドライヤーを当てて柔らかくし、顔面方向に毛先を近づけます。静止状態からキュッと左側を向いた瞬間をイメージして、ほんの少し角度を変えてやると動きのイメージが増します

▲サイドに飛び出る毛束の根本あたりに、サイド部分への髪の流れから毛束が突然から産まれたよ！みたいなモヤっとした凹みがあります。サイドに流れる毛束の根本もふんわり盛り上がっていて、メリハリが欲しくなったので、エポキシパテで造形しました

◆なんか服がカッコイイ

カナメさんは「ザッ！」て感じの擬音が似合いそうなポージングで、ひるがえったスソやネクタイが、動きを感じさせて非常にカッコイイのです。そのひるがえった衣裳のスソと体のスキマにワビとサビを感じましょう。するとスソの部分がなんだか分厚いことに気が付きましたね？　ここをどうにかするだけで宿ります、神が。

で、結局「布感って何なの？」ってことなのですが、ざっくり書いてしまうと「生地の厚み」の見せ方が布感のキモということになります。このくらいフワっと翻るような生地でしたら、恐らく厚みはあまりないはず。となると違和感を覚えた原因は、ベストと体の密着具合にあるはずです。

服というのは体の突き出た部分に引っ張られ、そこから吊り下げられます。ベストで説明しますと、僧帽筋と鎖骨に布が吊るされ、胸に引っ張られながら吊り下げられる関係になっています。吊り下げられる布は柔らかいものなので、吊るす側の頂点との間では多少たるみができます。この関係性を再現することで、より「布っぽく」魅せられる、という仕組みです。

具体的にどういう工作をするのかというと、「僧帽筋の頂点と鎖骨の間の布部分を削り、たるませる」「鎖骨に乗っている布を鎖骨の形状がわかるレベルまで薄く削る」「鎖骨と胸の間の布部分を削り、たるませる」の三点です。この工作はモーターツールがあると非常に楽にできますが、持っていない方もおられるでしょう。そういう場合は、まずデザインナイフなどで大まかにカットしていき、スポンジヤスリでならしていくとよいでしょう。■

◀▲ベストやシャツのエリなどは、「布っぽさ」を追求して削りこみや成型を徹底的に行ないました。左のベストの写真で説明すると、黒い成型色が出ているところが削りこんだ箇所。こういった箇所を削りこむことで生地の薄さを表現していきます

一週間でキャワいくしてみよう♪

歌は希望！マキナ・中島

パチ組み＋シール状態

私はどんなジャンルの模型でも塗って作るのですが、皆さんはどうでしょうか。偏ってますか？　偏ってませんか？　そもそも塗らなかったり……？

偏ってる方でもそうでない方でも、一回作ってみてほしいおもしろいキットがあるんですよ。それがこれ、フィギュアライズバストのマキナ。この手の可愛いフィギュアを塗ったことのない方でも、要点をおさえればすぐにできるようなローカロリーフィニッシュをご紹介してみます。

「肌色と髪の毛は成型色を活かす」「ポイントを絞ってできる限り低カロリーな工作」「8時帰宅の人が一週間くらい作業して、週末はエアブラシをレンタルして仕上げる想定」で、作業は一日3時間を5日分という感じで作業を行なってみました。安価に買えてスルメのように味わえる素敵体験をぜひ楽しんでみてください。■

STEP1 まずは顔から

▲目の再現、すごいですよね。すごいんですが、色の境界が少しヒケてたりしてるので1000番と2000番の紙ヤスリをあてて、コンパウンドで磨いてみてください。作例では、面の曲率を変えたくなかったので一度クリアーを塗ってから磨いています。クリアーを吹くだけでもだいぶヒケは目立たなくなるので、磨かずにそのままでもいいかもしれませんね

◀より立体感を増やすため顔面の曲率を変えていきます。顔パーツを観察していちばんかわいく見えるベスト角度を探してみましょう。そのベスト角度の中心に印をつけて基準点を出し、違和感を覚えた部分を洗い出し、スポンジヤスリで削ってベストな形状にしていきます

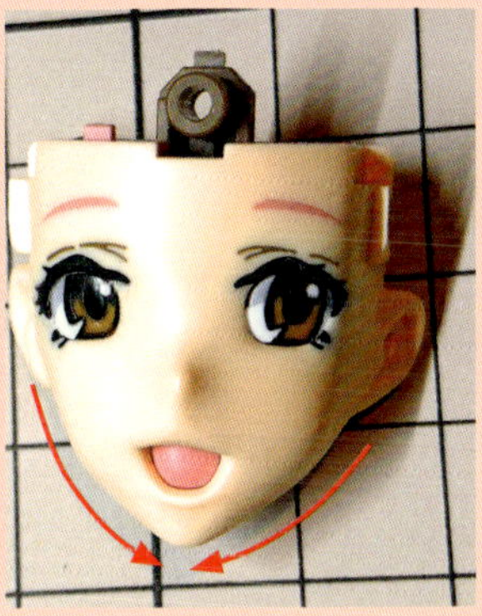

◀整形が終わったパーツは800番くらいまでの紙ヤスリで磨いたあと、ツヤありクリアーの缶スプレーを吹いてツルツルにします。乾燥したらコピックペンライナー0・03㎜でまつ毛やアイラインを少し長めに描いていきます。書き足したまつ毛などは、エナメル系うすめ液を含ませた面相筆で削り取るようにして先端が鋭くなるよう調整しましょう。肌色部分が汚れてもコンパウンドで軽く磨けばキレイになります

STEP2 合わせ目を消そう

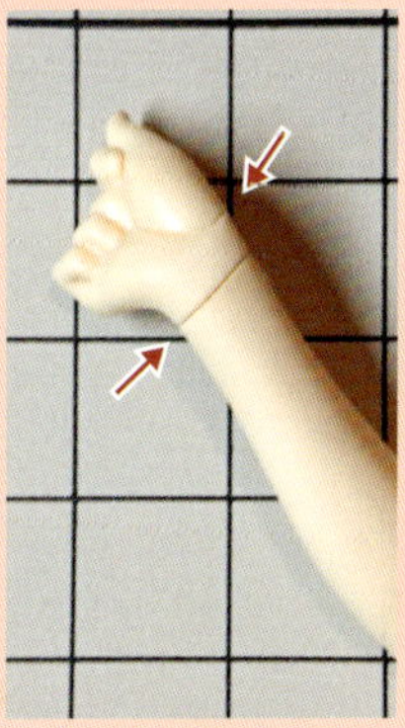

▶キットの合いは恐ろしいまでに洗練されており、吸い付くようにピッタリとくっつきます。注視してようやく、ほんのうっすら合わせ目が見える程度です。何もしなくていいんじゃないかな、とも思ったのですが、気になるという方もおられるでしょう。そんなあなたにおすすめしたいのが「パステル瞬着」です

▲ここで言う「パステル瞬着」とはガイアノーツの「瞬間カラーパテ ホワイト」に粉パステル（ホルベイン社パンパステル パーマネントレッドティント&パーマネントオレンジティント）を混ぜて盛りつけるだけ。色合い調整もでき削りやすいスグレモノ

▶パステルをパレットに出し、爪楊枝などでこまかくします。これを疎かにすると色が均一にならず、合わせ目の色がマダラになりますので、くれぐれもご注意を。こまかくしたパステル同士を混ぜ合わせ、色相を合わせていきます。オレンジに少しずつレッドを足していくのがポイント。パステルと肌の成型色の色相が合ったタイミングで白い瞬間接着剤を混ぜ、明度を上げつつ彩度を落とします。パステル瞬着は硬化後に色が多少濃くなるため、バッチリ同色ではなく〝少し白め〟に調整するのがミソです

◀「パステル瞬着」を合わせ目に塗ってから貼り合わせます。合わせ目にパテが盛り上がってきて表面にハミ出すくらい塗りつけましょう。これは、「パステル瞬着」は隙間に入り込むため、硬化時に思わぬヒケが発生することがあるからです。瞬間接着剤硬化スプレーを吹き付けて硬化を待ち、はみ出した部分を削れば合わせ目処理は終了です

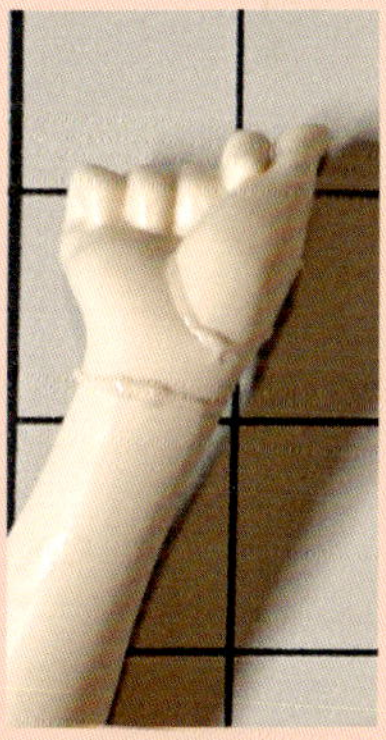

STEP3 髪の毛の彫り込み

▲パーツを眺めてみると、金型で硬いプラスチックを成形する都合上、髪の毛パーツの谷の部分……いわゆる逆エッジがほんのり眠たくなっているのでそこを彫り込みます。毛束を分ける逆エッジを処理する部分に、ペンなどでガイドを引いて、見逃しがないようにしておきましょう

▼片刃の目立てヤスリやデザインナイフ、超硬スクレーパーやタガネなどを用いて毛束を彫り込み、スポンジヤスリやゴッドハンドの「神ヤス」などで処理します。髪の毛のプラスチックは柔らかいので、なるべく力をかけずに工作していきましょう。髪の毛の流れを意識して、末端に行くにしたがって深く広くするなどの強弱をつけていくとより"らしく"なります。ちなみに髪の毛パーツの合わせ目はガイアノーツの瞬間カラーパテのマゼンタ：ホワイト：イエローを3：6：1でブレンドして処理しました

STEP4 塗装とお化粧

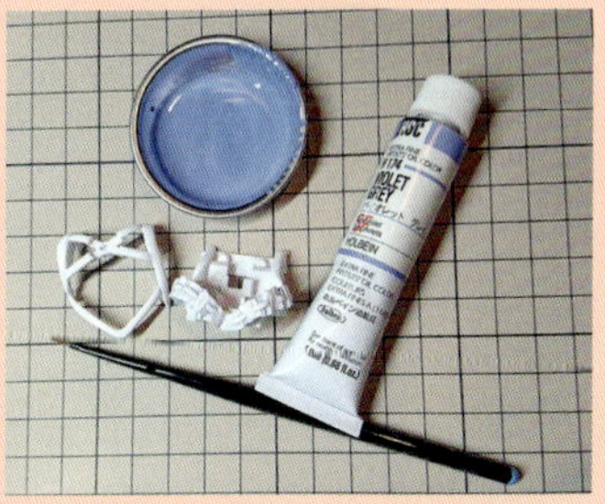

▲白いパーツに影色を塗っていきます。油絵の具をガイアノーツのエナメル系うすめ液で希釈して、ウォッシングの要領で塗ります。「バイオレットグレイ」は清潔感が出ておすすめです

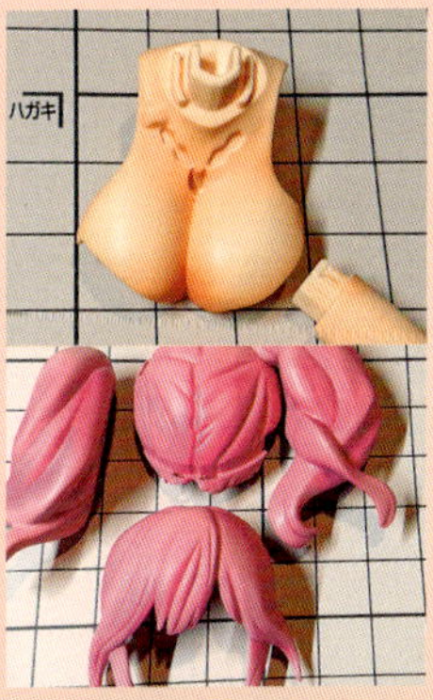

▶肌色や髪の毛など、成型色を活かす部分には前もってクリアーを吹いておきます。これはシャバシャバの塗料を吹いてもタレにくいようにするためで、溶剤がクリアーの層に吸われ、薄めに希釈した塗料でもタレにくくなります。肌色はガイアカラーのサフレスピンクとサフレスオレンジを混ぜて少しオレンジ寄りにしたもの。髪の毛は純色マゼンタをそのままシャドーとして吹きつけます。一気に色をのせようとするとしくじりやすいので、少しずつ発色させていきましょう

▶小物の部分塗装などを終えたら、合わせ目消しに使ったパステルでチークを入れます。シャドー部には黄色寄りの影がついていますので、パーマネントレッドティントのみでよいでしょう。エナメル系塗料のホワイトで描いたハイライトを中心に、頬骨にパステルを乗せていきます。打った点がパステルでボケるくらいまで色をのせてしまいます。こうするとハイライトの唐突感を減らすことができます。また、ヒジや鼻などの突端部分にもパステルをのせていきましょう。光が透過しにくくなり、色の沈みが減ります

歌は愛！
レイナ・プラウラー

歌は神秘！
美雲・ギンヌメール

これで楽チンに仕上がりが向上する Figure-rise Bustド定番テク

肌は成型色＋シャドーで「透け感」を出そう

●フィギュアライズバストの肌色成型色はとてもいい色味が出ています。人間の肌は多少透け感があったほうがいいので、全塗装派のモデラーでも成型色を活かした透かし仕上げを推奨。クリアーカラーやモデルカステンの粘膜クリアーなどで凹んだ箇所や影になったところなどにシャドーを入れるだけでも、かなりいい雰囲気に仕上がる

服のフチはうすーく削り込む

●金型成型のプラスチックパーツは成型の都合上フチが厚めになりますが、布の縁は薄いものなので、服としては厚ぼったく感じてしまいます。そんなときは、ナイフなどでフチだけ薄く削り込むだけでもかなり雰囲気がよくなります。ヤスリやモーターツールなどを使って、繊維のひっぱられ具合まで演出できるようになったら一流でしょう

チークは、パステルで尖ったところに入れる

●頬のチーク入れにはパステルが便利。肩やヒジの先端といった身体の尖ったところにもパステルで色をのせるとよい。イラスト的な表現にはなりますが、皮膚が光を透過したようにも見えますので、より柔らかそうな印象にすることができます。また、鼻やアゴの先端にも軽く塗布しておくと成型色が暗く沈むのを防げます。最後に、唇にはエナメル系塗料のクリアーでグロスリップを！

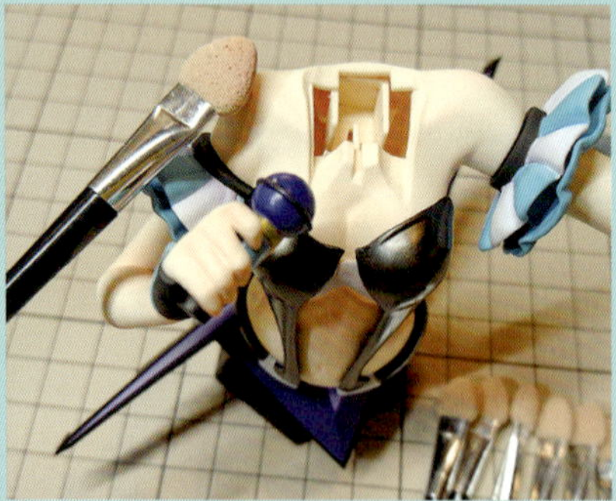

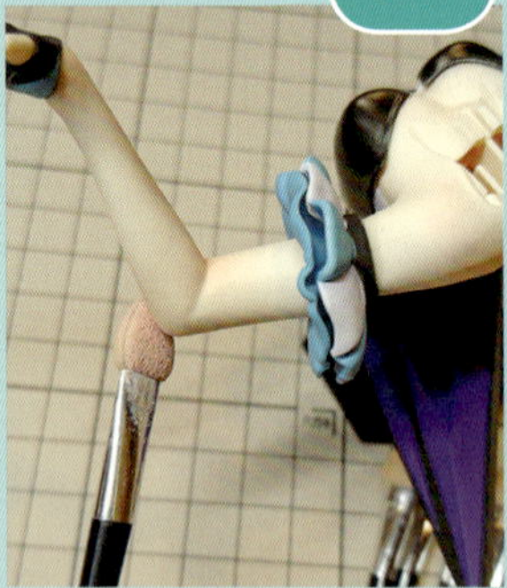

造型的には袖と髪の毛を攻めよ

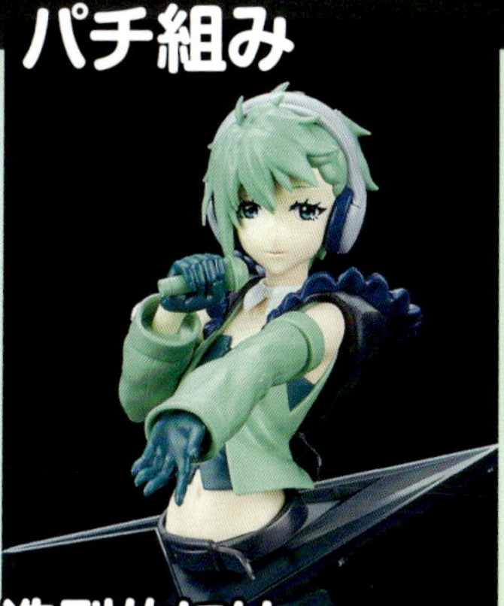

●ハッカーというインドア属性なレイナはモコモコっとした衣装が特徴的。ほかのメンバーにはない「袖」がかわいらしいですが、腕の収まり方にはちょっと違和感アリ。また、カナメの製作同様に、前髪をエポキシパテでボリュームアップさせてみましょう

袖口を加工してみよう！

▶レイナのコーデはバホっとした袖から生えてる手首が超キュートなんですが、「プラスチックの面に腕が刺さっている」というような感じのパーツ構成がいかにもプラモデルの完成品っぽさを強調してしまっていますので、ここを修整していきましょう

◀まず、デザインナイフやモーターツールを使って腕パーツの袖口内の部分を取り払い、袖パーツが筒状になるようにします。ここのプラスチックは柔らかいので加工はしやすいです。袖口の内部を削り取ったら、エポキシパテでキットでは再現されていない前腕を作りますが、3㎝くらいあれば袖口から覗く範囲はカバーできます。新造部分は今回も基本肌色は成型色を活かして仕上げていますが、ガイアカラーのノーツホワイトフレッシュで塗装しました

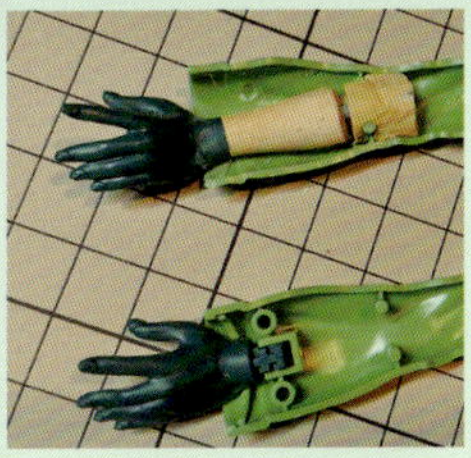

前髪をいじってみよう

▲キットのパーツ（右）とパテ盛りして髪の毛の房を増やしたパーツ（左）。もともとの髪の毛パーツに違和感なく自作部分を馴染ませるには、「唐突に生えてきた感じ」をなくすようにすることが重要です。髪パーツを顔に組み付けた状態で頭全体を真上から見るようにすると、つむじからの毛の流れが把握しやすいです

▼もう少し髪の毛で目が隠れた感じにしたいかなと思ったので、前髪に0.4㎜の真ちゅう線を芯にして前髪の房を足すことにしました。上記の工作で前腕を作る際に余ったエポキシパテを使います

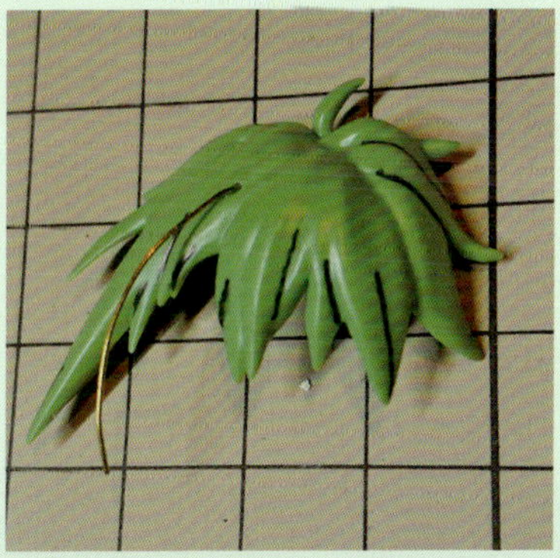

▲前髪は逆エッジ部分が少しユルいので、マキナやカナメ同様に目立てヤスリなどで彫り込んでバキバキにエッジを立てました。黒マーカーで描き込んだ箇所を彫り込んでいます

衣装と肌の隙間が織りなすフォールド空間！

●美雲さんはなんといっても髪の毛のボリュームが圧巻！　重さも結構あるため、完成後は首を接着してしまったほうがいいかも。露出度の高さが特徴的なので、服と身体の「スキマ」を攻めるとイイ感じに仕上がります

サスペンダー(？)をかっこよくしよう

▼「引っ張られているところ」「生地が余っているところ」を想像しながら整形すると布らしさが出ます。フチを削るときも、表から削る／裏から削るを使い分けていきます。フチを薄くしたら、胸のカップに沿ってリューターを当てて布の引っ張られ感を出していきます

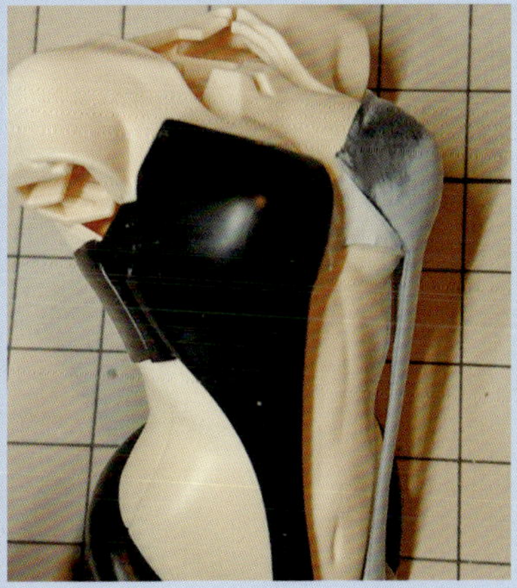

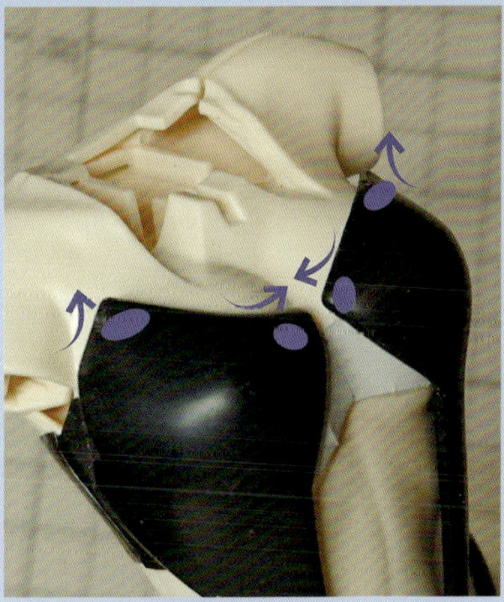

▲胸の上に乗っている黒いパーツ（便宜上サスペンダーと呼びます）のフチを薄くして、プラモデルっぽさを減らします。ここは「尖っているところが少し反り返っている」ように矢印のように紙ヤスリをあてていきます

頭部の作り込み

▼ものすごいボリュームの後ろ髪は3ブロックに分かれていますので、はじめにブロックごとに合わせ目を処理しましょう。瞬間接着剤でくっつけてかた120番くらいの紙ヤスリでガシガシ削るとよいです

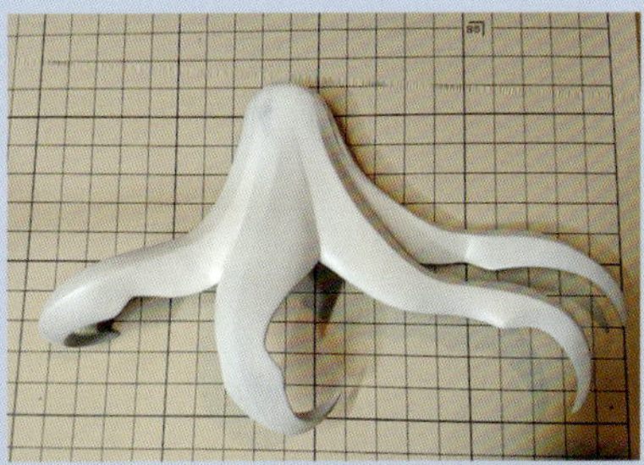

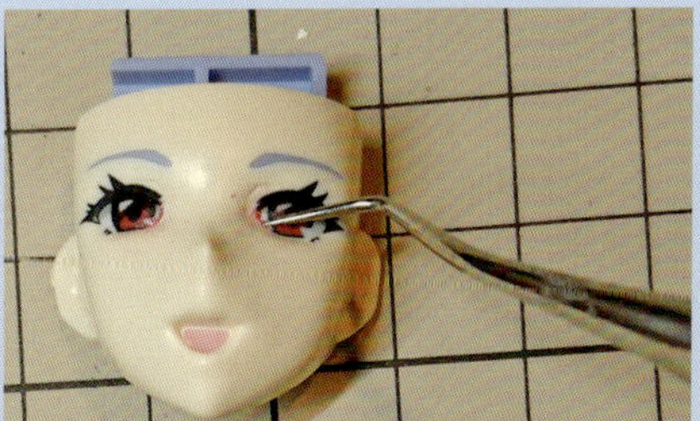

▲顔パーツと目パーツの間の隙間は瞬間カラーパテの赤を充填して埋めていくようにしました。ここに隙間があると、肌色のプラスチックが透けて目の周りに黒い影が落ちてしまい、「パンダ目状態」に見えてしまいます

▼顔パーツは「下から見た時にカマボコ型に近づく」ように削って整形していきます。そこを気をつけて形を整えると、キット状態より立体感が際立ってきます

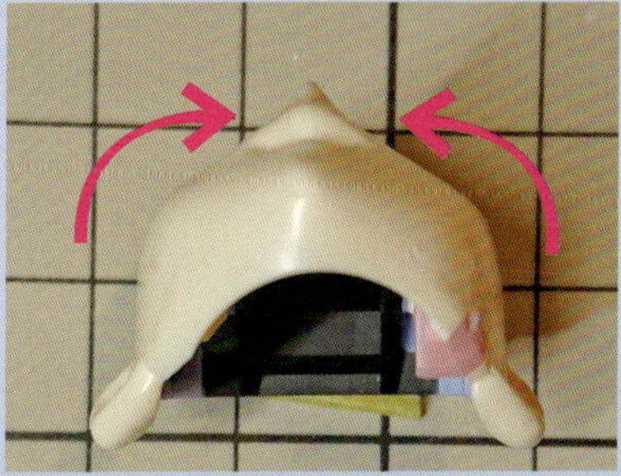

SMS
DANGER

「エクスカリバー」は折れず！
19年を経てなお飛び続けるイサムと再会の19

航空機然としたファイター形態にスーパーパックを装着することで宇宙機へと大きく変貌するのがヴァリアブル・ファイターの大きな魅力のひとつ。とくに航空機テイストが強めでカッコいいVF-19に、これまたカッコいい大型ブースターつきのVF-25用スーパーパックを装着したらカッコいいに決まってるじゃない。そのうえ「いくぜカワイコちゃん、イヤッホゥ!! byイサム・ダイソン」なんてやられたら、これは作らざるをえなくなるってもんです。たった1カットで強烈な印象を残した蘇りしイサムの愛機、劇場版公開から6年越しでついにハセガワからキットが発売されたので、早速作ってみよう!!

VF-19EF/A イサム・スペシャル “マクロスF”
ハセカワ　1/72
インジェクションプラスチックキット
限定生産　税別4536円
出典／『劇場版 マクロスF ～サヨナラノツバサ～』
製作・文／**さたまみ**（firstAge）

Model Graphix
2017年8月号
掲載

『サヨナラノツバサ』から
6年越しのキット発売
再会を祝って……
“カワイコちゃん”に乾杯さ!!

●本作例のVF-19EF/A、通称「エクスカリバー・アドバンス」は、『マクロスプラス』の主人公だったイサム・ダイソンが劇場アニメ『劇場版マクロスF ～サヨナラノツバサ～』で搭乗した機体。本機はかつてイサムが搭乗したテスト機YF-19そのものではなく、大幅にデチューンされたVF-19EFをベースに2050年代の技術で改良を加えたものだ。キットでは新規造形の脚、肩用スーパーパックを新規造形、同社製VF-25用スーパーパックの一部を使用。劇場版での登場から6年の時を経て、とにかくカッコいい「カワイコちゃん」を手にとることができるようになったのだ

HASEGAWA 1/72 VF-19EF/A ADVANCE EXCALIBUR

VF-19EF/A ISAMU SPECIAL
"MACROSS FRONTIER"
HASEGAWA 1/72
Injection-plastic kit
Modeled and described by
SATAMAMI

ハセガワから1／72 YF・19が発売されてから、はや15年。YF・19、VF・19はさまざまなバリエーションキットが発売されてきました。非常に組みやすいキットで、組み立てていてとくに引っかかるような場面もありませんでしたし、すでに組み立てたことがある方も多いでしょうから、ここでは基本的に組み立てについての説明は割愛します。非常に組みやす意キットだけに作例は何をしようかというところですが、今回はこの「カワイコちゃん」の一部にネオジム磁石を仕込むなどして一部パック着脱が可能になるよう加工してみました。

まずはVF・25のブースターを着脱可能にすべく、ブースターおよびVF・19の翼にネオジム磁石を仕込みます。このとき翼と胴体、ブースターは位置決めのために仮組み、位置合わせをくり返すことになりますので、翼と胴体は分離可能なように接着しないでおくと加工が楽になります。翼側はゴッドハンドの「スピンブレード」で埋め込むネオジム磁石の高さぶん、貫通しないように掘ります。高さ1㎜程度のネオジム磁石も市販されていますので（ハイキューパーツ製品など）、主翼に仕込むのにさほど苦労はしないでしょう。この際通常のドリルでもいいのでは？ と思われるかもしれませんが、ドリルの場合だとすり鉢状になってしまうところ、スピンブレードだと底面が平らになり、今回のように貫通せず深く掘る場合に便利です。主翼側と比べてブースター側は内部空間に余裕があるので、プラスチックパーツ越しでも磁力を維持できるよう、大きめの磁石を内部に配置します。

また、バトロイド時に肩になる部分に装着するSJ1、SJ9のパーツ（マイクロミサイルポッドなんですね）はボディとの干渉部分を切除し、スーパーパック同様にネオジム磁石を仕込んでいます。ここを着脱可能にする際は、不要パーツとされているA7、A8を取り付けることをお忘れなく。以上2箇所を着脱可能にすれば、『マクロスプラス』劇中で見せたファストパック装備YF・19にもすることができるようになります（SMSマークがついていますし、そもそもVF・19なのでなんちゃってですが）。

また、過去にハセガワ製VF・25を個人的に製作していて、それはギアハッチを開閉選択式にしていたので、並べて飾るときのことを考え、ハッチを差し替え可能に加工しました。キットパーツをもう1セット用意して、閉状態のハッチはネオジム磁石で、開状態はおなじくネオジム磁石や金属線、虫ピンにより固定可能に。極小の磁石をいくつも配置する必要があるので、ヘンなところにくっつかないよう極性の配置には気を使いますが、完成すれば余計なダボなどを露出させずに着脱が可能なのでやりがいはあります。ビバ・マグネットパワー！

塗装ですが、YF・19、VF・19は本体のベージュ色の色味が難しいですね。いくつかテストで作ってみた結果、最終的に「組み立て説明書で指示されているものがもっともよい」という結果になりました。残りは手元にあるものから使用しています。

○本体カラー／318番レドーム（M）＋313番イエローFS33531（M）＋1番ホワイト（M）
○レッド／バーチャロンカラー ローズブライトレッド（G）
○ホワイト／ニュートラルグレーI（G）
○ブラック／Ex-ブラック（G）
○グレー／ニュートラルグレーIV（G）
○バーニア類／GXメタルブラック（M）
○グリーン／熟成継ぎ足しタレ状態の自作グリーンがベースなので詳しい状態は不明。
（M／GSIクレオス Mrカラー、G／ガイアノーツ ガイアカラー）

基本塗装終了後、一度クリアーを吹いてからスミ入れ・デカールを貼り、Exフラットクリアーでコートしています。

VF・19は過去に一度組んだことがある程度でしたが、思ったより楽に組み上がったので、やはりハセガワのVFキットはよいなーと思った次第。本誌発売のころには発売になっている『マクロスΔ』のVF・31J、またそれに続くVF・31Aなどの商品展開もますます楽しみになりました。VF・19のライバルな青いアレもパック付きで製品化しないかなーって淡い期待もしとります。■

●ファストパック装備時はエンジンが下方に移動し、全体的に前傾姿勢となる。作例に使用したキットには新規で下げ状態にするためのアタッチメントパーツが付属

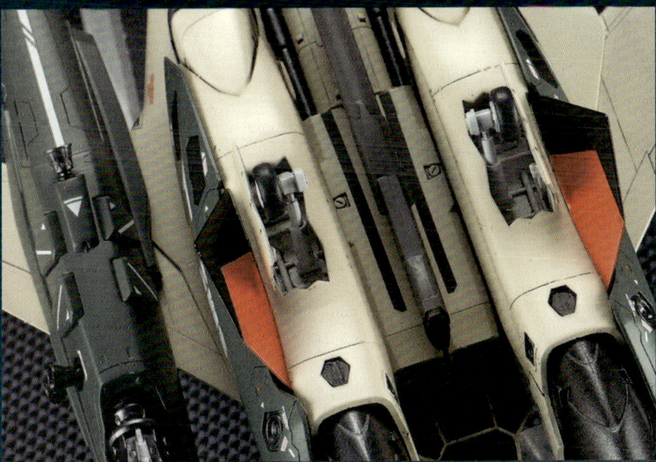

●VF-19コクピット用に新規造形されたS.M.Sパイロットフィギュア（イサム・ダイソン）はていねいに塗りわけた。このサイズならラッカー系塗料を使用してもさほど筆ムラは目立たない

●パーツの差し替えにネオジム磁石を使用するとダボなどが露出せずキレイに仕上げやすい反面、磁石のみでは位置が決まらなくなる。とくにランディングギアなど重量がかかる部分はズレやすく、軸打ちするなど、位置決め対策が必要になってくるだろう

●収納庫のハッチは差し替えで開閉選択可能とした。開状態が基本のキットなので、まずダボを切り取って整形し、ハッチ同士を接着してから本体とすり合わせ、ツライチになるよう加工している

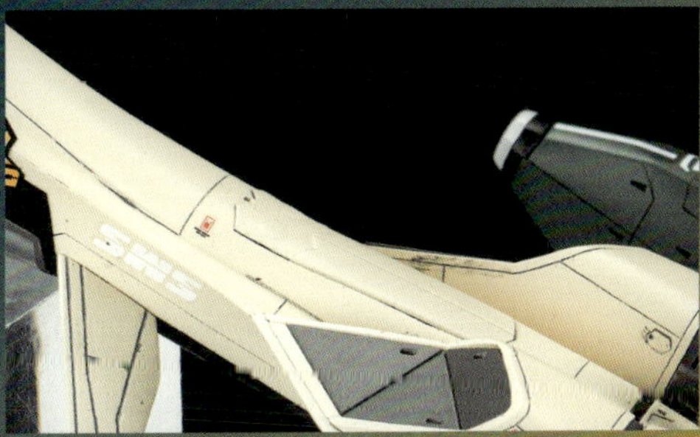

マグネットパワーでファストパックを着脱可能に

●主翼スーパーパックは翼に挟み込むという構造上、接着よりも磁石による接続にしたほうが、接着跡が出ないなどメリットが大きい。今回は肩部ポッドとともに磁石による差し替え式としたことで、「VF-19ファストパック装着型」にすることも可能となった。磁石接続にする際に気をつけたいポイントだが、左右あるパーツは、磁石の向きをそれぞれ逆向きにしておくと、左右取り違えて取り付けようとしたときに反発するので、間違えが発生しなくなる。意識しておくと後々便利だぞ

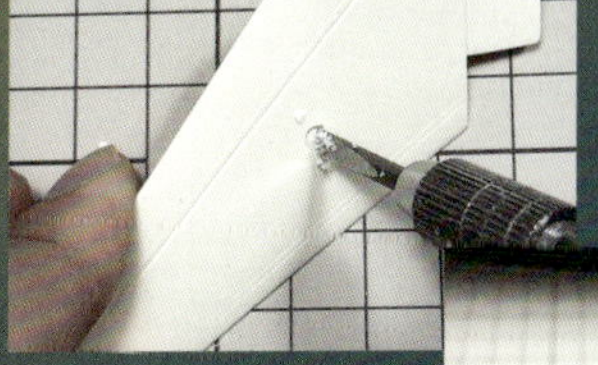

◀ゴッドハンドの「スピンブレード」は普通のハンドドリルと違い底面がすり鉢状にならないため、薄くて貫通しやすい主翼などにネオジム磁石を仕込む際に便利だ

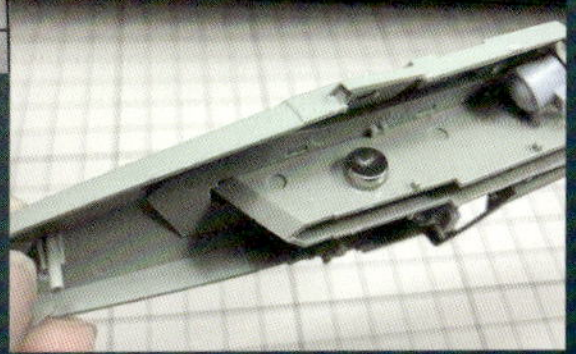

▶スーパーパックのほうが内部空間に余裕があり位置調整がしやすいため、磁石を仕込む順番は主翼→スーパーパックがよい。写真のように外装片面を取り付けない状態で作業する

VF-31A カイロス
ハセガワ　1/72
インジェクションプラスチックキット
限定生産　税別4104円
出典／『マクロスΔ』
製作・文／**Revenant**

▼一部のF-16でレーダー反射断面積低減塗装がテスト採用され『Have Glass 5th Generation』と呼ばれている。その後同様の塗装が採用されたF-35などと同じく、黒っぽいグレーにぬめりと光る光沢がステルス機であることを強調している

キット指定カラーリング

▶モデルカステンのステルス・グレー(1)（税別1100円）は、ステルス機に強い光が当たったときに見られる鈍い金属光沢を表現できるメタリック系グレー。これを使い、元は青系グレーの濃淡でカラーリングされているカイロスを現実世界のステルス機っぽい質感で、というのが本作例のコンセプトだ

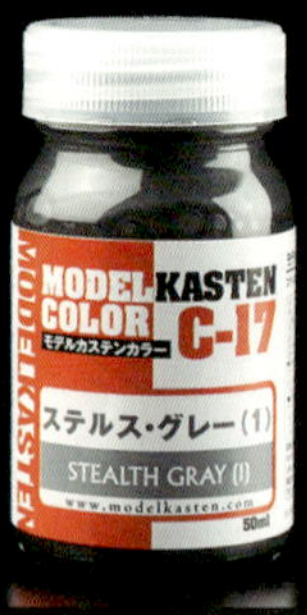

モデルカステンカラー新色「ステルス・グレー」を使って現用ステルス機的で実機テイストなVFを塗る!!

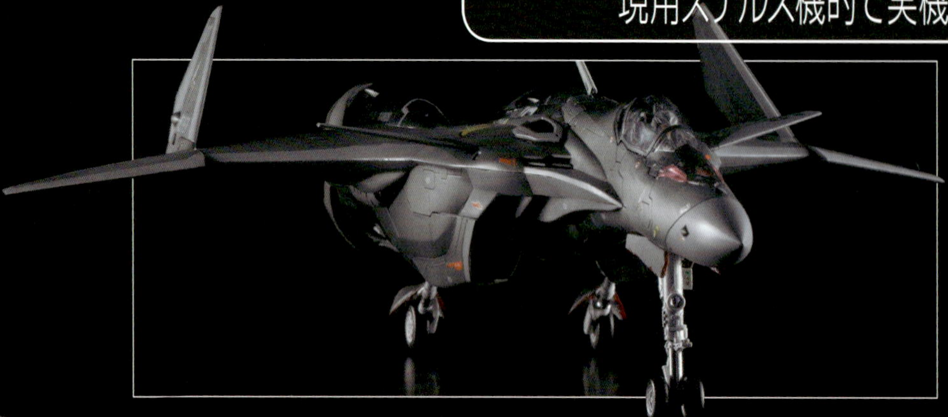

●ハセガワのVF-31は上から見たときはシンプルな造形にも見えるが、低い角度から見ると絶妙な曲面で構成されているのが強調され非常に艶めかしい表情を見せる。適度な鶴首でふくよかな機首とボディ／翼の緩やかな曲面構成が相まってハセガワ製VF特有の航空機らしさを演出している

●作例ではモデルカステンのステルス・グレーを使用することで、F-35のような金属的でぬめっとしたツヤ感で塗り上げている。通常のソリッドカラーのグレーの濃淡だけで塗るのとはひと味違う迫力とリアリティーが出せる

Model Graphix
2018年2月号
掲載

祝! 35周年&『マクロスΔ』劇場版公開&ハセガワ製マクロスモデルの『マクロスモデリングカタログ』単行本発売、ということでハセガワの1/72カイロスを製作。完成度が高いキットなのでそのまま作ればばっちりなのですが、それでは少々おもしろくない……そこで今回は塗装で遊んでみましょう!!

1/72 VF-31A "KAIROS"

ハセガワ 1/72 カイロス
制式一般機らしい"ジミカッコよさ"を目指して——

●航空機っぽさが強調されるリアビュー。緩やかな曲面で構成されたシルエットと、現用ステルス機的なディテール表現がうまくマッチングすることで、同スケールの現用ジェット機モデルと並べても遜色ないリアリティーを生んでいる

●VF-31の一般機であるA型 カイロスは、デルタ形状翼が採用されそれに伴いカナードも大型化している。頭部はA型用で独自の機首センサーを持ち、胴体上面中央にはフォールドクォーツの代わりにフォールドカーボンが装着されている

●主翼の翼端灯はキットではグレー成型の翼パーツと一体成型だが、作例ではクリアーランナーを加工し透明に置き換えた。また両垂直尾翼にも「マスターファイルVF-31」（SBクリエイティブ刊）の資料に準じてコリジョンライトを配した。ライト類は飛行機モデルっぽく仕上げるためのポイントだ

HASEGAWA
1/72 VF-31A
“KAIROS”

祝！　マクロス35周年＆『マクロスΔ』激情版……じゃなかった劇場版ということで、ハセガワ製VF-31Aカイロスです。
　基本的にキットをストレートに製作していますが、手順的に押さえておきたいところをまずいくつか。胴体上下を貼り合わせる前に、上面インテーク内側の部品A5をあらかじめ塗装して、マスキングテープを貼ってから組み付けます。またインテーク内側のフィンA2はカットし、塗装後に差し込むようにして接着しました。この箇所はVF-31系でもマスキングの難しい箇所なので、お勧めの方法です。サブインテークを塞いでいる部品E7とE8は使用せず、内側を黒で塗り潰しています。
　前作のドラケンⅢ（17年11月号掲載）はフォーミュラカーをイメージした鮮やかな塗装仕上げでしたが、今回は対照的にジミめのミリタリーな仕上げを目指します。個人的にVF-31はマクロス世界におけるF-35的なポジションの機体だと思っているので、アメリカ海軍のF-35Cをイメージしました。ちょうど発売されたばかりのモデルカステンのステルス・グレーにごく少量の白を加えてニュートラル・グレー調にしたものをベース色とします。機体上面のモヒカンやエンジンポッドはステルス・グレーをそのまま使い、機体のエッジ部はMrカラー306番のグレーを吹いています。ノズルは104番ガンクロームを吹いてからクリアーブルーを重ね、オレンジなどで焼けを表現。艦載機ということで、塗装後にやや強めにウォッシングをかけています。
　機首センサーの内部にはハセガワの鏡面用フィニッシュシートを貼り付け、フォールドカーボン部にはカーボンフィニッシュ細目のシートを貼っています。脚のストラット部はいつもどおりミラーフィニッシュです。また、こまかい箇所ですが、前脚には信号機を取り付けました。
　デカールは本編21話に登場したアラド・メルダースの機体を想定し付属のマーキングを使用しながらも、機首部や機体裏面等の一体化しているデカールを分割したり、ややアレンジを加えています。■

マクロス世界の“新鋭制式主力機”VF-31Aを F-35Cに見立て、「ステルス機感」を塗装で表現する遊び。

●頭部レーザー機銃はキットパーツを使用したが、極細の0.2㎜のドリルで開口している。こまかいところだが、模型のリアリティーを上げるためにはこういうところが意外と大事

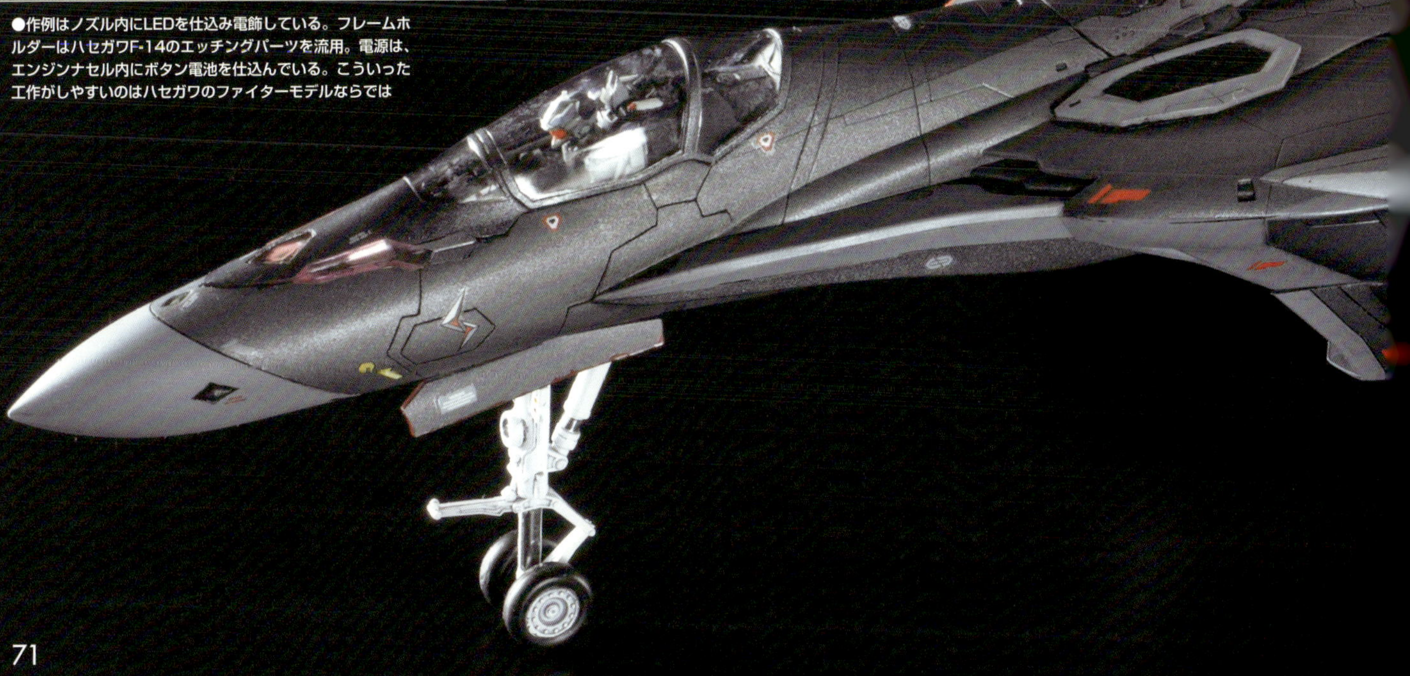

●作例はノズル内にLEDを仕込み電飾している。フレームホルダーはハセガワF-14のエッチングパーツを流用。電源は、エンジンナセル内にボタン電池を仕込んでいる。こういった工作がしやすいのはハセガワのファイターモデルならでは

VE-1 AEW
ハセガワ　1/72
インジェクションプラスチックキット改造

製作・文／**HMM二宮茂樹**
機体原案／東海村原八（模型の王国）

Model Graphix
2002年4月号
掲載

VE-1 AEW

マクロス世界の早期警戒機（AEW = Airborne Early Warnin）といえばエリントシーカーがありますが、あれは基本的に宇宙用なので大気圏内では……というところから考えたのが本作。空力を意識し機種とテールに追加されたレドーム形状はさながらカモノハシ。こんな仮想もおもしろいでしょ？

特別仕立ての大気圏内運用専用早期警戒電子戦機を仮想モデリング!!

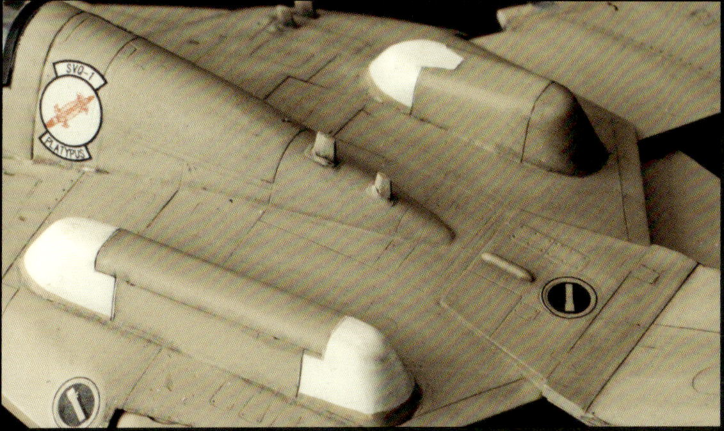

●本機は、「VE-1 と同様の任務を受け持つ大気圏内用の機体があっていいのでは……」ということでバルキリーの派生型を本誌が独自に考案してみた機体。コンセプトデザインは若島あさひ氏が行ない、二宮氏がそれをアレンジしながら製作した。電子戦機が必ずしも背中に巨大なロトドームを背負う必要はないわけで、今回は巨大なレーダーを機体の前後に持つニムロッド AEW を参考にすることとした。過剰にふくらんだ機首はカモノハシを連想させるが、「空力を考えた処理（笑）」で先端にエッジが設けられ、ホントにくちばしに見える。ちょっとかわいいカモ
●テールにも巨大なレーダーを追加。機首のものとかたちを合わせたり、ある程度の厚みを持たせたり、フェアリングをかぶせているような独特のRを持たせることにより、内部の機器を連想させるような形状になっている。ちなみに東海村氏の案の段階ではバトロイドまでの変形が考慮されていたが、二宮氏案ではガウォークまでしか変形しないことに。それはそれでいいカモ
●実際の航空機から積極的にディテールをトランスレート。主翼に設けられた巨大なアンテナがおもしろいカモ
●デッカバ……いやいや水爆……。意外と似てるカモ（笑）
●機体上面のカヌー型アンテナは左右非対称。そのほか、いろいろな箇所を左右非対称にしているのがポイントカモ
●尾翼は尾部レーダーユニットの場所から、脚部に移動。脚部側面にもレーダーを思わせるディテールを追加した。尾翼のフィンフラッシュがかっこいいカモ
●機体下面、腕部に計測機器を装着。ノーマルの VE-1 の装備もなかなかおもしろいが、ここはいろいろ遊べる箇所カモ
●カモノハシの部隊マークはイラストレーター、中北晃二氏によるもの。カモノハシをオーストラリアの壁画風に処理してみたが、全長 40㎝ぐらいのこーいう物体を水戸あたりで見たことあるカモ

◆VE-1AEW アルヴィト

劇場版マクロスに1カットしか登場しなかったVE-1エリントシーカーですが、開発時期を考えるとなかなか微妙です。VF-1バルキリーの量産の開始からボドル基幹艦隊戦まで約1年半、劇場版のシーンはボドル基幹艦隊戦以前ですから開発はマクロス艦内ということになります。ちょっと無理がありそうですが、地球製初の有人宇宙戦闘機となるVF-1バルキリーになんでもかんでもやらせてしまおうと考えた統合宇宙軍なら、こういった機体も平行して開発させたと考えれば納得がいく……かな？　きっと出てこなかっただけで輸送機型のVC-1や対潜哨戒型PC-1なんてのもあるんですよ、きっと。

今回の作例は大気圏内での運用に限定されたVE-1で、スーパーパックはもちろん必要としませんし背中のでっかいロートドームも高速機には向かないのでなし。で、イギリスが計画して試作機作ったところで頓挫したニムロッドAEWのように、レーダーをノーズとテイルに分けて装備した機体としました。ラフデザインですでに「Platypus＝かものはし」というイメージが確立されていて、今回は部隊マークと部隊名に反映させてあります。やはり大気圏内を飛行するものですから、ノーズとテールのレドームには思い付くかぎりの空力的なリファイン要素は盛り込んだつもりですが、空力の専門家ではないので勘違いしてたらごめんなさい。

本作の想定はちょっと特殊で、劇場版マクロスよりずっと後の時代、主力戦闘機がVF-11の時代にいまだに使用されている、大気圏内早期警戒機型としています。AEWとはしていますが、早期警戒任務はとっくに後継機に譲り渡し、さまざまな改修を受け電子情報収集機として運用されている機体を想定しています。これはアフガン空爆時にイギリス空軍が偵察機としてキャンベラPR9をいまだに運用していることからパクってみました。キャンベラといえば'50年代にイギリス空軍で使われていた軽攻撃機で、アメリカ空軍でもB-57として採用、払い下げられた機体は現在でもNASAが高々度環境測定機として使用していますし、先に書いたようにイギリス空軍でも実戦機として使用されています。昨年は民間企業に払い下げられた元イギリス空軍の機体が日本にも飛来して話題となりました。で、なんでこんな古い機体がいまだに使われているのかというと、イギリスに「キャンベラパイロット友の会」（もちろん正式名称じゃありません）みたいな団体があって、キャンベラを退役させないように日々、政府、議会、空軍に圧力をかけているのだそうです。イギリスってすごいや。

◆カモノハシ

製作ですが、基本的な機体形状はあまりいじらずノーズとテールの改修に重点を置いています。ノーズとテイルは基本的な断面形状と寸法は同一にし、フェアリングに空力的な処理の違いを盛り込んでみました。ノーズのフェアリングはエッジの立った形状で、テールは丸く整形してあります。基本的には半割りのパイプとプラ板を組み合わせた断面小判型の箱をノーズとテイルに接着、エポキシパテでフェアリングと機体との整形部分を作っています。グローブ部分上面のカヌー型アンテナフェアリングも同様にエポキシパテの固まり。左右非対象なのは完全に個人的な好みで、あいた部分にブレードアンテナも増設しました。その他、エンジン後部にもアンテナフェアリングを同じくエポキシパテで増設。本機体は変形機構を排した機体としました。テールにもレドームを設置したせいで効きが悪くなりそうなので、垂直尾翼は思い切ってエンジン上部に移設。ノーズの肥大化にともない、垂直尾翼を増積しました。

塗装はヘンプとグレーでイギリス機そのまま、統合軍マークは赤い部分をピンクに変えデカールを自作。部隊名も「SVQ-1"Platypus"」というべたな名前にしちゃいました。きっとこだわりのイギリス系パイロット（ニュージーランド人？）が乗っているはずなので、垂直尾翼には大きなフィンフラッシュも追加……てなとこで。■

思考実験の顛末。

ついた渾名は"カモノハシ"大気圏内運用前提の早期警戒電子戦機

VE-1AEW ALVITR SVQ-1 "PLATYPUS"
HASEGAWA 1/72 INJECTION-PLASTIC KIT BASED.
MODELED AND DESCRIBED BY HAYATO KOBAYASHI
COLORING DESIGN/ GENPACHI TOKAIMURA
KOUJI NAKAKITA

▲'02年4月号掲載、HMM二宮氏によって作られた、大気圏内用早期警戒機、VE-1AEWアルヴィト。増設されたパーツの各曲面が、いかにも航空機的！

VE-1は劇中では宇宙で運用されていたが、この種の機体は当然大気圏内用もあるはずで……といったところから模型用に仮想したのがこの「VE-1AEWアルヴィト」。当初はファイター形態固定の作例だったが、バトロイドのキットが発売されたので今度はバトロイドとして製作。果たしてその姿は……

VE-1AEW アルヴィト SVQ-1 "プラティパス"
ハセガワ 1/72 インジェクションプラスチックキット改造
製作／**小林速人**
機体原案／東海村原八、HMM二宮茂樹　部隊マークデザイン／中北晃二

それまでの常識を覆す画期的な航空機であるVF-1バルキリーには、その頑強でフレキシブルな機体構造と、大気圏内では無限ともいえる航続距離を利用した、戦闘機以外の派生型が多く存在する。さすがに輸送、旅客型こそ存在しないものの、試作、計画を含めればほとんどの航空機の種類をカバーしていると言われている。

早期警戒能力を持ったVF-1の開発は、進宙後のマクロス艦内において応急的に行なわれ、通称「エリントシーカー」と呼ばれたが、後にVE-1という正式記号を与えられている。マクロスにも超長距離レーダーをはじめとする各種の高性能センサーが装備されてはいるが、それらをもってしても惑星や小惑星等障害物の死角に入った敵の姿をキャッチすることは不可能。そのために移動するレーダーサイトが必要であり、開発が急がれていたのである。

応急的な計画で、パーツも搭載機器も有り合わせであったにもかかわらず、できあがった機体は非常に実用的でパフォーマンスの高いものであった。量産が決定したあとも、基本的には搭載電子機器のアップグレード程度の改修で済んだくらいである。

しかし、大気圏内での運用はそう簡単にはいかなかった。巨大なロトドームは空気抵抗そのものであり、極めて低く設定された速度制限によりエンジンはパワーをもてあまし、本来のVF-1が持つ高い機動性が失われてしまった。またこのころ、つまりボドル基幹艦隊戦以後の地球は、残存ゼントラーディ兵、いまだに抵抗を続ける反統合政府軍が混在し、混乱を極めていた。統合軍の基地や艦艇、都市などは常にそれらの驚異にさらされており、早期警戒システムの確立は急務であった。

VE-1AEWは大気圏内での運用に限定しているため、ロトドームを取り去り、代わりに機首と尾部に大きなレドームが取り付けられた。レーダー波はそれぞれ前方と後方に照射され、反射波の分析データはコンピュータで合成される。また、基本的な任務は早期警戒だが、当然のことのように電子偵察とカウンターメジャー能力も持たされている。主翼のパイロンには最大で6基のジャミングポッドを搭載することが可能で、同時に6つの周波数帯の妨害をかけることができる。

VE-1AEWは機首のレドームを90度回転させることによりいちおう、バトロイドまで変形が可能だが、試験運用の結果あまり意味がないとして、変形は緊急時に限られている。

本機は元がVF-1バルキリーというだけあって、早期警戒機としては充分な能力を持っており、主力戦闘機がVF-19に更新されつつある現在においても、早期警戒部隊の主力として運用が続けられている。

●東海村氏のイメージ&コンセプトスケッチはすでに完璧なものになっていて、私のやったことといったら、垂直尾翼をエンジン部に移して変形できなくしちゃったことくらい（笑）。元ネタのニムロッドAEWから連想した、ヘンプという塗装案や垂直尾翼のフィンフラッシュも、じつは若島案。ちょっとはアレンジしてみようかとも思ったけれどもそのままでも全然OKでした。バトロイドに変形するのか？　という話は最初からありまして、機首を90度曲げなければいけないとか、想像してみるとかなりカッコ悪いものになりそうな予感がしたので、これがレドームによって相当効きが悪くなりそうな垂直尾翼を思い切ってエンジン部に移す決断の材料となったのです。

バトロイド形態の作例を見せていただきましたが、想像してたよりはかなりよくて、いやカッコ悪いは悪いんだけど、味のあるカッコ悪さというか。これは小林速人氏のうまいアレンジによるものでしょうね。頭部も私の作例では若島さんのスケッチの書き込みにあるように「そっけなくもっと部品っぽく」ってことで、お手軽にキットのパーツを全面的に生かしたものとしましたが、この作例の頭はこれはこれではまってますね。このマブチの水中モーターを連想させるレドームが好きです。欲を言えばもっと思い切って左右非対称にしてもよかったカモ。（解説／HMM二宮茂樹）

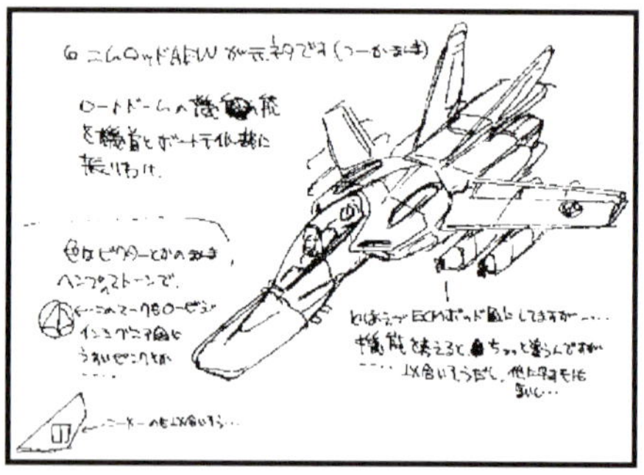

▲'02年4月号用に描かれた東海村氏による原案ラフ。この時点で全体形、ディテールイメージともほぼ完成している

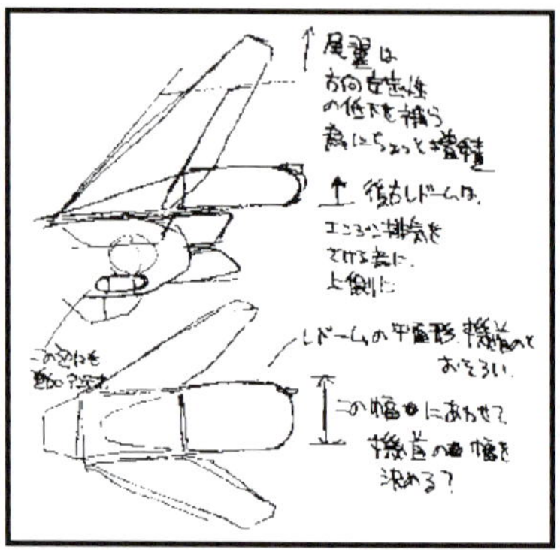

▲東海村→二宮へと引き継がれる際に（ほぼ）唯一変更された尾翼配置。方向舵が干渉しそうではある

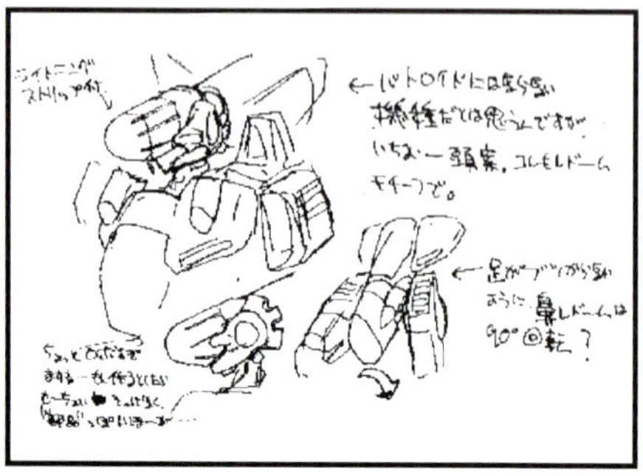

▲当時は作られることのなかった頭部。このイラストを見た小林氏は、当時から「作りたい」と発言していた

Model Graphix
2002年10月号
掲載

“カモノハシ”な早期警戒機がバトロイドになったら……

VE-1AEW ALVITR

SVQ-1"PLATYPUS"

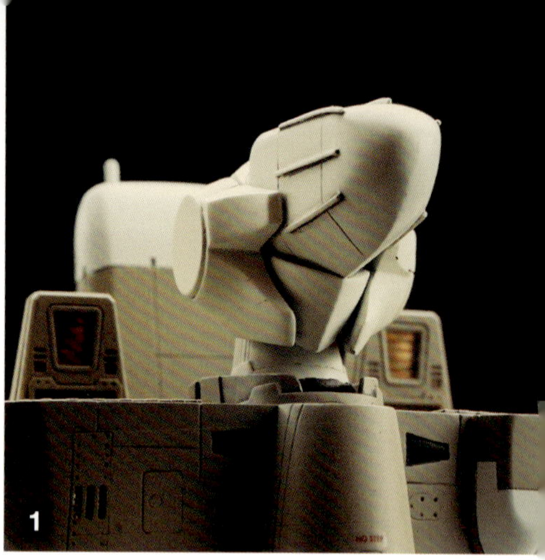

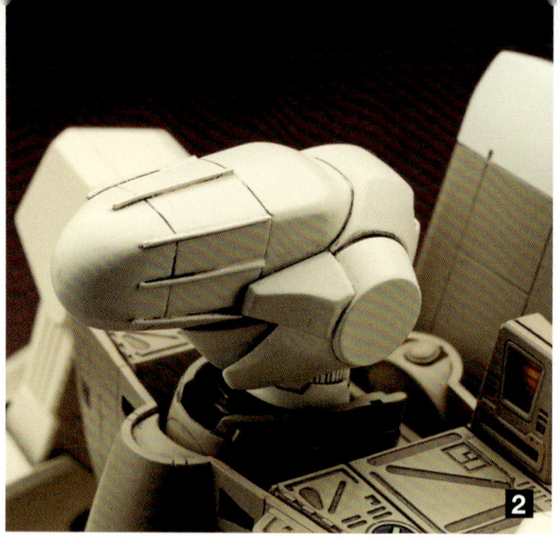

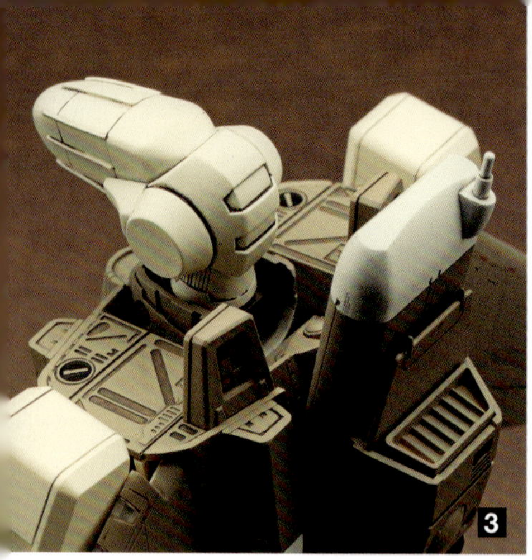

本作は、以前ファイター形態限定の作例を掲載した「VE-1 AEW」。誌面ではこの機体はバトロイドには変形しないという想定になっていましたが、デザイン原案ラフ画にはなんとバトロイド形態まで描かれていたのでした！　というわけでバトロイドのキットも発売されましたのでバトロイド形態で製作しちゃいました。

大きな改造ポイントは、複座型胴体とカモノハシレーダーの再現です。機首と主翼はVE／VT-1（ファイター）のパーツを移植。あとは背中&機首先端のレドームと頭部をエポキシパテから作っています。

◆頭部

このデザイン好きだな～。デザインラフ画を見たときに「機会があれば作りたい」と思いました（まさか、本当に作ることになるとは……）。まずは前方に張り出しているレーダー部分を作り、口、後頭部、耳、フェイスガードの順にエポキシパテで仕上げていきました。耳にはコトブキヤのモデリングサポートグッズシリーズを使用。首はS型のものを使用しています。

◆胴体

まず、分割されている胴体を慎重に合わせ、なるべくスジ彫りを消さないように仕上げます。接合部の隙間には、瞬間接着剤をごく少量盛って、目のこまかいサンドペーパーで表面を仕上げました。瞬間接着剤は楊枝などでちびちび盛っていく感じです。胴体中央部分はエポキシパテでボリュームアップし、複座型を再現しました。キットの凹線が繊細なだけに、凹線の追加には気を使います。胸と背中にあるバルジもエポキシパテ製。パテを盛る際に、胴体側に短めの1㎜真ちゅう線を差しておくと、パテを剥がして整形し、再接着するときに位置が確実に決まるのでよいですよ。

◆機首

VE／VT-1用の機首部品を加工して使用していますが、首の付け根とコクピットカバーはバトロイドのパーツです。機首先端のレドームは、バトロイドでは、ファイターの状態から90度回転した状態になります。よって、まずはファイターの状態形状を整え、強引に回転させてみました。

1 通常のVF-1系バトロイドとの最大の差異は、一直線になった胸上面のライン。これは、復座化にともななってコクピット容積が増大しており、バトロイド形態でその収納スペースを確保するためのものでもある。おもいっきり前方に突き出した、独特の頭部形状にも注目するといいカモ

2 「おでこがつっかえて変形できないのでは？」という意見が編集部周辺で続出した頭部だが、前後長自体はA型（レーザー砲含む）とさほど変わらないので、ギリギリ変形可能のハズ。確認していないが。デザインは、イン●ラム3号機風っつーか、b～yアー●ミック関係な臭いがするあたりが、'80年代っぽくない？（かなり苦しいカモ）

3 尾翼がエンジンブロックから移動されているが、レドームが巨大なので、ぜんぜんスッキリして見えない背部。ファイター時に機体上面にくるセンサーブロックが分割されていることにも注目。後頭部のデザインが、キャラ立ち過ぎって感じもするカモ

4 主翼にはECMポッドを装備。こんな特盛りにするといかにもアニメっぽく、撮影したキャラもの担当編集の知識の薄さを露呈。だが「多くの周波数帯に対応するために複数装備することもある」と聞き、担当ひと安心カモ（笑）

5 機首レドームは、バトロイド時には90度回転している。作例でも脚をはずせば、ちゃんと回転して機首のラインと繋がる。でもバルキリー全般に言えることだけど、実機を考えた場合、脚の固定軸ってやっぱり謎カモ

6 手にしているのはカメラガン（？）。機首にもお尻にも、背中にも電子機器が満載された機体が、わざわざバトロイドになって手でこんなモノ持って何するんでしょーか？　やっぱ子供の運動会とかを撮ってしまうのカモ

7 背部エンジン部から、脚部へと移された尾翼。ガウォーク時にちょっと地面に擦ってしまいそうカモ。ていねいに施されたグラデーション塗装や、増設されたレーダーにも注目するといいカモ

◆背中

こちらにも大きなレーダーが設けられています。収拾がつかなくなりそうなので、ファイターのときよりもだいぶボリュームはダウンしてあります。主翼はVE／VT-1のものを取り付け基部ごと拝借。ギアを切り飛ばして多少干渉する部分を削れば簡単に取り付けが可能です。ただし、主翼を閉じるためにはもうひと工夫が必要。今回は翼端のふくらみがあるタイプなので完全には閉じないだろうと思い、あえて展開状態にしてあります。主翼に装備されているECMポッドはハセガワの1／72プラウラーのものとVF-1ウェポンセットのパイロンを組み合わせたものです。

◆腕／脚

腕なのですが、主翼を開くとヒジが干渉するんです。そこで肩の付け根をボールジョイントに変更、さらにヒジを短く削ってしまいました。この機体は翼下面にECMポッドを装備するので基本的に主翼は開きっぱなしだろうという判断。干渉するヒジは短く改修されている……という都合のよい解釈です。

尾翼はふくらはぎに設置されていますので、その基部をエポキシパテで新造します。ひざ関節は、上下に分かれているので、この部分で回転可動ができそうです。ひざカバーと干渉する部分を少し削ってやると、脚がひざから下でさらにハの字に開くようになります。ちょっとのことではありますが、雰囲気がよくなりますよ。

◆塗装&マーキング

腕などの基本色の白には、Mrカラー316番、レドーム先端部分には1番を使用。336番の茶色はヘンプです。胴体の部隊マークは、『マクロスオプションデカール1』を使用しました。■

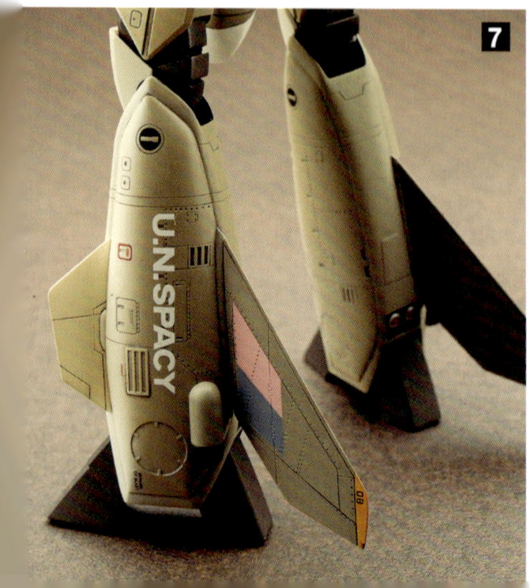

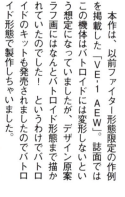

紅き金剛杵《バジュラ》の衣をまといし メサイアと言う名の仮想敵機《アグレッサー》

Model Graphix
2009年2月号
掲載

VF-25VJ メサイアバルキリー
"バジュラアグレッサー"
バンダイ　1/72
インジェクションプラスチックキット改造
製作・文／**竹本浩二**

フロンティア船団を危機に陥れる恐ろしい敵を倒すための兵器がVF-25だとするならば、もちろん敵を倒す訓練もしているのでは？　という妄想を膨らませ、アグレッサー部隊に所属するVF-25を製作。色はバジュラそっくりに、変形機構によって形すら欺瞞に使う紅いメサイア……こんな遊び方ができるのもバンダイ製VF-25シリーズのよいところです！

VF-25VJ
VAJRA AGGRESSOR

「本誌がマクロス特集をやるなら、やっぱりVF-25のカラーバリエーションを考えないとダメでしょ」という軽い強迫観念から考えること数分間（！）、「バジュラの形って意外とVF-25に近いのでは？」という思いつきから一気呵成にでっち上げたのが今回の「バジュラアグレッサー」という想定。それにしても各形態に変形したときに破綻しない（逆に言えば模型映えする）のか？　という心配も完成してみりゃどこ吹く風。じっくり見てるとカッコよく見えてくるから不思議。ちなみにこのバジュラアグレッサー、河森正治監督にもイラストを見ていただいたのですがこれがなかなかの好感触で、「うわ、これはイイね！　でさ、アレがこうなってるっていう設定で、こんな風に運用したらおもしろくない？」とかなりノリのよいリアクションをゲット。これオフィシャル設定にならない？

VF-25VJ VAJRA AGGRESSOR

BATTLOID MODE

"アグレッサー"＝仮想敵機役 もちろん乗るのはエリートです

▲こちらは米空軍のアドバーザリー（彼らはアグレッサーとは呼ばないんだな）部隊。なんだかワルモノっぽい迷彩塗装ですが、これで訓練時には敵役を務めるのだ（Photo/USAF）

軍の演習や訓練も勝手知ったる仲間とやってるだけでは戦技向上にはつながらない。敵というのは自分の知らない戦術を繰り出してくるわけで、じゃあそういう戦い方をシミュレートした敵役が訓練してあげる、というのがアグレッサー部隊の存在意義。もちろん仮想敵国が使用する兵装を使うこともあるけど、自軍が運用する機体の塗装を変更したものがアグレッサー役をやる場合が多い。この塗装から「どんなところでどんな敵と戦うつもりなのか」が透けて見えるあたりがキナ臭くてカッコいいと思うんですが、どうなんだろうね？

FIGHTER MODE

●今回は塗膜が厚くなるのを防ぐためサーフェイサーは使用せず、代わりに外装の下地にフィニッシャーズ製のファンデーションピンクとファンデーショングレーを使用している。その後、GSIクレオスから発売になった「Mr.ラプロス」の4000番と6000番で塗膜を水研ぎをしているが、これにより塗膜を薄くすることができ、繊細なモールドが塗料によって埋まることも避けられる。塗装に失敗した際にはガソリン用の水抜き剤を使っているが、これはプラスチックを侵さずに塗膜が剥がれるので重宝している

"完全変形モデル"を最大限に活かす カラーバリエーションという方法論

◀異様な形状の頭部だが、バジュラアグレッサーというハッタリの効いた想定をブーストするには効果的
▼カラーリングの決定には編集部や東海村原八氏を巻き込んで喧々諤々、フィニッシュワークは二宮氏にお願いしたのだが、バトロイド形態でもバジュラっぽく見えてひと安心(笑)

■VF-25 VJ
新統合宇宙軍第25次長距離移民船団
マクロス・フロンティア護衛艦隊第1航空団
第6戦闘訓練飛行隊”レッド・バグス”
N.U.N.SPACY
25th LONG DISTANCE IMMIGRANT FREET
"MACROSS-FRONTIER" ESCORT FORCE 1st WING
6th FIGHTER TRAINING SQUADRON "RED-BUGS"

すべての形態が破綻なくまとまっているバンダイ製メサイア。全塗装で完全変形モデルを作る際、まず最初に注意したいのが塗膜のクリアランスです。今回はすべてのパーツをひと皮むくようなつもりでサンドペーパーがけを行なっています。ついでに自分で気になったラインを適宜変更していきます。平面をしっかり出す部分やエッジをはっきりとさせる部分を作りつつ、合わせ目の段落ち処理なども並行して行ない、各所にディテールも追加していきます。

アグレッサー機の雰囲気を演出するため頭部はデザインをでっち上げ。無機的でありながらほかのメサイアと違和感なく、いかにもありそうなデザインを目指し、Ｓ型のパーツを一部使用して仕上げました。その上で、変形時に邪魔しないよう機体外装のパネルラインを少々変更しています。

バジュラ模様のカラーリングデザインはＨＭＭ二宮氏のイラストをもとに色味のバランスを見ながら調色しました。明るいレッドは1発でねらった色が出ましたが、ファイター形態のキモであるエンジ系のレッドはバランスを取るのに苦心しました。赤系の色を調整する場合は単純にホワイトと濃さの違うレッドを混ぜるのではなく、ブラウン系の色を混ぜるとうまくいくようです。また、フレームは変形時にアクセントカラーになるのでホワイトに近いグレーをベースに何種類かを使い分けています。

今回の塗装では難関がふたつありました。ひとつは太ももからヒザにかけての曲線的な塗り分け。ここはアイズプロジェクトの０・４㎜幅のマスキングテープでアウトラインを出してからマスキングゾルとテープを使い、塗装しています。もうひとつはバジュラ模様の特徴である渦巻き模様。こちらはカラーリングパターンを描いたイラストレーターのデータから渦巻き模様の部分だけを抽出し、それを元にしてマスキングテープを切りだしています。こちらはあえてはっきり輪郭を出さず、部分的にボケ足ができるようマスキングテープを浮かしています。フィニッシュには半ツヤクリアーでコートして仕上げと相成りました。■

U.N.SPACY
NOVA

Super
NOVA
U.N.SPACY

やれるのか!? できてしまうのか!?

無理は承知でハセガワ製 YF-19 ファイター形態モデルを完全変形化!!

Model Graphix 2002年6月号 掲載

オレンジ色の４号機（『マクロスアーカイヴス』に掲載）同様、こちらもF-18試作機パターン。機体フォルムにあわせて、また人型になったときの見映えを考慮して多少アレンジしてますが、かなりそのまま。気まずくないと言えばウソになるんですが、逆にここで使わないと、ほかの機体ではもっと使えないでしょうから、思いきってバシッ！ っと。あと毎回参照させてもらってる小学館の『マクロスプラス』のムックにあった二宮氏による試作１号機が幸い（？） F-18の１号機を思わせる白地にブルー×ゴールドでもあることから、たぶんマクロス世界の実機担当者がわざとやってるんじゃないかと（笑）。また、こちらの機体では造形無宿氏が「完全変形に挑戦する！」ということで、全身にピンクのマーカーを追加しています。これは実機の武器投射試験に使われる機体に記入される、位置解析用の円十字のマーキングが元ネタ。そこを一歩進めて、３ＤＣＧで使われるモーションキャプチャのマーカーのように、このマーカーから各関節の位置を割り出して変形動作の検証に使うイメージで。色は後で画像抽出のしやすそう、ということで夜光塗料の白緑と迷ったすえに、ブルーに合わせて蛍光ピンクとしました。（東海村原八）

YF-19 PROTOTYPE 6TH PRODUCTION

U.N.SPACY/U.N. WEPON TEST CENTER/ TACTICAL WEPON DEVELOPMENT WING/ 101st TACTICAL FIGHTER PROVING SQUADRON/ EDWERS AFB/EARTH/2042

YF-19 試作6号機
ハセガワ 1/72
インジェクションプラスチックキット改造
製作・文／**造形無宿**
カラーリングデザイン／東海村原八
製作協力／「暗礁宙域 棘の道」

1 まずは脚の変形から。脚全体を下方におろしたあと、足首を引っ張り出しながら広げていく
2 最大のポイントはじつはココ、足の内側のパネルの可動。設定のままに素直に作ると上腕が入るスペースがなく変形できない。そこで、ファイター形態では目立たない足の内側のパネルをふくらはぎにあたる部分といっしょに押し下げ、上腕が収まる「逃げ」を作っているのだ
3 本作唯一の差し替え部分。ファイター時の首脚格納庫＆バトロイド時のスカート。しかし主脚ににいてはは脚は（さすがに取り外すものの）ギアベイは可動式になっている
4 腕を展開前のガウォーク形態。スマートでかっこいいー
5 ガンポッドの支持アームにはひと工夫している。ただそのままアームを取りつけるだけではなく、2軸を入れることで、ファイター時の懸架だけでなく、ガウォーク時やバトロイド時に腕を展開したときに、さながらトンファのように比較的自由に動かすことができるようになっている
6 ここから腕の変形開始。腕とガンポッド支持アーム、そして機体本体とシールド裏に設けられたピンにより意外にがっしりと固定される。各ピンをハズしていきながら、ゆっくりと腕を左右に展開させていくようにする
■はい、ここで前ページにもどってガウォーク形態をじっくりと見ましょう。肩の部分の変形機構はけっこう複雑だぞ
7 ここからはバトロイド形態への変形を開始。機首付け根よりうしろのユニットを、「ガバっ！」と跳ね上げる
8 背中のスラスターがある部分を回転させて取り出すようにし、頭部を 180 度回転させて前向きに
9 内側に収納していた「胸の厚みパーツ」を左右に展開させ、機首を跳ね上げつつ背中に収納する。変形のハイライトだ
10 ここは変形ギミックとは直接関係ないちょっとしたこだわり。そのまま変形させると、胸の下にスカっとした隙間が生じじるので、グレーの「胸の厚みパーツ」の内側にさらに3角形のパーツを仕込み、それをおろすことでシャッターとしている。ロボモデラーならではのこまかい配慮だ

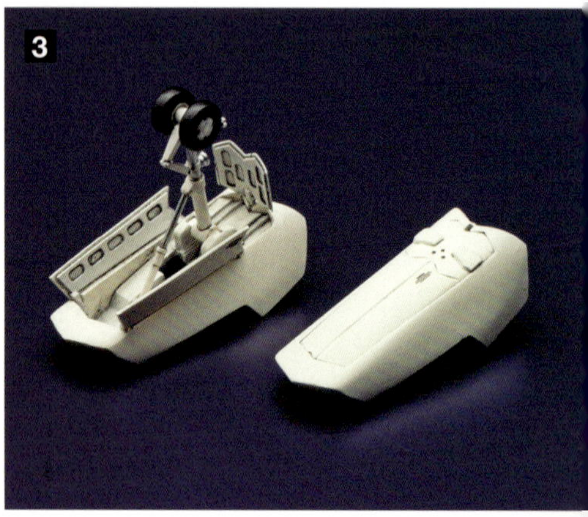

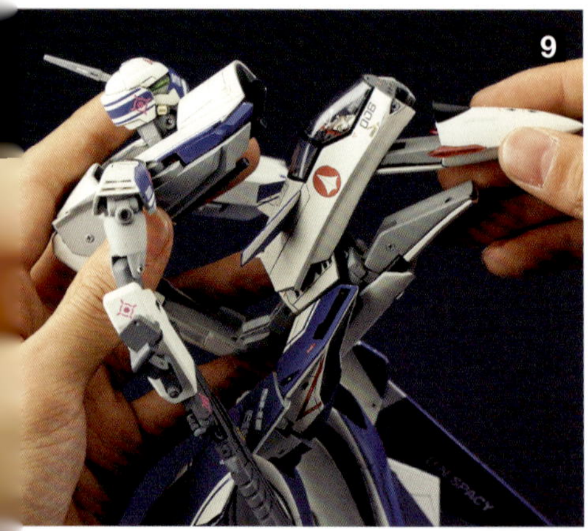

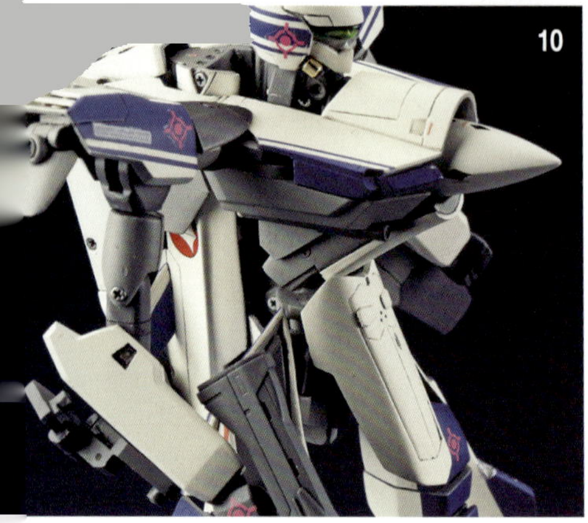

「スケールモデルのハセガワ」から発売されたマクロスシリーズは、「とうとうバルキリーが実機並みの解像度になった！」という共同幻想をこれ以上は望めないくらいに幸せなかたちで育んでくれました。これってキャラクターキットの在り方としてはひとつの理想形。しかし！　この幸せを完成形にするために、ユーザー側で埋め合わせなくてはならない大事なピースがあります。それは……「変形」。設定が変形するものである以上、誰かが「ハセガワのファイターは変形不可能ではない」ことを証明する必要があるのです！　たとえ十人中九人が「そこまでせんでも」と止めたとしても（笑）。

◆よいこはそのまま組みましょう

とりあえずは送られてきたテストショットを眺めてつかの間の幸せにひたります。

プロポーションの流麗さ、モールドのシャープさは言うにおよばずですが、タービンブレードが二重になっているところとかの「VF-1のさらに先の未来」を感じさせる演出が秀逸。謎だったファイター時の機体下面も河森氏描き下ろしの画稿を元に再現してあり、資料性も高いです。両方とも今回の作例では使えない箇所ですが（苦笑）。

その後、意を決してパーツを分割ラインでバラバラにします。送られてきたパーツは灰色のテストショットでやや材質は固めでしたが、現在発売中の物はVF-1と同様にやわらかめのプラで整形されているのでカッターを入れるだけで分割できると思います。いや、やる人がいればの話ですが。

◆「概念立証機」としての作例

今回は「統合軍のお偉いさん相手に模型を使って新型機のプレゼンテーションをする新星インダストリーの設計担当者（長いよ）」の気分で作業を進めました。何のことかというと、「とにかく差し替え変形などしていたのでは説得力がないし、仮に変形ができたとしてもエンジンがどこにも入らないようでは上官を騙したカドで軍法会議」（笑）という制約を自分にかけ、その枷のなかでいかに「たったひとつの冴えたやりか

●というわけでホントに「ハセガワのファイター形態モデルを元にした完全変形化」が実現できてしまいました。最初のハセガワ VF-1 バルキリー特集（'01年4月号）のときに、小林速人氏が製作したファイターキット改造バトロイドがかなりよかったので本特集でも「YF-19 のファイターキットを元にしたバトロイド作例」を企画したのですが……造形無宿氏の手に掛かるといつのまにやら完全変形モデルに。いや、そっちのほうが段違いにスゴいのでぜんぜん OK なんですけど(笑)。ギミックの工作もさることながら、両形態のプロポーションのバランスを絶妙に両立させているところはすばらしいのひと言。惜しむらくは、VF-1 よりもはるかに複雑な変形システムであることもあって、「ハセガワのキットを切り刻んで改造すればこのようになるから参考にして作って見てね♡」とはちょっと言い難い超絶作例になってしまったところでしょうか。ディテール表現などでハセガワのキットを使うメリットは多分にありましたが、工作難易度はほぼフルスクラッチビルド級。YF-19 では、ガウォークの固定状態で作るにしても、VF-1 と比べると著しく難易度が高いと言わざるを得ません

ついに変形できてしまった!!

た」を探しだすかに重点を置いたわけです。このYF-19の場合、変形システムに独自の解釈を加えないとなかなか設定どおりのプロポーションにはならないので、この実作業に入る前のアイデア出し作業が重要になります。とか言いつつじつは以前イベント販売用に1／100の可変YF-19を作っておりまして、今回の作例はそのシステムを進化発展させたものになっていたりしますが。イチから考えていたら2カ月足らずじゃ完成しませんって。それでは順に、問題点を洗い出してその解決策を探ります。

◆胸部／機首／脚部

まず一見して「胸の厚みはファイター時にどこに行くのか？」という疑問が頭をよぎりますが、設定の変形方法では太股の裏側を大きく抉らないととうてい収まりきりません。ここは胸部の下半分を中央に寄せて、バトロイド時に背中になるパーツのなかに押し込むことでクリアーしました。さらに背中パーツに付くスラスターはファイター時には消えてしまうので、これを収納式のリフトエンジン（X-35のSTOVL型に装備されているアレ）的に解釈して回転収納ギミックを仕込んでみました。

機首はカナードの後方、三つ並んだ姿勢制御バーニアの直後くらいで分割。二重間接を仕込んで無理やり長さを縮めます。また変形ギミックの搭載にともない上下の厚みを3㎜ほど増しています。

バトロイド時のフロントスカートがファイター時のノーズギア格納庫付近になると解釈して、ノーズギア展開状態と格納状態の2種類のフロントスカートを製作しています。差し替える事でノーズギアの出し入れを再現してみました。

脚部は今回もっとも頭を悩ました部分のひとつです。とりあえずエンジンブロックの上下厚を3㎜増加。膝、太股部はこれにあわせて新造しています。このままだとファイター時に肩部を収納しきれないので、脛内側をモールドラインに沿って分割して、ファイター時に一段沈み込むギミックを追加。それでもエンジンの入るスペースはギリギリ確保してあるところがミソ。でもメインギアの格納スペースのことを考えるとやっぱり入らないという……。

あと肩アーマーには、上腕を水平位置まで上げると少し沈み込んで肩基部（メタルコートで磨き込んであるところ）とツライチになる連動ギミックを仕込んであります。

◆頭部ほか

頭部はキットのパーツではさすがに小さすぎるので新造。ゴーグルの透明パーツはバキュームフォームで塩ビ板を搾り出しています。ガンポッドはバトロイド用として見るとかなり小さいのですが今回はそのまま使用。マウントアームをデッチあげて前腕にトンファー風に装着できるようにしてみました。パイロットフィギュアやランディングギアといった小物に関しては模型サークル「暗礁宙域　棘の道」のエースモデラー、いっちー君に別進行で作っておいてもらいました。大感謝。

◆仕上げと塗装

あちこちで「モールドが埋まるのでサーフェイサー吹きは厳禁」と書かれるハセガワのVFシリーズですが、今回ばかりは使いました。つーかもう、ガンプラにパテ盛ったときと基本的にいっしょ。そのかわりに一回サーフェイサーを吹くたびにエッチングソーでモールドを彫りなおしましたが。

塗装およびマーキングはおなじみの若島氏の指定によるもので、「主にバトロイド形態での運用試験に主眼を置いた試作6号機」という設定だそうです。

蛍光色のキャプチャーマーカーには専用に作り起こしてもらった自作インレタ（インスタントレタリング）を使用。なにげにお金かかってますよ、今回の作例は。

◆どうにか完成

VFシリーズって、変形に無理があるものほど燃えるというか作りがいがある気がしますが、そこまで業が深いのは私だけ？　そんなこんなで、またいつかトンデモ作例でお会いしましょう。■

VF-25G メサイア バルキリー ミシェル機
1/72 バンダイ
インジェクションプラスチックキット
発売中　税込4860円
VF-25S アーマード
メサイアバルキリー オズマ機
1/72 バンダイ
インジェクションプラスチックキット
発売中　税込8640円
出典／『マクロスF』
製作・文／**WildRiver荒川直人**

Model Graphix
2009年10月号
掲載

WildRiver荒川直人
●わいるどりヴぁーあらかわなおと／ジャンルを問わず各模型雑誌で円形劇場を発表するダイオラマ演出師。「武装神姫マガジンVol.1」掲載の作品に「そんなものまで!?」と驚かれた方もいるようですが、マルチジャンルなのでなんでも作ります。

円形劇場 Progressive Diorama Works made by Naoto ARAKAWA

本放送時から『マクロスF』のメカ描写に魅了され、「ぜひダイオラマを作りたい」と構想を練り続けてきたWildRiver荒川直人氏。新たな手法を取り入れつつ進化を続けてきた円形劇場シリーズ最新作は、大胆なWildRiver流アレンジを加えたメサイア2機の共演。空母甲板上の苛烈な闘いをご堪能ください！

WildRiver荒川直人 Presents
マクロスF特集 特別編

〈Last Armageddon／双背同志〉

WildRiver F-World

ARMOREDMESSIAH VALKYRIE OZMA CUSTOM
VF-25G MESSIAH VALKYRIE MICHAEL CUSTOM

●アーマードではない素のVF-25は、バトロイドモード状態のときには細身であることが強調されるが、足、腰、胸部のユニットのポージング次第でがらりと印象を変えることが可能だ。ポージングをいろいろシミュレーションしてみるとおもしろいだろう
■キットは変形ギミックを優先しているため、各関節部の可動範囲が少なめだが、今回は固定ポージングということで可動範囲にとらわれずにポーズを変えている。結果、逆Y字型に全体が広がるように見せることにより、細身のメサイアのイメージがかなり変わった。オズマ機は上下逆で、Y字型に広がるポージングなので、このふたつが重なり合うとトライアングルが重なり構成上の安定感が増す

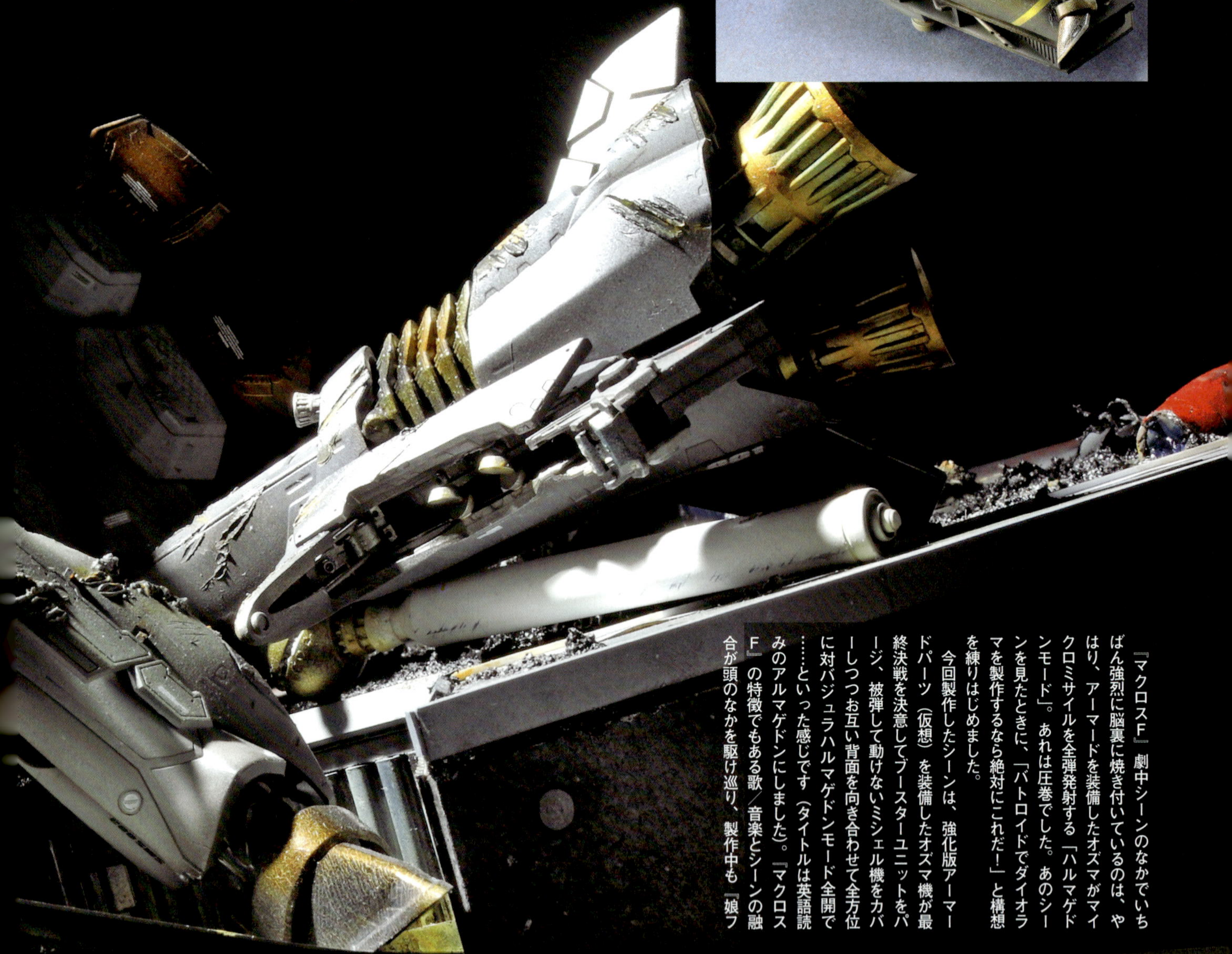

『マクロスF』劇中シーンのなかでいちばん強烈に脳裏に焼き付いているのは、やはり、アーマードを装備したオズマがマイクロミサイルを全弾発射する「ハルマゲドンモード」。あれは圧巻でした。あのシーンを見たときに、「バトロイドでダイオラマを製作するなら絶対にこれだ！」と構想を練りはじめました。

今回製作したシーンは、強化版アーマードパーツ（仮想）を装備したオズマ機が最終決戦を決意してブースターユニットをパージ、被弾して動けないミシェル機をカバーしつつお互い背面を向き合わせて全方位に対バジュラハルマゲドンモード全開で……といった感じです（タイトルは英語読みのアルマゲドンにしました）。『マクロスF』の特徴でもある歌／音楽とシーンの融合が頭のなかを駆け巡り、製作中も『娘フロ。』『娘（にゃん）トラ☆』をヘヴィーローテーション状態。マクロスほど音楽と映像とがマッチしているアニメはないと思います。主題歌の『射手座☆午後九時Don't be late』の曲の盛り上がる部分が本作の音楽的背景なので、ダイオラマを見た方の頭のなかに音楽が響けばうれしいです。

じつは、ヴァンタナモ級空母の舞鶴からのVF-171（キットはありませんが）の浮遊状態発艦シーンもぐっとくるものがあって製作の候補でした。去年ファイターモードでの発艦シーンという構成で設計をしていましたが、今回はアーマードのキット発売に合わせ、マクロスクォーターに甲板の構成を変更し、バトロイドモードで製作をしました。

◆共通カスタム化

オズマ機とミシェル機が別々ではなく、ふたつでひとつの砲台的なシルエットに融合するように各部の構成、配置、ポージングを考えています。

それぞれの頭部は、艦船模型のエッチングパーツなどによりディテールを追加し、装甲を追加した脚の部分は、ワイルドリヴァー式クラッキング技法により、2種類のクラックを入れてました。

◆オズマカスタム

なんといっても、マイクロミサイルポッドの改造と新規追加が大きな部分です。

マイクロミサイルポッドは、カバーの可動ヒンジ部分が大きいためミサイルがポッド内に万遍なくある状態ではありません。そこで、ヒンジ部分を小さくし、そのぶんミサイルを追加して配置しています。また、ミサイルポッドをオープンにしたときに、重量級装備であるオズマ機のシルエットが大きく広がって見えるように、ヒザの部分とインテーク部、腰のアーマーカバーにミサイルポッドを追加しています。ポッドカバーは、メタリックオレンジにしてポイント色としました。

ガトリングガンポッドは、パルスレールガンポッドということにし、ガトリング部

分を外しダブルハンドガンポッドを構えて、かなり上横方向に大きくY型のシルエットになるように構成します。

◆ミシェルカスタム

被弾した脚部は、内部構造を追加したうえで、ハンダごてで溶かします。また、大きく脚を広げますが、バランスを安定させるため、上段に構えている胸部と腰の部分にかなりのヒネリを入れ、きれいな逆Yの字になるようにしているのもポイント。こうすることにより、ミシェル側から見たときオズマ機のY字型のシルエットと重なり合い、各シルエットにトライアングル部分が構成されて一体感のある安定した構図になります。

スナイパーライフルには大型スタビライザーフィンを追加しロングバレルに換装。ダイオラマ的に上方向への流れを強調できるサイズに変更しています。

◆マクロス・クォーター甲板

甲板のデザインは、設定をわかる範囲で再現しつつ、ダイオラマとしての見映えを考えて各所に自分で考えた要素を追加しています。メチャクチャに被弾した甲板上で一体化したオズマ／ミシェル機の全弾発射シーンということで、ベースの領域をかなり大きくとり、甲板は被弾して内部構造物が見えるようにしたため、面積、厚さはかなりのものになりました。

甲板部分は、今回、建材として使用されるプラダン材というハニカム構造になったプラ材を使用しました。これは、構造的な強度を持ちつつも熱には弱いので、ハンダごてで溶かしたところにレジンサンドメディウムを使って溶融状態を再現。さらに、各所にクラッキングメディウムによるクラック処理を行なっています。よく見えないかもしれませんが、内部にはワーレントラス構造体とパイピングが嵐のように這い回っています。

本作は、ぜひ『射手座☆午後九時Don't be late』を聴きながら見てくださいね。ちなみに私はシェリル派です。■

まさにテクニックの玉手箱
マクロスF円形劇場
その舞台裏を解説

WildRiver's F-World
〈Last Armageddon／双背同志〉

50㎝を超える大型ダイオラマとなった本作。模型以外のジャンルからの素材流用、溶融表現、クラッキング技法などなど、WildRiver荒川直人氏の持つ数々のテクニックがこれでもかとばかりに盛り込まれており、まさにハルマゲドンモード全開!

1

2

3

4

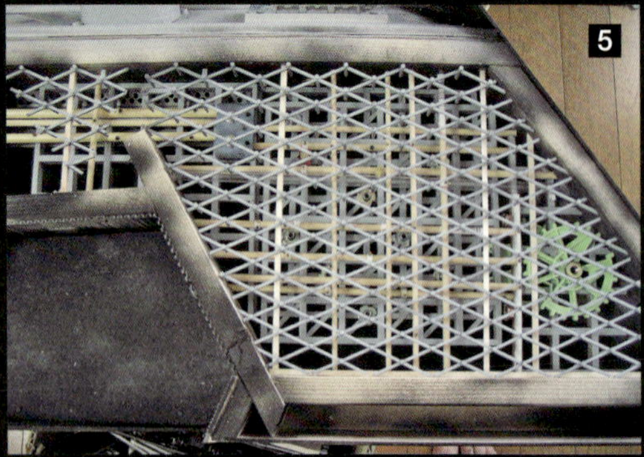
5

6

7

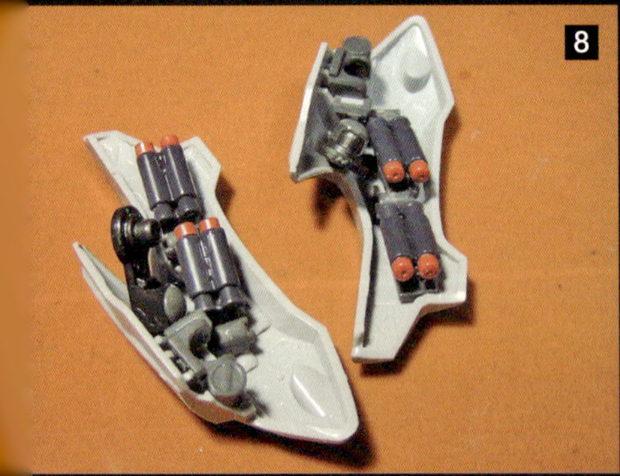
8

9

1マクロス・クォーターの甲板部分は本作の全重量を支える構造体になるので、かなりしっかりとした木枠を作成。側面部分は加工しやすいMDF材を使用している。さらに、内部構造が一部見えるようにするために、深さ方向にもかなりの厚みを持たせている。VF-25用の昇降エレベーター部は、甲板の長さが強調されるよう半分程度の大きさにしている

2クォーターの甲板のデザインやマーキングは、いったんトレーシングペーパーに描き込み、それをステンシルとして甲板のプラダン材に写す。プラダン材は、建築／デザインなどで使用されるハニカム構造になったプラ材。塗装の食いつきが弱いため注意が必要だが、被弾跡の溶融表現とその隙間から見えるハニカム構造を再現するにはベストな素材

3マーキングは0.14㎜のプラシートに写し、カットして製作。パーツごとに塗装を行なってから甲板部に接着する

4甲板の内部には縦横無尽に丸パイプや丸棒を配置し、さらに最下部には、格子状の鍋敷き（百円ショップで購入）を複数重ねトラス構造体を構成した

5甲板直下のワーレントラス構造体は、100円ショップの猫避けネットを使っている。プラスチック製なので加工しやすく、ハンダごてによる溶融表現にも適している

6昇降エレベータ部分は、MDF材とプラ板との複合構成で、センサーのメカニカルな部分は、住宅の天井の電燈固定治具を流用。被弾部分はあらかじめ内部構造体を作り込み、あとから表面部分を開けた

7オズマ機とミシェル機は、背面同士をつけてひとつの砲台のように見せるため、ダイオラマ上の複雑な高低の差を生かしたポージングをいろいろとシミュレーションしている

8腰のアーマーカバーにマイクロミサイルを追加。腰の部分でミサイルポッドを扇型に広げることにより、メサイアに不足している腰の部分のボリュームアップを図った

9ひざのプロテクター部分は、ミサイルポッド部分を追加して大型化し、オープン構造にすることによって、脚のコネクション部分にアクチュエーターなどを追加する

10ミサイルポッドはポッドカバー部分のヒンジが大きくとられているので、ヒンジ部分が小さくなるように加工。そのままではすき間が開くので、そこにマイクロミサイルを追加し、全体がミサイル面になるように改造

11オズマ機は、ミサイルポッドを全開にして、両脚を踏ん張るというポージングにするが、そのままでは脚がバランス的に小さく見えるので、増加装甲カバーを追加し脚のボリュームアップを行なう。かかと部分にはアンカーユニット、つま先部分にはひざのカバー部分のパーツなどを流用しつつ装甲カバーをスクラッチビルドしている

12ミシェルの脚の被弾部分は、アーマーカバーにピンバイスで穴をあけ、半田ごてで穴を整える。さらに内部構造物を作り込んだ

13ミシェルのスナイパーライフルは、特徴的な８つのスタビライザーフィンに大型スタビライザーを追加している。また、金属部品を流用することで、ロングバレルに換装しているように作成した。グロスブラックをベースに、オレンジベースのグラデーションでメタリック塗装を行なった

14甲板部分はプラダン材を使用。甲板はバジュラからの激しい攻撃を表現したかったのだが、この素材なら、構造的な強度を持ちつつハンダごてによる熱溶融跡表現、レジンサンドメディウムによる溶融状態の再現、クラッキングメディウムによるクラック処理を複合的に組み合わせることができる

15 **16**溶融部表現のひとつとして、グロスブラックを混ぜたレジンサンドメディウムを溶融部分に盛るようにのせていき、乾燥後、さらにクラッキングメディウムで処理することによりざらつきを追加した

17このダイオラマ上には、倒れ込んだ黄色のジャケットのシューターを助け起こすクルーのフィギュアが隠されている。ドームカバー内に収めたのでよく見ないと見えないのだが、やっぱり、発進シーンにはシューターは必須と思い配置した

18マイクロミサイルポッドのカバーは、オレンジを主体にしたメタリック塗装を施し、オズマ機のポイント色とした。　カバー部分のヒンジは、艦船模型の機銃パーツを使用

19両機の脚ノズル部は、まずグロスブラックの塗装の上にチタンシルバー／ゴールドとクリアーオレンジ／ブルーを重ね吹き。その上からクラッキングメディウムによりクラックを発生させた。脚ノズル部とカバーの部分には、異なる形状のクラックを発生させている

20甲板上に散らばったバジュラの内部組織は、神経系組織の塊というイメージで製作。透明にしたかったので透明樹脂粘土「透けるくん」を使用し、スパチュラで外側に引き延ばすように粘土を加工する。体液は、アクリル系塗料のクリアー色を使用した。ブルー系を中心にグリーンを加えている

21バジュラの装甲部分は、エポキシパテで製作。パテを極薄く延ばし、ある程度固まってきたところで形を整えて、透明樹脂粘土で製作した半透明な内部組織を接着する。また、装甲の表面には、軽くクラックを入れている。当初は、バジュラ全体をすべてフルスクラッチで作ることも考えたが、作品の主題がぶれてしまうと思い直し、攻撃により飛び散ったバジュラの破片を製作することに留め、各甲板部分に配置している

18

14

10

19

15

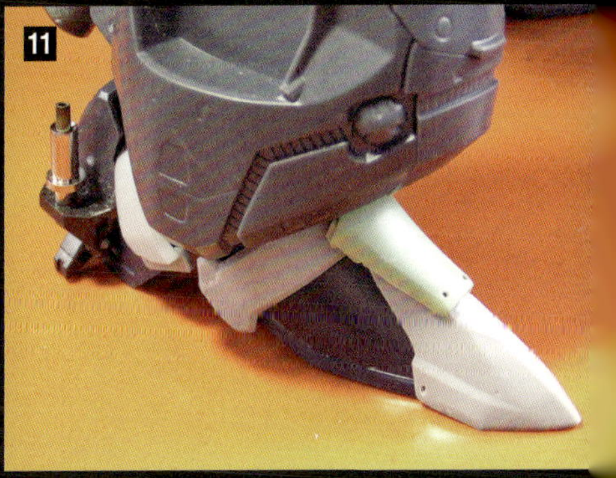
11

20

16

12

21

17

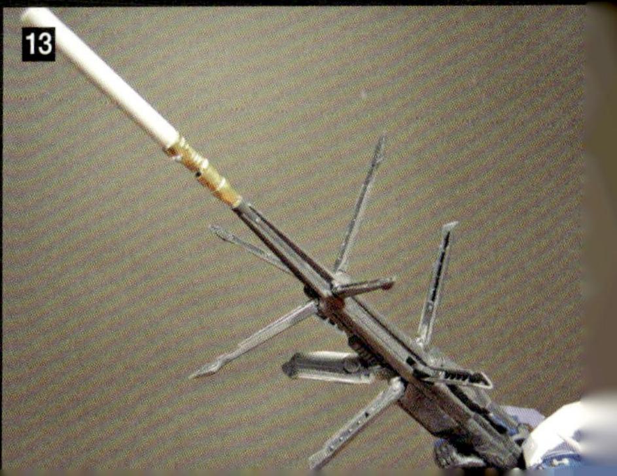
13

「ハルマゲドンモード全開!
マイクロミサイル全弾発射!!」

●本作ではオズマ機とミシェル機および付属パーツは甲板上に固定しておらず、フリーに配置が可能なようにしている。2機のVF-25は、一体化した全方位砲台的イメージなので機体色も同色系に統一しているが、それぞれのキーとなる色をシールドの部分に入れた。オズマ機のミサイルポッドカバーのメタリックオレンジでハルマゲドンモードのポージングを強調している

●アーマードパック装着のオズマ機はヘビー級装備なので、重さの表現として脚をボリュームアップ。さらに、脚の可動範囲をキットの最大限以上に広げるようにした
●被弾したミシェル機をかばっているシチュエーションにするため、オズマ機は全開のマイクロミサイルポッドは方向を上に向かせかなりのけぞったポージングにしている。マイクロミサイルポッドは、カバーヒンジ部分を小型化することでスペースを作り、そこにミサイル追加して数を増やしている。また、肩のミサイルポッドはキットのままだと裏側のヒンジ部分が簡素な構造なので、ジャンクパーツを流用することでディテールを追加し、メカニカルな構造に見えるように追加工作している
●ミシェル機は、かなり上方を見上げるポーズなためヘッド部分の首周りがよく見える。そこで、こまかなジャンクパーツでメカニカルな雰囲気を強調。また、被弾し失った左腕の部分は金属部品や配電用ケーブルで製作
●破壊された昇降エレベーターに角度を付けて設置することで、ミシェル機の足の踏ん張りと、オズマ機と背中を重ね合わせるポージングが可能となった。また、甲板部表面だけでは、その破壊の激しさは表現できないので、破壊された隙間から構造の深さが現れるよう甲板下は大きなスペースを取り、内部を製作している

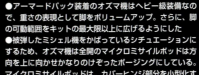

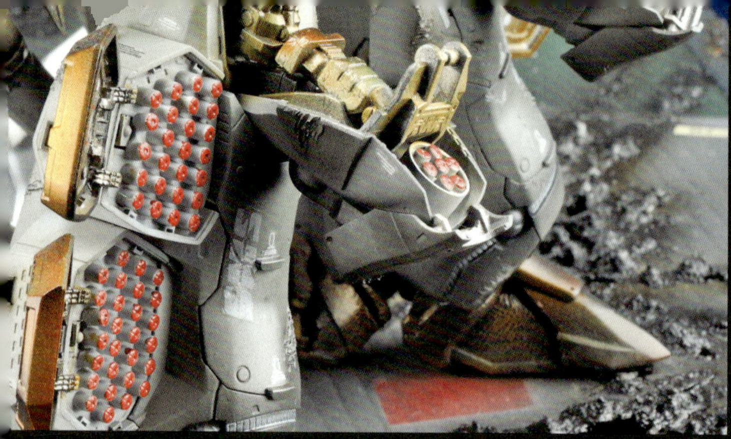

VF-25S ARMOREDMESSIAH VALKYRIE OZMA CUSTOM VF-25G MESSIAH VALKYRIE MICHAEL CUSTOM

〈Last Armageddon／双背同志〉

●マクロス・クォーターの甲板には軽い重力場が生成されていて、シャトルによるカタパルト発艦するが、非重力場の「舞鶴」のような甲板からの浮遊状態の発艦とは違うところに注目しています。現実に存在する空母と同じように、各クルーが存在するので、発艦指示担当＝黄色のジャケットのシューターをオペレーションドーム部に入れ込んだ

●オズマ機からパージされたブースターユニットにはプロペラントタンクを追加し、可変翼を挟み込むためのフォールディングダンパーを作り込んだ。メインノズルは、メタリック塗装処理後にとてもこまかいクラックを発生させている。このようなクラッキング技法は、金属系の部分に特有のざらつき感を出すのには非常に有効な手段である

●ブースターユニットを甲板両端にセットすることで、中心のVF-25 2機の砲台シルエットからブースターユニットにつながるようなカーブを構成するよう意識した。甲板上の各所には、スクラッチしたバジュラの破片が飛び散っており、戦闘の激しさを強調している

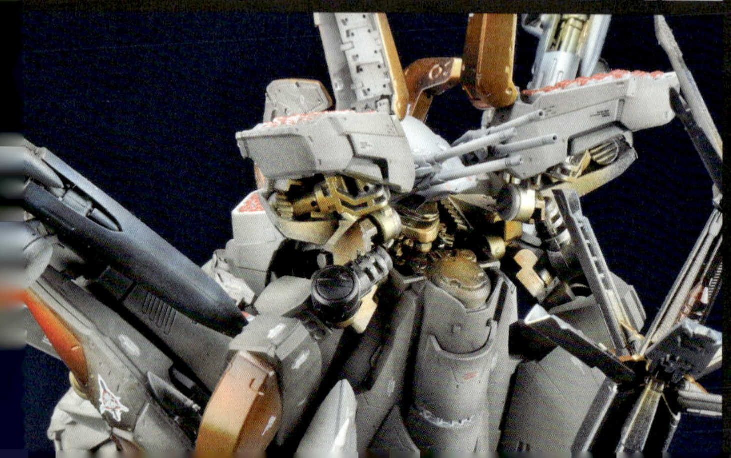

Model Graphix 2002年10月号 掲載

HASEGAWA 1/72 VF-1S STRIKE VALKYRIE

SVC-8 "BLUE ROSES"

VF-1S ストライクバルキリー
SVC-8 “ブルーローゼス”
ハセガワ　1/72
インジェクション
プラスチックキット改造
製作／**サル山ウキャ男**
カラーリング原案／東海村原八
部隊マークデザイン／中北晃二

スーパーロボットとしてのストライクバルキリー

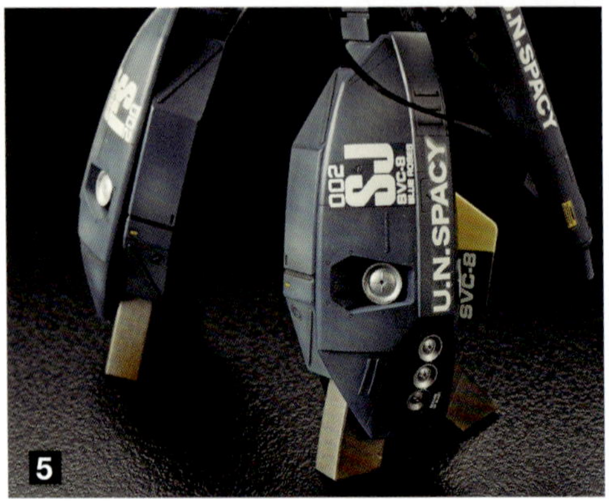

VF-1S STRIKE VALKYRIE

SVC-8 "BLUE ROSES"

すでに発売されたファイター形態のストライクバルキリーとバトロイドのキット、そして限定クリアー版キットに付属した特製デカールを併せて製作する本作。これらの素材を活かしてSVC-8の機体を製作したのは、「ちびちび攻撃」でおなじみのサル山ウキャ男氏だ。さすがに今回はちびちび攻撃をすることはなかったものの、もともとプロポーションのよいこのキットを、ある「ワンポイント反則技」でさらにカッコよくしてしまおう！

1 本作例の最大の特徴はその肩幅！　キットをストレート組みしたものよりもかなり幅が狭くなり精悍なイメージになっている。その秘密は胸上面にある微妙な三角形のスキマ。ここでパーツを分割してスキマを設けつつ胸パーツを曲げることで、肩幅を狭くすると同時に胸の前方へのボリュームを増しているのだ

2 背部スーパーパックは、同社製ファイターキットのパーツをそのまま流用。幅もサイズもピッタリだ

3 胸部のラインは本来はビビッドな黄色だが、彩度を押さえ褪色した雰囲気に。顔は柔らかなラインに変更

4 胸のライン変更と前後幅の増加がわかる。胸板は無理矢理ひん曲げているので、コクピットカバーとのラインが微妙に繋がっていないけど問題なし（笑）

5 脚部スーパーパーツは、本来ファイター用なので、そのままではバトロイドの脚にはしっくりこない。側面パーツの裏打ちをエポキシパテで行ない合わせた

某月某日、編集部から作例発注があった翌日……近所のレンタルビデオ屋に『愛・おぼえていますか』を借りに走ってしまったぞ。で、見たよ、10年ぶりくらいに（笑）。

◆キット評

ハセガワのキットでいままでに組んだものというと、10年くらい前のF1のキットと、T4（旧版）くらい……つまり、あまり繊細なイメージはなかったんですが、マクロスシリーズでは「ヒコーキのハセガワ」として評価されてきた所以である、シャープさ、端正な仕上がりがいかんなく発揮されていてとてもよいですね。バトロイドにおいてもそれは同様。「スケールモデル的アプローチのロボットプラモデル」というもの自体これまでほとんど存在しなかったので、このようなアプローチを大事にしつつ今後も伸びていってほしいシリーズです。

オイラ的にいちばん気になるプロポーションについても、「飛行機が変型したもの」と「旧アニメ設定」の中間で絶妙にバランスがとられたなかなかのもの。先にリリースされたファイター形態に合わせすぎるとロボとしてのケレン味に欠けるし、かといって旧アニメの絵のとおりだとファイターと並べたときに気持ちが悪いですからね（苦笑）。しかも申しぶんない可動範囲が施されているし、ハセガワ初のロボットモデルとしてはかなりよい出来だと思いました。

◆製作

そんなわけでオイラの担当はストライクバルキリー……でもじつは、ストライクバルキリーって、二連ビームカーンがおもちゃっぽくてあまり好きじゃなかったり（笑）。さておき、今回はファイターとバトロイドのキットを2個イチで作ります。

まず頭部から。フェイスは旧イマイのキットっぽい感じなのですが、もうちょっと丸みを帯びた感じが好みなんで、設定画を参考にしつつ削り込み。あまり丸くしすぎるとパトレイバーになっちゃうんで注意。頭部天面のパーツが別なので、カメラカバーのクリアーパーツをあとハメできるように

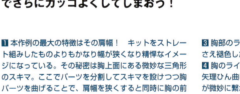

6 顔のカメラ部はもちろん、肩のライト（銀やクリアーカラーを裏側に塗れば、ちょっと光を当てるだけでさながら発光しているように見える）、脚の識別灯、手首のセンサーカバーなどなど、キットには豊富に透明パーツが付属しておりリアリティーを高めている。そういえば、旧イマイの 1/72 バトロイドのキットにも豊富に透明パーツが入っていたので、VF-1 バトロイドモデルの伝統？
7 ガンポッドの文字はあえて正位置に。バトロイド重視ってことで
8 腕のスーパーパーツもファイター用のものを加工したが、なにしろ厚みがまったく違う。パーツ中央 x のグレネードはそのままで、左右に 1㎜ずつ幅増している。逆に言うと、それだけで腕のラッチにピッタリハマる。両形態の VF-1 に対してここまで統一感のある設計を行なったハセガワには脱帽だ

6

7

8

しとくと楽です。後頭部はモールドがぜんぜんないので追加するとよいです。
胸部ですが、ファイター形態を視野に入れた広めの幅が個人的にはどうにも……かといって細かいモールドの入りまくった胸パーツを切り刻んだりするのはこのよくできたキットに対しては野暮ってもんです。で考えついたワル知恵なんですが、胸パーツを曲げちゃえば、表面ディテールは活かしたまま胸の幅をおさえつつ前後の厚みも出せて、よりロボっぽいプロポーションにできちゃう！ これ、可変モデルでも応用できるプロポーション変更ワザだと思うんで誰かやってみそ（自分ではやらない奴）。
機首はキャノピーの前のラインで一度カットして少しノーズが上向きになるように再接着。先端も若干短くしつつ形状修整。
腕はヒジ関節の切り欠きを削り込み、2㎜ほど短くして肩側面にモールドを追加したのみです。アフターパーツを使ったり自作しなくていいのは、本来当たり前のことかもしれないけど、すばらしいですな。
脚は基本的にはそのまま。ただ、ポリキャップが小径すぎてヘタリやすいのが気になるところ（この部分はその後のキットでパーツが更新されて対策されました）。
背部ブースターはファイターの基部パーツごとバックパックに取りつけただけ。腕パーツは2㎜幅増しし、腕へのラッチ部をちょっと削るだけで割りとピッタリ合います。脚側面パーツはさすがにすき間が出てしまうので、エポキシパテで合わせます。後部パーツは厚みを減らして取り付け。
塗装はブルーローゼス仕様で、褪色表現はオーバーめにやってみましたが……なんかヘンな迷彩みたくなっちゃったかも。なにせもともとエアモデルモデラーではないので、このあたりでご容赦ください（イマイチ）。んで、最終的に某イベント会場で納品だったのですが、間に合わなくて会場でデカール貼りをする始末。ダメダメ人間～人間♪ デカールはハセガワのマクロスシリーズオプションデカールです。
しかし今回の作例はなんか新鮮な感じでスゲー楽しかった。皆も作ろー！ ■

AFVモデルのウェザリング塗装テクをデストロイドに注ぎ込む！

デストロイドのリアリティーを強化する 直伝 陸戦兵器塗装実践ガイド!!

Model Graphix 2009年2月号 掲載

講師／**上原直之**
（AFVモデラー）

デストロイドは陸軍の兵器、ミリタリーテイストで塗装すればきっとバッチリ決まるはず！　というわけで戦車モデラーを代表し『月刊アーマーモデリング』で活躍中の上原直之氏にウェザリング塗装法を直伝していただこう。

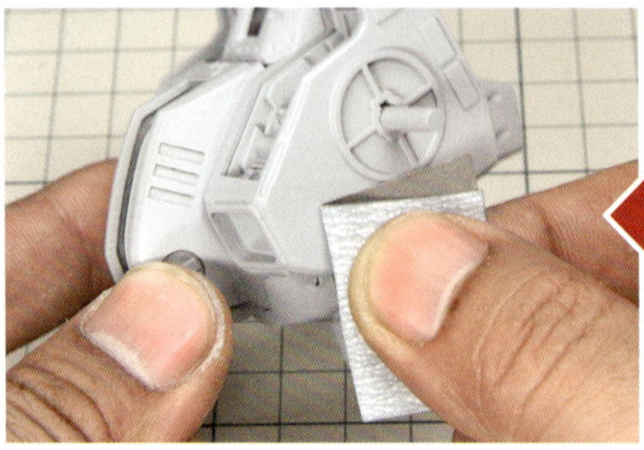

▲表面にキズやホコリがある場合は1000番以上の紙ヤスリを使って修整しておく。どうせウェザリングするからと適当に進めると、ウォッシングでにじんだりしやすくなる

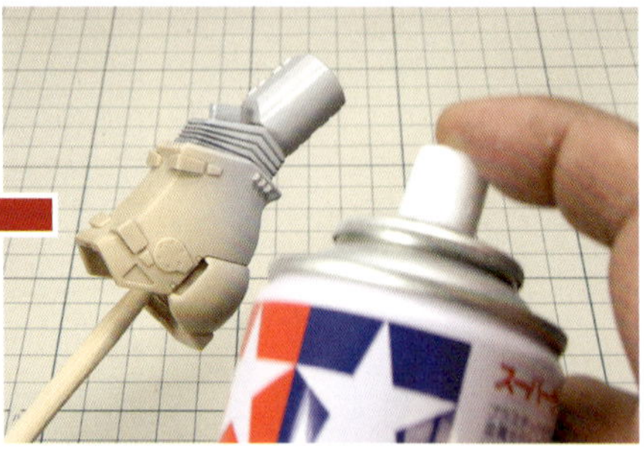

▲まずはサーフェイサーを吹きつける。ウェザリング作業でエナメル系塗料の薄め液を多用するので、なるべくプラスチックを侵さないようにサーフェイサーの膜を作り保護をしておく

▲影色を吹きつけたらマガジン（弾倉）の接合部分にグレーを吹きつけておく。このあと機体色のサンド系を塗っていくが、マガジンを付けた状態ですすめればマスキングはいらない

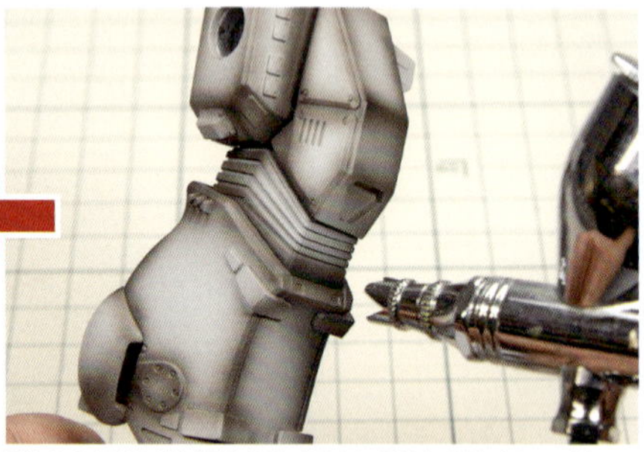

影になる部分に焦げ茶色を吹くことからはじめる（ここではラッカー塗料を使った）。奥まった部分や塗料が届きにくい部分などを中心に、あまり法則的にならないよう塗っていく

▲機体上半身はダークイエローに振り、下半身はウッドブラウンに振ることで同系色ながら色合いを変え、上下で別ユニットであることをオーバー気味に演出している

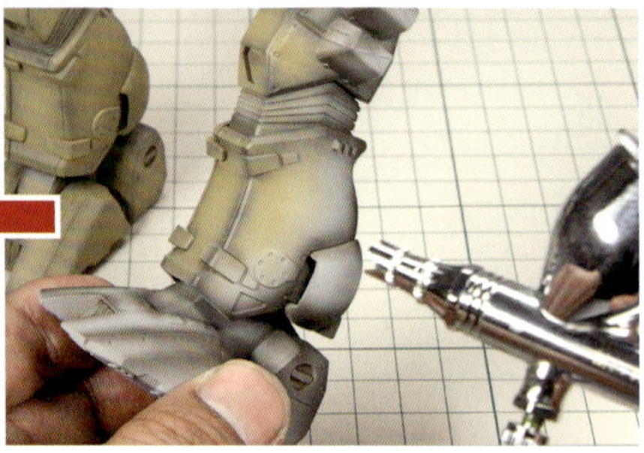

▲基本色のサンドを塗っていく。GSIクレオス Mrカラーのウッドブラウンにや白、ダークイエローを加えて作った色を塗った。先に塗った影色がうっすら残るように塗り重ねる

▲各部にある関節部分や、肩にあるマガジンの塗装をしておこう。戦車模型では全部組み立ててから塗ることが多いが、このキットはバラせるので関節部分だけ外して塗ると楽だ

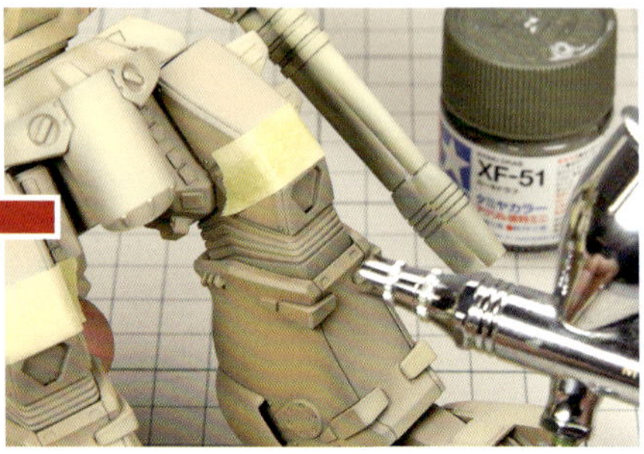

▲AFV模型でトレンドとなりつつある「カラーモジュレーション」塗装をする。面ごとに色の明度を変え塗ることで立体感が強調され、単調な印象になりにくくなる

ADR-04-MkX
デストロイド ディフェンダー
ウェーブ　1/72
インジェクションプラスチックキット
発売中　税込7344円
出典／『超時空要塞マクロス』
製作・文／**上原直之**

1/72 ADR-04-MkX DESTROID DEFENDER

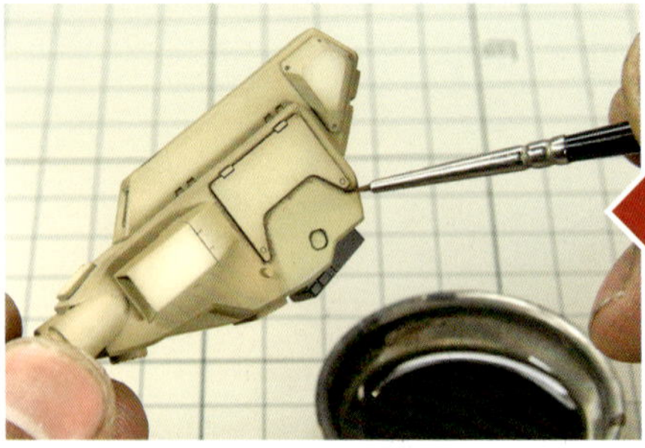

▲ほかのマーキングはデカールで再現するが、デカールを痛めないようスミ入れを先に済ませておく。エナメル系塗料で焦げ茶色を作りうすめ液を加えたもので行なっている

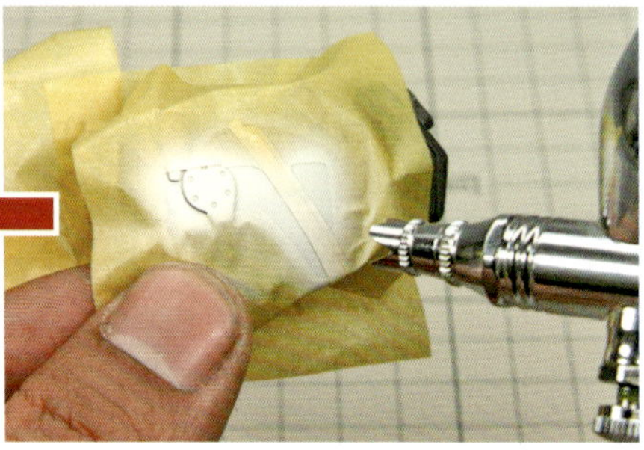

▲機体の基本塗装が完了したら塗装デマーキングを入れる。まずは両足にある模様から。ここは白のマーキングだが、純白を使うと浮いてしまうので白には少し色味を足しておく

▲マーキングの再現が完了したところでラッカー系塗料のクリアーを吹いておく。この後エナメル塗料でのウォッシングが控えているので、しっかりクリアーの塗膜で保護する

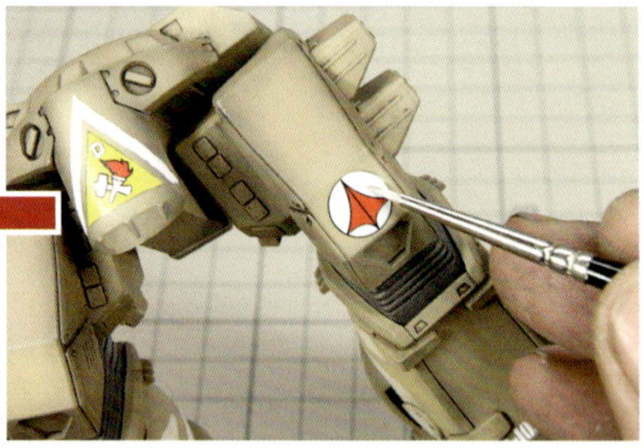

▲組み立て説明書に従いデカールを貼ったが、色が鮮やか過ぎて“ミリタリーモデル”としては違和感を感じたので、デカールの上からアクリル系塗料を使って重ね塗りして色を落ち着かせる

▲基本塗装からウェザリングまでひととおり作業が完了。このあとクリアーパーツがはまる部分にメタルックを貼り、クリアーパーツをはめれば完成。肩のマガジンのマーキングも塗装で再現した

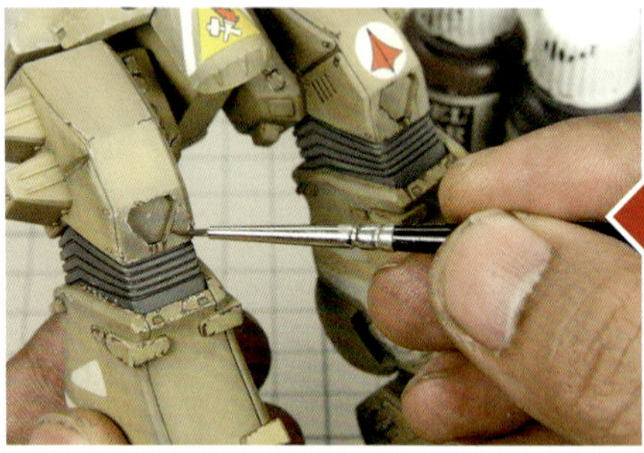

▲機体全体に引っ掻きキズを描く。機体の塗料表面だけが剥げて少し色が明るくなった状態と、地の金属まで露出した部分を塗料によって再現する。上半身は控えめな表現とした

▲いよいよここからが戦車モデラーの本領発揮。まずは油彩を使った「ドッティング」。塗料を点々と付けて、うすめ液を染み込ませた筆でなぞって馴染ませる。その際、重力方向にスジが残るようにする

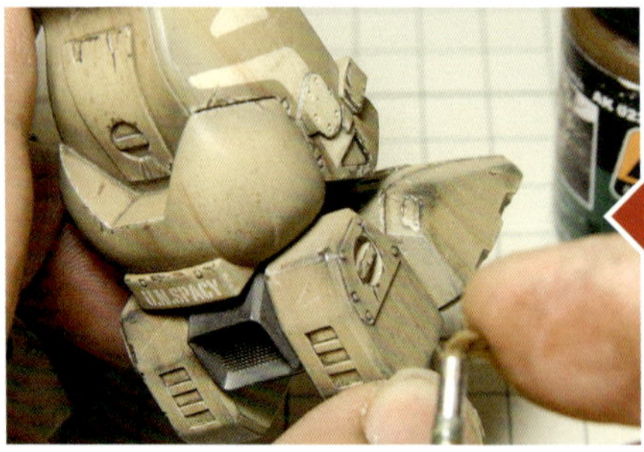

▲足周りを中心に埃色でウォッシュ。うっすらとホコリを被ったような状態にしてから飛び跳ねを再現する。筆にエナメル系塗料で作った土埃色を取り、指で弾くようにして塗料をつける

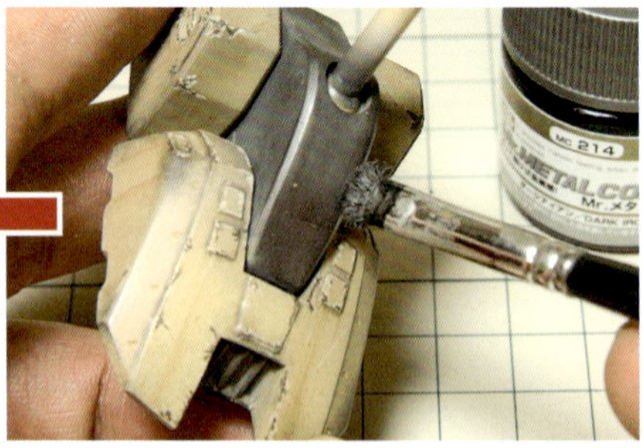

▲金属（と思われる）部分にGSIクレオスのメタルカラー（ダークアイアン）を塗って金属質感を出す。「筆で塗る」というよりはドライブラシの要領で擦りつけていく

AFV模型界でトレンドになっている「カラーモジュレーション」とは！？

▼1色で塗らず明暗付けて塗りわけて立体感を出す。色の変化は「少々オーバーすぎたかな？」ぐらいがちょうどいい

数年前にヨーロッパのAFVモデラーがやりはじめ、最近日本のAFVモデル界でもひとつのトレンドとなりつつある塗装法が「カラーモジュレーション」。大ざっぱに言うと面ごとに色のトーンに変化をつける技法のことだ。

この技法、初期の段階では光の方向や影を塗装で強調して演出するというものだったようだが、その後ハイライト面を1方向に限定しない塗り方もでてきており、その目的については少々混乱している。共通して言えそうなのは、「単色ベタ塗りするだと間が持たない」ので「色味の差をつけることで立体として見映えがするようにする」という考え方が根にあるところで、ひとくちにカラーモジュレーションと言っても、どのように変化をつけるかによって見え方も変わってくる。

▲最後にエナメル塗料のクリアーオレンジにスモークを混ぜた色でオイル滲みを再現する。基本塗装の半ツヤ、ウェザリングのツヤ消し、オイルのツヤとツヤ自体の表情もつけられる

1/72 ADR-04-MkX
DESTROID DEFENDER

Model Graphix
2017年2月号
掲載

ヴァリアブルファイター？
みんな、そんなヒラヒラしたメカばかり好きだよね
でもさ……ロボ好きにとってのマクロスといえば

デストロイド

なんじゃないんですか!?

『マクロスゼロ』に登場した、デストロイドの極初期型モデルとしてのシャイアンを受け、全面改修された機体として『マクロス F』に登場したのがこのシャイアンⅡだ。ミサイルポッドを両肩に掲げ“マクロスアタック”でも砲撃に参加した由緒ある機体だが『マクロスΔ』にも第1話で登場。ヴァールシンドロームで凶暴化したゼントラーディ人の鎮圧に出動するも撃破される

オーレはシャイアン♪ おぼえていますか？

デストロイド　シャイアンⅡ
フルスクラッチビルド　1/72
出典／『マクロスF』『マクロスΔ』
製作・文／**西村 剛**

『マクロスΔ』ではすっかりヴァリアブル・ファイターの空戦ばかりに見せ場を持っていかれていますが、あんなチャラい万能兵器は「オンナ子供の好いとうメカ！（断言）」。漢なればもっと泥くさく地に足のついたロボにこそ愛情を注ぐべし。そこで『マクロスΔ』に唯一登場したデストロイドを、しかもフルスクラッチビルドで製作しちゃおう。どうだこの漢らしさ!!　え？　キットが発売されないマイナー機体なだけだって……せからしか！（笑）

デストロイド シャイアンII
DESTROID CHEYENNE II

3D出力!? せからしか! こちとら古式ゆかしいプラ板工作でスクラッチビルドじゃ!

製作・文／西村剛

『マクロスF』から引き続き、『マクロスΔ』でも登場した唯一のデストロイド「シャイアンⅡ」をスクラッチビルドしました。

このシャイアンⅡは、『マクロスゼロ』に登場したシャイアンを最新技術で再設計した機体で、これまで登場したデストロイドのトマホークとディフェンダーとファランクスの武装全部載せに、脚部のローラーにより高速移動も可能という、なにげに凄い機体です。また、腕部兵装ユニットの反対側には、チャームポイントでもある通常のマニピュレーターも装備しています。もしかしたらシャイアンⅡの登場によりほかのデストロイドも統合されてしまったのか!? なと考えると寂しくもなりますが……。

設定画は正面からの1枚のみで背面は不明でしたが、バリエーション機である作業用デストロイド「ワークス」には背面画があったのでそちらを参考に、それ以外は登場シーンを一時停止して可能な限り読み取りました。また、それでも不明な個所やディテールなどは、資料の多い初代シャイアンを参考にしています。

本作は、ほぼ全身プラ板の積層からできています。まず簡単でよいので正面と側面の図面を描いて、側面側を基準線にします。あとはその図をプラ板に写しとって、ひたすら切って貼って削るの繰り返しです。削る際に、エッジとなるプラ板の断面にはマジックペンなどで色を付け貼り合わせていき、削るときの目安にします。積層の側面を削る際は、正面を削る長さに固定したノギスでエッジに当てて削る線をけがいていき、側面に色を付け削ります。色をつけることにより、残る側のエッジを削らないように注意することができます。

本機は重武装なので、武器は可能な限り中空パーツにして軽量化しました。多角形なミサイルポットなど、接着面に付けたい角度がある場合には、簡単な治具を作って接着面をカンナがけしています。ミサイルポッドは、「やはりミサイル本体を見せないと!」と思い、蓋をネオジム磁石で取り外し式にしています。

円筒形のパーツ、モールドの入ったパー

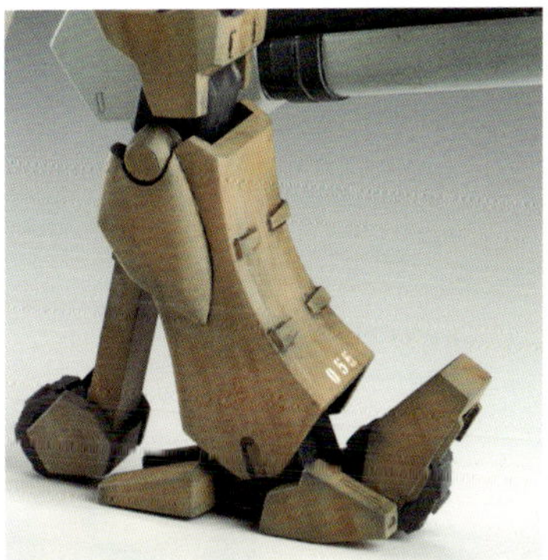

キモはプラ板工作による中空&軽量化！
大型武装をぶら下げても大丈夫なようにするのだ

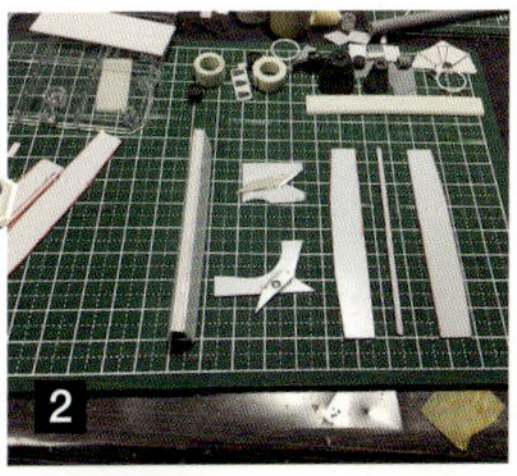

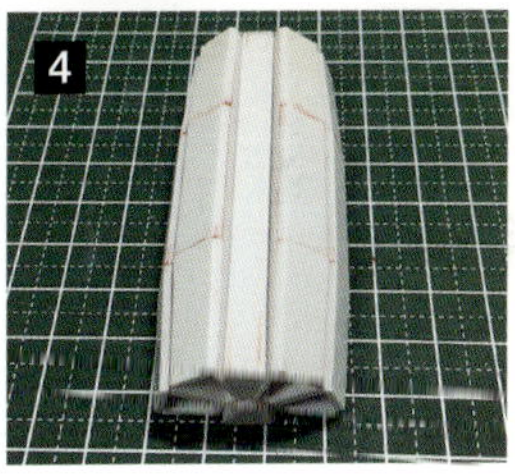

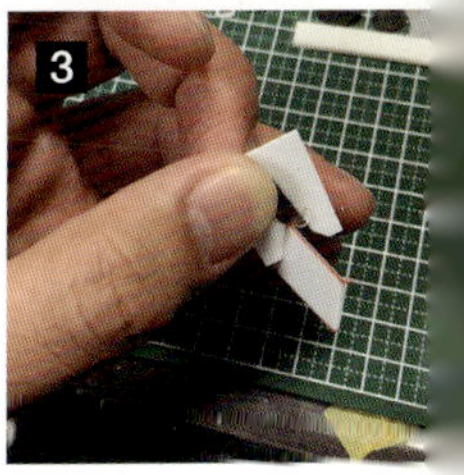

1図面から起こした型紙を写したプラ板を切り出して組み上げていく。バランスをみながら各パーツのボリュームを調整していく。複数枚必要なプラ板は一度瞬間接着剤で仮固定し、形出しと整形が終わってから剥がして作る。武装はプラ板、プラ棒の組み合わせと市販のタンクパーツを組みあわせて製作
2ミサイルポッドは複雑な角度の筒パーツを組み合わせて仕上げるため、先に各部の箱の長さや角度を割り出してから1.2㎜のプラ板を切り出す。それらプラ板を箱組みするための接着面の角度も重要になるため、その角度で削り出すための治具を準備した。プラ板にデザインナイフの刃を貼り付けたものだが、必要な角度にあわせて数種類準備する
3プラ板の削る面を赤くマークしておき、準備した治具をつかってカンナがけの要領で接着面に角度をつけていく。描いておいた赤いマーキングを基準にすれば削りすぎを防ぐことができる
4こうやって複数枚のプラ板に同じ角度の切断面を作ることができ、組み合わせていくとミサイルポッドができる。5仕上がった各パーツを組み上げた状態。ほとんどがプラ板工作で作ったのがわかる。武装やミサイルポッドは複製している

ツはコトブキヤやウェーブなどから発売されている市販パーツを積極的に使っています。その際、そのまま使用するだけではなく、高さを変えたり形状を変えたり組み合わせたりするようにして、元のパーツがわからなくなるよう工夫しています。

頭部のバイザーはエポキシパテで型を作り、塩ビ板をバキュームフォームしています。おでこのレンズはプラ板で作ったものをシリコーンゴムで型取りし、そこに手芸用のUVクリアーレジンを流して作りました。UVクリアーレジンは気泡ができず硬化も早く薄いレンズパーツなどに便利です。

関節はイエローサブマリン製の「関節技」を使用しています。その際、軸の受け側にはパーラービーズを使用しました。これは3㎜軸の受けにちょうどいい固さと粘りと強度があり、カラーが豊富でグレーなど関節パーツ向きな色もあります。なにより、1000個も入っていて数百円というコストパフォーマンスのよさ！　これのおかげでミサイルポッドを背負ってもヒザ関節が重量に負けることはありませんでした。

塗装ですが、登場シーンは暗い場面が多いので最後まで悩みました。機体色はウッドブラウンに白とダークイエローを加えて作り、そのほかの配色は従来のデストロイドを参考にしました。ラッカー系塗料でウェザリングは「Mr ウェザリングカラー」の各色を部位により使い分けています。色がよく、使いやすいですね。

マーキングも悩みましたが、デカールを流用してそれらしく貼っていきました。ウェーブの『1／72デストロイド トマホーク』から拝借したのですが、シャイアンⅡの時代は新統合軍なので、Nが1個足りなかったことに納品後に気が付きました……ケアレスミス！

さて、フルスクラッチビルドで作るシャイアンⅡ、なかなかバランスよく仕上がったと思いますがどうでしょうか。これをを使って『マクロスΔ』の1話でハヤテとフレイアが出会ったシーンに登場した作業用デストロイドとリンゴコンテナを作ろう……とか妄想するだけでも楽しいです。■

DESTROID CH

Model Graphix

マクロス アーカイヴス プラス

モデルグラフィックス編

編集●モデルグラフィックス編集部
森慎二
撮影●ENTANIYA
KON(figuephoto)
装丁●横川 隆（九六式艦上デザイン）
レイアウト●横川 隆（九六式艦上デザイン）
丹羽和夫（九六式艦上デザイン）
SPECIAL THANKS●ビックウエスト
バンダイ
ハセガワ

マクロス アーカイヴス プラス

発行日　2018年4月30日 初版第1刷

発行人／小川光二
発行所／株式会社 大日本絵画
〒101-0054 東京都千代田区神田錦町1丁目7番地
URL; http://www.kaiga.co.jp

編集人／市村 弘
企画・編集／株式会社アートボックス
〒101-0054 東京都千代田区神田錦町1丁目7番地
錦町一丁目ビル4階
URL; http://www.modelkasten.com/

印刷／製本／大日本印刷株式会社

内容に関するお問い合わせ先: 03(6820)7000 (株)アートボックス
販売に関するお問い合わせ先: 03(3294)7861 (株)大日本絵画

Publisher/Dainippon Kaiga Co., Ltd.
Kanda Nishiki-cho 1-7, Chiyoda-ku, Tokyo 101-0054 Japan
Phone 03-3294-7861
Dainippon Kaiga URL; http://www.kaiga.co.jp
Editor/Artbox Co., Ltd.
Nishiki-cho 1-chome bldg., 4th Floor, Kanda
Nishiki-cho 1-7, Chiyoda-ku, Tokyo 101-0054 Japan
Phone 03-6820-7000
Artbox URL; http://www.modelkasten.com/

ISBN978-4-499-23235-7